D0527183

Charmant PLAY BOY

Infographie : Johanne Lemay

Catalogage avant publication de Bibliothèque et Archives nationales du Québec et Bibliothèque et Archives Canada

Lauren, Christina

[Beautiful player. Français]

Charmant play boy

Traduction de : Beautiful player.

ISBN 978-2-7619-4110-5

I. Guyon, Margaux. II. Titre.
III. Titre : Beautiful player. Français.

PS3612.A952B42614 2014
813'.6 C2014-940985-0

10–14

L'ouvrage original a été publié par Gallery Books, une division de Simon & Schuster sous le titre *Beautiful Player.*

Dépôt légal : 2014
Bibliothèque et Archives nationales du Québec

ISBN 978–2-7619-4110-5

DISTRIBUTEUR EXCLUSIF :
Pour le Canada et les États–Unis :
MESSAGERIES ADP inc.*
2315, rue de la Province
Longueuil, Québec J4G 1G4
Téléphone : 450–640–1237
Télécopieur : 450–674–6237
Internet : www.messageries–adp. com
* filiale du Groupe Sogides inc.,
filiale de Québecor Média inc.

Gouvernement du Québec – Programme de crédit d'impôt pour l'édition de livres – Gestion SODEC –www.sodec.gouv.qc.ca

L'Éditeur bénéficie du soutien de la Société de développement des entreprises culturelles du Québec pour son programme d'édition.

Conseil des Arts du Canada   Canada Council for the Arts

Nous remercions le Conseil des Arts du Canada de l'aide accordée à notre programme de publication.

Nous reconnaissons l'aide financière du gouvernement du Canada par l'entremise du Fonds du livre du Canada pour nos activités d'édition.

CHRISTINA LAUREN

Charmant PLAY BOY

ROMAN

Traduit de l'anglais (États-Unis) par Margaux Guyon

Une société de Québecor Média

PROLOGUE

C'est l'exposition la plus moche de tout Manhattan. Je ne suis peut-être pas objective, mais je m'y connais en matière d'art : vraiment, les peintures sont *toutes* hideuses. De celle qui représente une jambe poilue émergeant d'une tige de fleur à celle d'une bouche pleine de spaghettis. À côté de moi, mon père et mon frère aîné ont l'air absorbés dans leur contemplation, comme si eux comprenaient le sens de ces œuvres. Je les bouscule un peu, j'ai hâte de goûter aux petits fours et au champagne, mais je sais bien que le protocole exige qu'on ait *d'abord* admiré les œuvres d'art exposées.

À la fin de l'exposition, au-dessus de l'énorme cheminée, entre deux chandeliers imposants, se trouve une peinture représentant une double hélice – la structure d'ADN –, sur laquelle est imprimée une citation de Tim Burton : *L'amour entre espèces différentes est insolite par nature.*

Amusée, j'éclate de rire avant de me tourner vers Jensen et mon père :

— OK. Celle-là n'est pas mal.

Jensen soupire.

— C'est bien *ton* genre d'aimer ça.

Je regarde le tableau, puis mon frère de nouveau.

— Pourquoi ? Parce que c'est la seule œuvre ici qui ait du sens ?

Il fixe mon père d'un air entendu. Et puis, comme s'il avait obtenu son accord silencieux, il continue :

— Il faut qu'on te parle de ton rapport à ton job.

Une longue minute passe. Je mesure la portée de cette remarque au ton de voix adopté par mon frère et à son expression déterminée.

— Jensen, tu veux vraiment qu'on ait cette conversation *ici ?*

— Oui, justement.

Ses yeux verts se plissent :

— C'est la première fois que tu sors du labo depuis deux jours pour autre chose que dormir ou manger.

Je me suis souvent fait la remarque : les traits de caractère de mes parents – surprotection, acharnement, impulsivité, charme et prudence – ont été équitablement répartis entre leurs cinq enfants.

Surprotection et *Acharnement* sont sur le point de se livrer bataille en plein milieu d'une soirée new-yorkaise.

— Nous sommes dans un cocktail, Jens. Nous sommes censés discuter de l'évolution de l'art contemporain, dis-je en faisant un geste vague vers les murs de la salle meublée avec opulence. Ou de ce qui dernièrement a fait scandale…

Je n'ai aucune idée du dernier potin en date. Mon ignorance confirme les inquiétudes de mon frère.

Jensen se retient de ne pas lever les yeux au ciel.

Mon père me tend un petit four, un escargot sur un cracker. Je le fais glisser discrètement dans une serviette avant de le déposer sur un plateau. Ma nouvelle robe me démange, je regrette de ne pas avoir eu le temps de demander au labo en quelle matière est faite la lingerie sculptante que je porte pour aller avec. Griffée Aubade, la célèbre marque de lingerie, j'en déduis qu'elle a été inventée par Satan ou alors par une femme frustrée.

— Tu n'es pas seulement intelligente, continue Jensen. Tu es drôle. Tu es sociable. Tu es une jolie fille…

— Femme, je corrige en bougonnant.

Il s'approche de moi pour éviter que les autres invités n'entendent notre conversation. Dieu merci, la haute société new-yorkaise n'aura pas à l'entendre me faire une leçon de sociabilité pour les nuls.

— Je ne comprends pas pourquoi nous n'avons vu personne ici, en dehors de *mes* amis.

Je souris à mon frère. Un court instant, je trouve son côté surprotecteur mignon, avant de ressentir une bouffée d'irritation. J'ai l'impression de toucher du fer en fusion, la douleur vive est suivie d'une brûlure lancinante.

— Je viens de terminer mes études, Jens. J'ai toute la vie devant moi.

— C'est *ça,* la vie, insiste-t-il. *Là, maintenant.* Quand j'avais ton âge, je ne me préoccupais pas de mes études ni de mon avenir, j'espérais seulement me réveiller le lundi matin sans gueule de bois.

Mon père se tient près de lui en silence, semblant ignorer cette dernière remarque. Il a l'air de cautionner l'appréciation générale de Jensen : je suis une geek sans amis. Je lui lance un regard censé signifier : *C'est le scientifique accro au travail qui passe plus de temps dans son labo que dans sa propre maison qui me fait la morale ?* Il reste impassible, légèrement déconcerté, comme s'il voyait, dans une fiole, un composant censé être soluble se transformer en une suspension visqueuse.

De mon père, j'ai hérité l'*acharnement,* mais il répète toujours que ma mère m'a également donné un peu de son *charme* aussi. Peut-être parce que je suis une femme ou parce qu'il pense que chaque génération doit s'améliorer par rapport à la précédente, je dois réussir à équilibrer travail et vie privée là où il a échoué. Le jour où mon père a eu cinquante ans, il m'a appelée dans son bureau et m'a dit simplement : « Les êtres humains sont aussi importants que la science. C'est en analysant mes erreurs que tu avanceras dans la vie. » Et puis il a feuilleté des dossiers sur son bureau et scruté ses ongles jusqu'à ce que je me décide à retourner au laboratoire.

Honnêtement, je n'y suis pas parvenue.

— Je sais que je peux avoir l'air un peu péremptoire, chuchote Jensen.

— Un peu, oui !

— Et je sais que je me mêle de ce qui ne me regarde pas.

Je lui décoche un regard entendu en murmurant :

— Tu es ma Minerve personnelle.

— Sauf que nous ne sommes pas à Rome et que j'ai une bite.

— J'essaie de faire comme si je n'en savais rien.

Jensen soupire, mon père comprend alors qu'il doit prendre part à la conversation. Ils sont venus me voir ensemble et, même si c'est assez étrange pour une visite surprise en février, je ne l'avais pas réalisé jusque-là. Mon père me prend par les épaules et me serre contre lui. Ses bras sont longs et minces, mais il a toujours eu la poigne d'un homme bien plus fort que ce qu'il en a l'air.

— Ma Ziggs, tu es une bonne petite fille.

Je souris à cette version paternelle du discours d'encouragement.

— Merci.

Jensen ajoute :

— Tu sais qu'on t'aime.

— Moi aussi. La plupart du temps.

— Mais… tu peux considérer ça comme un conseil… tu es accro au travail. Tu es accro à tout ce qui a un rapport avec ta carrière. Peut-être que je m'immisce toujours dans ta vie…

Je l'interromps :

— *Peut-être ?* Tu diriges tout, depuis que papa et maman ont retiré les petites roues de mon vélo jusqu'au jour où ils m'ont laissée sortir après le coucher du soleil. Et tu ne vivais même plus à la maison, Jens. J'avais *seize* ans.

Il s'immobilise.

— Je te jure que je ne te dirai pas quoi faire, mais…

Sa voix baisse d'un ton, il regarde autour de lui comme s'il s'attendait à ce que quelqu'un lui souffle la fin de sa phrase. Demander à Jensen d'arrêter de diriger ma vie, c'est comme demander à quelqu'un d'arrêter de respirer pendant dix petites minutes :

— Appelle quelqu'un…

— Quelqu'un ? Jensen, tu es en train de dire que je n'ai pas d'amis ! Ce n'est pas *tout à fait* vrai. Et qui veux-tu que j'appelle pour « vivre pleinement, sortir et m'amuser » ? Un jeune diplômé aussi occupé par ses recherches que moi ? J'ai un diplôme d'ingénierie biomédicale. Ce n'est pas comme si j'avais mille opportunités de sortir.

Il ferme les yeux, puis fixe le plafond comme pour y trouver une idée. Ses sourcils se relèvent quand il se retourne vers moi, l'air plein d'espoir. Sa tendresse fraternelle est irrésistible.

— Pourquoi pas Will ?

J'attrape la coupe de champagne de mon père et la vide d'un trait.

* * *

Pas besoin de demander à Jensen de répéter ! Will Sumner est le meilleur ami de Jensen, l'ancien stagiaire de papa et l'objet de tous mes fantasmes d'adolescente. Alors que j'ai toujours été la gentille petite sœur intello, Will était le génie, le bad boy au sourire irrésistible, aux oreilles percées et aux yeux bleus qui hypnotisaient toutes les filles qu'il rencontrait.

Quand j'avais douze ans, Will allait sur ses dix-neuf. Il était venu à la maison avec Jensen quelques jours avant Noël. C'était un garçon torturé et déjà totalement irrésistible quand il jouait de la basse dans le garage avec Jensen – il flirtait gentiment avec ma sœur aînée, Liv. Quand j'ai eu seize ans, il venait d'obtenir son diplôme et travaillait chez mon père pendant l'été. Son aura sexuelle était si intense que j'ai perdu ma virginité avec un camarade de classe maladroit, dont je ne me rappelle même plus le prénom, juste pour tenter d'assouvir le désir que je ressentais pour Will.

Je suis presque sûre que ma sœur l'a *embrassé* – Will était trop vieux pour moi de toute façon –, mais dans le secret de mon cœur, je sais que Will a été le premier garçon que j'ai eu envie d'embrasser, le premier garçon qui m'a donné envie de glisser ma main sous les draps en pensant à lui dans ma petite chambre sombre.

À son sourire diaboliquement taquin et à sa mèche de cheveux qui lui tombe dans les yeux.

À ses avant-bras musclés et à sa peau soyeuse et bronzée.

À ses longs doigts et même à la petite cicatrice de son menton.

Les garçons de mon âge avaient tous la même voix, celle de Will au contraire était grave et profonde. Son regard était intelligent et complice. Ses mains n'étaient pas toujours en train de gigoter, elles restaient généralement enfoncées dans ses poches. Il se mordillait les lèvres en regardant les filles et me faisait des confidences sur leurs seins, leurs jambes et leur langue.

Je cligne des yeux vers Jensen. Je n'ai plus seize ans. J'en ai vingt-quatre aujourd'hui, et Will trente et un. Je l'ai revu il y a quatre ans, à l'occasion du mariage raté de Jensen, son sourire charismatique n'en était devenu que plus intense et exaspérant. Je l'avais surpris, fascinée, sortant d'un vestiaire avec deux des demoiselles d'honneur de ma belle-sœur.

— Appelle-le, répète Jensen en me tirant de mes souvenirs. Il sait comment gérer l'équilibre travail-vie privée. Il habite ici, c'est un garçon bien. Va boire un verre avec lui, OK? Il prendra soin de toi.

J'essaie de réprimer le frisson qui électrise mon corps au moment précis où mon frère prononce ces mots. Je ne suis pas sûre de savoir *comment* je voudrais que Will prenne soin de moi. Ai-je envie qu'il joue le rôle de l'ami de mon grand frère ? Qu'il m'aide à trouver un équilibre dans mon existence ? Ou ai-je envie de regarder avec des yeux d'adulte l'objet de mes fantasmes les plus fous ?

— Hanna, insiste mon père. Tu as entendu ton frère ?

Un serveur passe avec un plateau plein de flûtes de champagne, je troque ma coupe vide pour un verre rempli de bulles.

— Oui. J'appellerai Will.

Chapitre 1

Une tonalité. Puis deux.

J'arrête de faire les cent pas pour tirer le rideau, je fronce les sourcils en jetant un coup d'œil par la fenêtre. Le ciel est toujours sombre, même s'il me semble plus bleu que noir. Je vois du rose et du violet à l'horizon. Apparemment, c'est l'aurore – ou presque.

Jensen m'a fait la leçon il y a deux jours, et c'est la troisième fois que j'essaie d'appeler Will. Je n'ai aucune idée de ce que je lui dirai ou de ce que mon frère a en tête. Pourtant, plus j'y pense et plus je réalise que Jensen a raison: je passe ma vie au labo. Avoir choisi de vivre seule dans l'appartement de mes parents à Manhattan, au lieu de m'installer près de mes camarades à Brooklyn ou dans Queens, ne m'aide pas. Mon frigo est rempli de légumes moisis, de restes de fast-food et de plats surgelés. Les études que je viens de terminer et la carrière de chercheur que j'embrasse sont toute ma vie. Mon existence est rythmée par mes horaires de bureau.

Même ma famille l'a remarqué. Jensen pense que Will peut me sauver de ma condition de vieille fille d'un coup de baguette magique.

Je n'en suis pas si sûre. Voire pas du tout.

Il est tout à fait possible qu'il ne se souvienne pas de moi. Après tout, je ne l'ai pas vu si souvent que ça. Je suis la petite sœur, qui fait partie du décor, en toile de fond de ses aventures avec Jensen et de son flirt rapide avec ma sœur.

Et maintenant je l'appelle pour… *quoi, déjà?* Me sortir? Jouer au scrabble? M'apprendre à…

Je n'ai même pas envie d'aller au bout de ma pensée.

J'hésite à raccrocher. Je peux encore replonger sous la couette et dire à mon frère de se mêler de ses oignons. Mais Will décroche à la quatrième tonalité. Je serre si fort mon téléphone dans ma main qu'il risque d'y laisser une empreinte.

— Allô?

Il a exactement la même voix que dans mon souvenir, une voix grave et profonde, qui vibre dans le combiné.

— Allô? répète-t-il.

— Will?

Je l'entends respirer à l'autre bout du fil, et je le vois sourire quand il m'appelle par mon surnom: «Ziggy?»

J'éclate de rire. Bien sûr, je suis restée la petite Ziggy pour lui! Maintenant, plus personne, en dehors de ma famille, ne m'appelle comme ça. Personne ne sait ce que ce surnom signifie au juste – c'est Éric, mon frère, qui m'avait appelée comme ça quand j'étais bébé, il avait alors deux ans. C'est resté.

— Ouais, c'est Ziggy. Comment as-tu…?

— J'ai eu Jensen au téléphone hier. Il m'a raconté sa visite à New York et son sermon. Il m'a dit que tu m'appellerais peut-être.

— Eh bien, voilà.

J'entends un grognement et un froissement de draps. Je m'efforce de ne pas imaginer son degré de nudité. Je réalise que je l'ai sûrement réveillé, et un léger malaise m'envahit. D'accord, ce n'est peut-être pas encore le matin…

Je jette un autre coup d'œil dehors.

— Je ne t'ai pas réveillé, si? Je n'ai pas regardé l'heure et maintenant je n'ose plus.

— Ne t'inquiète pas. Mon réveil allait sonner, bâille-t-il. Dans une heure…

Je me mords les lèvres, mortifiée.

— Désolée… J'étais un peu angoissée.

— Non, non, pas de problème. Comment ai-je pu oublier que tu vivais désormais à New York ? J'ai appris que tu avais passé ces trois dernières années chez P and S à jouer avec des fioles et des pipettes.

Sa voix, plus rauque quand il plaisante, me fait frissonner.

— On dirait que tu es d'accord avec Jensen ?

Il s'adoucit.

— Il s'inquiète seulement pour toi. C'est le job des grands frères.

— Il semblerait en effet !

Je me remets à arpenter ma chambre, pour calmer ma nervosité. Je trouve mignon qu'il connaisse si bien Jensen.

— J'aurais dû t'appeler avant.

— Moi aussi.

J'ai l'impression qu'il s'est assis. Je l'entends grommeler en s'étirant, je ferme les yeux. Ce type est tellement sensuel.

Respire, Hanna. Reste calme.

— Tu fais quelque chose aujourd'hui ?

Les mots sont sortis un peu trop vite. Pour le calme, c'est raté. Il hésite, je me giflerais : il doit déjà avoir prévu quelque chose. Du travail. Et après le travail, une petite copine qui l'attend. Ou une femme. Je me concentre pour décrypter le moindre bruit dans le silence.

Après ce qui me semble une éternité, il demande : « À quoi pensais-tu ? »

Vaste question.

— Dîner ?

Will se tait pendant un instant douloureux.

— J'ai une réunion qui finit tard. Demain ?

— Labo. J'ai déjà prévu de passer dix-huit heures avec des cellules qui se développent lentement, et plutôt mourir que de devoir tout recommencer.

— Dix-huit heures ? C'est une longue journée, Ziggs.

— Je sais.

Il tousse avant de demander :

— À quelle heure pars-tu travailler ce matin ?

Je grimace en regardant l'horloge. Il n'est que *six heures* !

— Plus tard. Vers neuf ou dix heures.

— Tu veux venir faire un jogging à Central Park avec moi ?

— Tu cours ?

— Oui, répond-il en riant. Je m'entretiens.

Je ferme les yeux en ressentant l'envie familière d'aller jusqu'au bout du défi qu'on m'a lancé. Imbécile de Jensen.

— Quand ?

— Dans une demi-heure ?

Je regarde par la fenêtre. Le soleil se lève à peine. Il a neigé dans la nuit. M'habiller me prendra moins de cinq minutes. Je ferme les yeux et réponds :

— Envoie-moi l'adresse. J'y serai.

* * *

Il fait froid. Un froid de canard.

En faisant les cent pas pour ne pas geler sur place, je relis le message de Will qui me propose de le retrouver à l'entrée du parc, à l'intersection de la 5e et de la 9e Avenue. La brise matinale me brûle le visage et s'infiltre sous mes vêtements. Je regrette de ne pas avoir pris de bonnet. Je regrette de ne pas m'être rappelée qu'il fallait être fou pour faire du sport en extérieur au mois de février à New York. Je ne sens plus mes doigts : entre la température et le vent glacial, mes oreilles risquent de tomber.

Les passants sont rares : des coureurs expérimentés arpentent le parc, des amoureux sont blottis l'un contre l'autre sous un arbre décharné, les mains crispées sur des gobelets de café délicieusement chauds. Des oiseaux gris picorent le sol, le soleil commence à apparaître au loin derrière les gratte-ciel.

J'ai toujours été à la limite entre le socialement acceptable et le geek absolu, ce n'est donc pas la première fois que je me sens hors de mon élément. Je me souviens de mon malaise le jour où j'ai reçu un prix récompensant mes recherches devant des milliers de parents et d'étudiants du MIT, ou chaque fois que je faisais du shopping toute seule. Plus mémorable encore : le jour où Ethan Kingman m'a demandé de le sucer en terminale. Je ne voyais pas comment il était possible de respirer en même temps. Je regarde le ciel s'éclaircir : je donnerais tout pour revivre l'un de ces moments gênants plutôt que d'être ici.

Ce n'est pas que je n'aie pas envie de courir… en fait si, c'est tout à fait ça. Je n'ai pas *envie* de courir. Je n'ai pas peur de voir Will. Je suis seulement *nerveuse.* Je me souviens de lui et de cette attraction magnétique qu'il dégage. Il est tellement sensuel. Je ne me suis jamais retrouvée seule avec lui, je crains de ne pas avoir la force nécessaire pour me contrôler.

Mon frère m'a lancé un défi – vivre ma vie –, et il me connaît par cœur : il suffit de me dire que je ne peux pas faire quelque chose pour réveiller ma volonté. Jensen n'a sûrement pas mesuré les conséquences de sa suggestion : je dois entrer dans la tête de Will, apprendre du maître et devenir comme lui. Il me suffira d'imaginer que je suis investie d'une mission secrète : me rapprocher de lui, puis m'éloigner, sans y laisser la moindre plume.

Et, surtout, ne pas suivre l'exemple de ma sœur.

Quand elle avait dix-sept ans, Liv est sortie avec Will, de deux ans son aîné, pendant les vacances de Noël. À l'époque, il avait des piercings et jouait de la basse dans un groupe de rock. J'ai été *témoin* de l'effet du bad boy sur une adolescente. Will était la définition même du bad boy.

Tous les garçons courtisaient ma sœur, mais jamais Liv n'avait craqué pour quelqu'un comme pour Will.

« Zig ! »

Je tourne la tête dans la direction de la voix, en prenant le temps de détailler l'homme qui s'approche de moi. Il est plus grand que dans mon souvenir. Son corps est fin, son torse immense. Ses jambes minces pourraient lui donner un air maladroit si sa démarche n'était pas aussi décidée. Il possède toujours ce *je-ne-sais-quoi,* cette aura magnétique et irrésistible qui dépasse la simple beauté physique. Le souvenir que j'ai de lui, il y a quatre ans, me semble bien pâle en comparaison.

Son sourire n'a pas changé, il a toujours l'air aussi taquin. Il s'approche de moi en regardant derrière lui, je distingue sa mâchoire carrée, son cou bronzé qui disparaît dans le col de sa polaire.

Il sourit encore plus largement en arrivant en face de moi.

— Salut ! lance-t-il. J'étais sûr que c'était toi. Je me souviens de cette manie de faire les cent pas quand tu es stressée. Ça énervait ta mère.

Sans réfléchir, je l'attrape par le cou pour lui faire un câlin. Je crois que je n'ai jamais été aussi proche de Will. Son corps est chaud et ferme. Il appuie sa joue sur mon front, je ferme les yeux.

Sa voix vibre contre moi :

— Je suis content de te voir.

Je fais un pas en arrière, parce qu'il le faut. Le parfum de son savon emplit l'air frais.

— Moi aussi.

Il me scrute de ses yeux bleu azur. Il porte un bonnet noir, d'où dépassent quelques mèches de cheveux bruns. Il s'approche et me plante un bonnet de laine sur la tête :

— J'ai pensé que tu n'en aurais pas.

Je l'enfonce un peu plus. Waouh, comme il est attentionné !

— Merci. Finalement, mes oreilles ne tomberont peut-être pas !

Il sourit, en me regardant toujours de haut en bas.

— Tu as changé, Ziggs.

— Plus personne, à part ma famille, ne m'appelle comme ça !

Son sourire faiblit, il me dévisage comme s'il espérait que mon prénom soit tatoué sur mon front. Il m'a toujours appelée Ziggy, comme mes frères et sœurs – Jensen, bien sûr, mais aussi Liv, Niels et Éric. À la maison, j'ai *toujours* été Ziggy.

— Alors, comment tes amis t'appellent-ils ?

— Hanna, tout simplement.

Il me sourit sans me quitter des yeux. Son regard s'attarde sur mon cou, mes lèvres, puis revient à mes yeux. La tension est palpable… mais non. Je dois mal interpréter la situation. C'est le danger avec Will Sumner.

Agent secret, Hanna.

Je demande en levant les sourcils :

— On y va ?

Will cligne des yeux, comme s'il venait tout juste de réaliser où nous étions.

— Ouais.

Il acquiesce, replace son bonnet sur ses oreilles. Il a changé, lui aussi : coupe de cheveux respectable, style de jeune cadre dynamique, mais en regardant de près, on distingue encore les petits trous sur ses lobes d'oreilles.

— Pour commencer, fais attention au verglas. Les chemins sont entretenus mais si on ne fait pas attention, on peut vraiment se faire mal.

— D'accord.

Il montre du doigt le sentier qui fait le tour du lac gelé.

— C'est la petite boucle. On court le long du lac, ça monte et ça descend, c'est parfait.

— Tu cours cette distance tous les jours?

Will rit en secouant la tête:

— Non. Le parcours fait seulement trois kilomètres. Comme tu débutes, on marchera un peu au début et à la fin, et on courra seulement sur un ou deux kilomètres.

— Pourquoi ne pas prendre ton parcours habituel?

L'idée qu'il change ses habitudes pour moi me déplaît.

— Parce qu'il fait dix kilomètres.

— Je peux courir dix kilomètres!

Dix kilomètres, ce n'est pas si long. Dix mille mètres… Combien d'enjambées? Mon sourire s'évanouit en y réfléchissant.

Il me donne une tape sur le bonnet:

— Bien sûr. Mais commençons petit aujourd'hui, nous verrons ensuite.

Ensuite? Il me fait un clin d'œil.

* * *

Je ne suis apparemment pas faite pour le jogging.

Je gémis:

— Tu cours tous les jours?

Il acquiesce, avec l'air d'apprécier sa petite promenade matinale. J'ai l'impression de sentir ma mort toute proche.

— C'est encore loin?

Il me regarde en arborant un petit sourire satisfait et… irrésistible.

— Un kilomètre.

Oh! mon Dieu.

Je me redresse, lève le menton. Je suis jeune et… plutôt en bonne forme. Je passe mes journées debout, à courir d'une pièce à l'autre au labo, je monte toujours les escaliers. Je peux y arriver.

— Super… Ça fait vraiment du bien.

— Tu n'as plus froid ?

— Non.

Je sens le sang cogner dans mes veines et mon cœur battre très fort dans ma poitrine. Nos pieds frappent le sol en cadence, je n'ai vraiment plus froid.

— Et tu aimes ton job, même s'il te prend un temps fou ? demande-t-il, absolument pas essoufflé.

— Oui ! J'adore travailler avec Liemacki, je parviens à articuler entre deux respirations laborieuses.

Nous discutons un moment de mon projet, de mes collègues de travail. Il connaît mon superviseur qui s'est illustré dans le domaine des vaccins. Sa connaissance du milieu m'impressionne. Après tout, il travaille dans le capital-risque, pas dans la recherche. Il est curieux et ne me pose pas seulement des questions sur mon job, il s'intéresse aussi à ma *vie.*

Je lui réponds, en observant sa réaction : « Ma vie est au labo. » Il cligne à peine des yeux. Au labo, je côtoie des étudiants fraîchement diplômés et une armée de post-doctorants qui produisent une quantité industrielle d'études. À part deux personnes dont je suis proche là-bas, je n'ai pas ce qu'on pourrait appeler des amis. J'ajoute, en prenant une grande inspiration :

— Mes collègues sont adorables. Mais ils sont mariés avec des enfants. Pas vraiment du genre à jouer au billard en sortant du travail.

— Je ne pense pas que les salles de billard soient encore ouvertes quand tu sors du boulot, de toute façon. C'est pour ça que je suis là, non ? Jouer au grand frère et te sortir de ta routine.

— Exactement, dis-je en riant. Et même si je n'étais pas très contente quand Jensen m'a fait la leçon, il n'a pas *tort.*

Je me tais pendant quelques enjambées.

— Je me suis trop concentrée sur le travail, il y avait toujours un défi à relever, et puis encore un autre. Je n'ai pas pris le temps d'apprécier la vie.

— Ouais. Ce n'est pas bien.

Je m'efforce de ne pas rougir sous l'insistance de son regard, je garde les yeux fixés sur la piste devant nous.

— Tu ne penses pas que les gens qui comptent le plus sont parfois ceux que tu vois le moins ?

Comme il ne répond pas, je continue :

— En ce moment, j'ai l'impression de ne pas assez écouter mon cœur.

Je lui jette un coup d'œil rapide, il regarde ailleurs et acquiesce. Au bout d'un long moment, il murmure : « Je comprends tout à fait. »

Quelques pas plus loin, je l'entends rire :

— Mais que fais-tu ?

Il fixe mes bras croisés sur ma poitrine.

— Mes seins me font mal. Je me demande comment font les garçons.

— Eh bien, nous n'avons pas...

Il ponctue ses paroles d'un geste vague vers ma poitrine.

— Oui, mais le reste ? Par exemple, tu cours avec un caleçon ?

Bordel de merde, que m'arrive-t-il ? Problème n° 1 : je dis tout ce qui me passe par la tête. Je n'ai jamais été très subtile, et la présence de Will me perturbe assez pour m'empêcher de réfléchir avant d'ouvrir la bouche.

Il me regarde, l'air désorienté, et manque trébucher sur une racine :

— Quoi ?

Je répète très distinctement :

— Un caleçon. Ou tu portes quelque chose de spécial pour empêcher tes parties de...

Un énorme éclat de rire m'interrompt, qui résonne dans le parc glacé et silencieux.

— *Ciel.*

— Je suis seulement curieuse.

— Ouais, pas de caleçon, répond-il après s'être repris. Ça bougerait trop là-dessous. Particulièrement dans mon cas.

— Tu as trois couilles?

Il me lance un regard amusé.

— Puisque tu veux tout savoir, je porte un short de course. Conçu pour le confort des hommes.

— J'imagine que les filles ont de la chance. Rien qui... se balance. Tout est compact.

Nous arrivons sur un plat, nous ralentissons pour marcher un peu. Will éclate à nouveau de rire.

— J'ai remarqué.

— Tu *es* l'expert.

Il a l'air sceptique:

— Quoi?

Mon cerveau essaie désespérément de m'empêcher d'aller jusqu'au bout de ma pensée. Trop tard.

— L'expert en... *chattes.*

J'ai chuchoté le mot «chattes».

Il écarquille les yeux et ralentit le pas. Je m'arrête pour reprendre mon souffle: «C'est toi-même qui l'as dit.»

— Et quand aurais-je dit que j'étais un «*expert en chattes*»?

— Tu ne te souviens pas? Tu avais dit que Jensen était un beau parleur, et toi un beau lécheur. Et puis tu avais relevé les sourcils.

— C'est *affreux*! Tu n'aurais pas pu oublier ça?

— J'avais douze ans. Tu étais le copain sexy de mon frère de dix-neuf ans, qui faisait des blagues de cul chez nous. Une sorte de mythe.

— Pourquoi est-ce que je ne m'en souviens pas du tout?

Je hausse les épaules en regardant les gens affluer sur les chemins.

— Probablement pour la même raison.

— Je ne me rappelle pas que tu étais drôle. Ni…

Il me lorgne un moment :

— Aussi féminine.

— Parce que je ne l'étais pas.

Il retire son sweat, il ne porte plus qu'un T-shirt à manches courtes. La vision de ses bras musclés me fait frissonner.

Il se gratte le cou, sans faire attention à mon regard qui va et vient sur ses avant-bras. J'ai beaucoup de souvenirs de l'été que Will a passé avec nous, à travailler avec mon père. Je le revois visionner un film avec Jensen et moi, dîner en famille, se promener dans le couloir une serviette sur les hanches. Étrangement, j'avais oublié ses tatouages. En les apercevant, je me souviens de l'oiseau bleu sur son épaule, d'une montagne et d'un arbre sur son biceps. Mais ceux-là sont plus récents. Un tourbillon d'encre forme une double hélice sur son avant-bras. La gravure d'un phonographe pointe sous la manche de son T-shirt. Will ne dit plus rien, il sourit.

— Désolée, je murmure, avec un sourire un peu honteux. Tu as de nouveaux tatouages.

Il se lèche les lèvres.

— Ne sois pas désolée. Je n'aurais pas de tatouages si je ne voulais pas qu'on les regarde.

— Et ce n'est pas bizarre ? Avec ton boulot très sérieux, et le reste ?

Il hausse les épaules :

— Chemises à manches longues, vestes de costume. La plupart des gens ne soupçonnent pas que je suis tatoué.

Je pense immédiatement aux personnes qui connaissent par cœur ses tatouages, plutôt qu'à la *plupart des gens* qui en ignorent l'existence. Des femmes.

Je me rappelle soudain: *Le danger avec Will Sumner. Une phrase, et tu l'imagines nu.* Je cherche un nouveau sujet:

— Et toi alors, *ta* vie?

Il me regarde, méfiant:

— Que veux-tu savoir?

— Tu aimes ton travail?

— La plupart du temps.

Je souris:

— Tu rentres souvent chez toi pour voir ta famille? Ta mère et tes sœurs vivent près de Washington, n'est-ce pas?

Je me rappelle que Will a deux grandes sœurs qui habitent près de chez leur mère.

— En Oregon, corrige-t-il. Oui, deux fois par an environ.

— Tu as une copine?

Ça m'a échappé. Il fronce les sourcils, comme s'il n'avait pas bien compris ma question. Après un long moment, il répond: « Non. »

Sa réaction, adorablement confuse, me fait oublier que je viens de lui poser une question déplacée.

— Tu as vraiment besoin de réfléchir avant de répondre?

— Mais non, imbécile! Et non, il n'y a personne que je pourrais te présenter en disant: « Salut Ziggy, voilà unetelle, ma *copine.* »

Je souffle en le dévisageant:

— C'est un peu vague.

Il retire son bonnet, passe ses doigts dans ses cheveux trempés qui partent dans tous les sens.

— Il n'y a aucune femme qui te plaise vraiment?

— C'est déjà arrivé.

Il affronte mon regard. Je me rappelle cette facette du caractère de Will: il ne ressent jamais le besoin de s'expliquer, mais il n'évite pas les questions.

Et merde, j'avais oublié à quel point son charme est magnétique. Je n'arrive pas à détourner les yeux de sa poitrine qui se soulève, de ses épaules musclées et de son cou à la peau bronzée et si attirante. Il entrouvre les lèvres, les lèche encore. Sa mâchoire carrée est couverte d'une fine barbe. Je ressens le désir subit de la sentir contre mes cuisses.

Je contemple ses bras toniques, ses grandes mains – mon Dieu, comme ces doigts doivent être habiles ! –, son ventre plat, son short de course, qui me dit que Will Sumner, même dans ses moments d'abandon, n'a rien à cacher sous la ceinture. Je rêve de baiser avec ce type jusqu'à mourir d'épuisement.

Le silence se fait, je réalise que je suis totalement transparente. Will doit lire chacune de mes réactions sur mon visage. Ses yeux s'obscurcissent, il sait exactement à quoi je pense. Il s'approche d'un pas, me regarde de haut en bas, comme s'il observait un animal coincé dans un piège. Un sourire magnifique et dangereux étire ses lèvres.

— Alors ? Le verdict ?

J'avale bruyamment ma salive, en refermant les poings.

— Will ?

Il cligne des yeux, fait un pas en arrière, l'air de revenir à lui. Je le vois réfléchir à toute allure : c'est la petite sœur de Jensen… Elle a sept ans de moins que moi… J'ai déconné avec Liv… Arrête de penser avec ta bite… Il grimace.

Je me détends, amusée par ses réactions. Will a un visage impassible, tristement mémorable pour certains. Mais pas ici, et pas avec moi. Une bouffée de confiance m'envahit : il est peut-être irrésistible, c'est sûrement l'homme le plus sensuel de la planète, mais il ne me fait pas peur.

— Donc, tu n'es pas prêt à te poser, c'est ça ?

— Exactement.

Il sourit, avec un air redoutable. Il me dévorerait, je ne survivrais pas à une nuit avec lui.

Tant mieux, parce que ce n'est pas une option. Vagin, du calme.

Nous arrivons à la fin de notre boucle, Will s'appuie sur un arbre.

— Et pourquoi revenir parmi les vivants *maintenant*? demande-t-il en me dévisageant. Je sais que Jensen et ton père voudraient que tu aies une vie sociale plus remplie, mais franchement… tu es une jolie fille, Ziggs. Ce n'est pas comme si personne ne voulait de toi.

Je me mords la lèvre, amusée: *bien sûr*, Will pense qu'il s'agit juste de m'envoyer en l'air. À la vérité… il n'a pas tout à fait tort. Il n'y a aucune trace de jugement sur son visage, ni aucun malaise, même s'il m'a posé une question très personnelle.

— J'ai eu des flirts. Mais ça n'a jamais été très concluant, dis-je en me rappelant ma dernière rencontre, un échec total. Je sais que ça ne se voit pas forcément parce que je suis jolie, mais je n'ai jamais été très à l'aise dans ce genre de situation. Jensen m'a tout raconté. Tu as eu les félicitations du jury pour ton doctorat, et plein d'aventures. Et, moi, je me retrouve dans un labo, avec des gens qui semblent considérer que les relations sociales entre geeks sont un champ d'étude. Ils ne sont pas du genre à s'envoyer en l'air, si tu vois ce que je veux dire.

— Tu es jeune, Ziggs. Pourquoi te poser autant de questions?

— Je ne me pose pas de questions, mais j'ai vingt-quatre ans. Mon corps est plein de désirs, je ne suis pas coincée… J'ai envie d'explorer des choses… Tu ne pensais pas comme ça quand tu avais mon âge?

Il hausse les épaules.

— Ça ne m'angoissait pas.

— Bien sûr. Il suffisait que tu lèves un sourcil et les culottes tombaient par terre.

Will se lèche les lèvres et se gratte le cou.

— Tu es drôle.

— Je suis une *scientifique,* Will. Pour m'en sortir, j'ai besoin de savoir comment pensent les hommes, et d'entrer dans leur tête.

Je prends une grande inspiration, et je l'observe en disant :

— Apprends-moi. Tu as dit à mon frère que tu m'aiderais, donc allons-y.

— Selon toi, il m'a lancé ça comme ça ? *Salut, montre la ville à ma petite sœur, assure-toi qu'elle ne paye pas un loyer exorbitant et, au fait, aide-la à s'envoyer en l'air.*

Il fronce les sourcils.

— Tu me demandes de te faire rencontrer un ami ?

— Non. *Mon Dieu.*

Suis-je sur le point d'éclater de rire ou de rentrer dans un trou et de m'y cacher pour toujours ?

— Je voudrais que tu m'aides à apprendre…

Je hausse les épaules, passe la main dans mes cheveux sous le bonnet…

— Comment draguer. Les règles.

— Je ne suis pas sûr de savoir comment t'aider à rencontrer des mecs.

— Tu es allé à Yale.

— Et alors ? C'était il y a des années, Ziggs. Ça ne faisait pas partie du programme des cours.

— Et tu jouais dans un groupe.

Ses yeux brillent d'amusement.

— Où veux-tu en venir ?

— Je suis allée au MIT et j'ai joué aux cartes Magic et à Donjons et Dragons. Un ancien élève de Yale, qui jouait de la basse et au lacrosse, devrait avoir quelques idées pour aider une intello-geek à s'améliorer dans le domaine.

— Tu te moques de moi ?

Au lieu de répondre, je croise mes bras sur ma poitrine et j'attends patiemment. J'avais agi de même quand on m'avait demandé de faire des stages dans différents labos avant de prendre ma décision, alors que je savais déjà que je ne voulais bosser que pour Liemacki. J'avais attendu devant son bureau les bras croisés, après lui avoir expliqué que son labo était le cadre idéal pour mes recherches sur les vaccins viraux en parasitologie, et la meilleure option pour ma thèse. Il avait cédé en cinq minutes.

Will regarde au loin. Je ne sais pas s'il pense à ce que je viens de dire ou s'il rêve de partir en courant pour me planter là avec mes problèmes.

Il soupire finalement.

— OK, règle numéro un pour avoir une vie sociale : n'appeler personne avant que le soleil soit levé. Exception faite des taxis !

— Ouais. Désolée, fais-je en riant.

Il m'observe et fait un geste vers mes vêtements.

— On fera des joggings ensemble. On sortira le soir.

Il grimace :

— Je ne pense pas que tu aies vraiment besoin d'aide mais… putain, je ne sais pas. Tu portes le sweat de ton frère. Corrige-moi si j'ai tort, mais j'ai l'impression que c'est une habitude, même quand tu ne fais pas de sport.

Il hausse les épaules : « Même si c'est plutôt mignon. »

— Je ne risque pas de m'habiller comme une pétasse.

— Tu n'as pas à t'habiller *comme une pétasse.*

Il se redresse, passe une main dans ses cheveux avant de remettre son bonnet :

— *Putain*, ce que tu es casse-couilles ! Tu connais Chloé et Sara ?

Je secoue la tête :

— Ce sont des filles avec qui… *tu ne sors pas ?*

— Oh non ! Ce sont les filles qui tiennent mes meilleurs amis par les couilles. Tu les adoreras. Vous serez sûrement les meilleures amies du monde à la fin de la soirée.

CHAPITRE 2

— Attends un peu ! lance Max en s'asseyant en face de moi. C'est la sœur que tu as déjà baisée ?

— Non, ce n'est pas Liv.

J'ignore son sourire amusé et mon ventre, subitement douloureux :

— Et je ne l'ai pas *baisée.* On est juste sortis ensemble. Ziggy, c'est la petite sœur. Ce n'était qu'une enfant quand je suis allé pour la première fois chez Jensen à Noël.

— Je n'arrive toujours pas à croire que tu aies profité de son invitation à Noël pour tripoter sa sœur dans le jardin. Personnellement, je t'en aurais mis deux.

Il reconsidère ses propos en se grattant le menton :

— En fait, non. Ça ne m'aurait pas dérangé.

Je souris en regardant Max :

— Ouais, j'étais un connard.

Les verres s'entrechoquent, les conversations continuent. Ces six derniers mois, déjeuner tous les mardis au Bernardin, tous ensemble, est devenu une tradition. Max et moi arrivons en général les derniers. Mais une fois n'est pas coutume : les autres ont dû être retenus par une réunion chez Ryan Media.

— J'*étais* un connard… L'emploi du passé est charmant, réplique Max en feuilletant la carte.

Il la referme d'un coup. Je ne comprends vraiment pas pourquoi il prend la peine de l'ouvrir. Il choisit toujours du caviar en entrée et de la lotte en plat principal. Max n'est spontané qu'avec Sara. En matière de nourriture ou de travail, c'est un homme d'habitudes.

— Tu es *toujours* un trou du cul, ajoute-t-il.

— Sûrement. Mais tu oublies ce que tu étais avant Sara.

— Pas du tout ! proteste-t-il avec un immense sourire. Je *sais* que j'étais un monstre. Parle-moi de la petite sœur.

— Elle est la cadette des cinq rejetons Bergstrom, elle finit sa thèse à Columbia. Ziggy a un QI ridiculement élevé. Elle a eu sa licence avec mention et travaille au labo de Liemacki. Tu vois ? Celui qui travaille sur les vaccins.

Max secoue la tête, hausse les épaules comme pour dire : *Mais de quoi tu me parles, putain ?*

Je continue :

— La recherche qu'il mène est à la pointe de ce qui se fait actuellement. Le week-end dernier à Vegas, quand vous étiez très occupés à pourchasser vos poules aux tables de blackjack, Jensen m'a envoyé un texto pour me dire qu'il venait à New York. Il a fait la leçon à sa sœur pour l'aider à comprendre qu'il n'est pas possible de vivre éternellement au milieu des éprouvettes.

Le serveur remplit nos verres d'eau, nous lui faisons signe que nous attendons de la compagnie.

Max me fixe.

— Tu comptes la revoir, n'est-ce pas ?

— Ouais, je comptais sortir avec elle ce week-end. Ou l'emmener courir.

Il écarquille les yeux.

— Tu fais entrer quelqu'un dans la sphère très privée de tes joggings ? Te connaissant, c'est plus intime que du sexe, William.

— N'importe quoi !

— Tu t'es bien amusé ? Revoir la petite sœur, tout ça ?

Oui, je me suis bien amusé. Notre rencontre n'a rien eu d'extraordinaire, nous avons simplement couru ensemble. Mais repenser à elle me rend mélancolique. Je m'étais imaginé que son asociabilité n'était pas seulement due aux longues heures de travail. Je pensais qu'elle était bizarre, ou moche, totalement renfermée sur elle-même et incapable de contacts sociaux.

Je me trompais sur toute la ligne. Elle n'est plus seulement la « petite sœur » de quelqu'un. Elle est naïve, elle manque parfois totalement de tact, mais elle a simplement beaucoup trop travaillé et s'est retrouvée coincée dans des habitudes qui ne lui conviennent plus. Je peux comprendre.

J'ai rencontré les Bergstrom à Noël, au cours de ma deuxième année à l'université. Je n'avais pas de quoi me payer un billet d'avion pour rentrer chez moi et je m'étais résolu à passer les fêtes de fin d'année seul dans ma chambre d'étudiant. La mère de Jensen avait immédiatement exigé que je me joigne à eux. Elle était même allée jusqu'à venir me chercher en voiture pour s'en assurer. Sa famille était aussi bruyante et pleine d'amour qu'on pouvait s'y attendre, avec cinq enfants nés à intervalles de deux ans environ. J'ai tout de suite compris que Johan Bergstrom était la personne la mieux organisée de l'univers.

Et, ce qui n'était pas étonnant me connaissant à l'époque, je les avais remerciés en pelotant leur fille aînée, Liv, dans la cabane du jardin familial.

Quelques années plus tard, j'étais le stagiaire de Johan et je vivais chez les Bergstrom. Leur maison était devenue un deuxième foyer pour moi. Pendant cet été tranquille, Jensen, Ziggy et moi étions seuls avec les parents Bergstrom. Mais j'ai beau y être resté trois mois, je n'ai presque aucun souvenir de Ziggy. Un peu plus tard, j'ai été le témoin de Jensen à son mariage. Ziggy, qui avait alors vingt ans, était demoiselle d'honneur. Mais elle avait sept ans de moins que moi, elle finissait sa licence et se plongeait dans ses livres à chaque occasion. Je ne crois pas lui avoir parlé une seule fois durant le week-end. Quand elle m'a appelé hier, j'ai réalisé que j'étais incapable de mettre un visage sur sa voix.

Elle est apparue dans le parc, et les souvenirs sont remontés avec elle. Ziggy à douze ans, un nez plein de taches de rousseur caché derrière des livres. Elle me souriait parfois timidement au dîner, tout en continuant à m'éviter le reste du temps. J'avais dix-neuf ans, je la remarquais à peine, de toute façon. Ziggy à seize ans, de longues jambes, une chevelure emmêlée en cascade dans son dos. Elle passait ses après-midi à lire sur une couverture dans le jardin, en short et en débardeur, tandis que je travaillais avec son père. Je l'avais regardée comme toutes les filles que je croisais. Elle était bien faite, mais n'était ni assez piquante ni assez aguicheuse pour me décider à tenter quelque chose. Trop jeune et trop naïve. À cette époque, j'appréciais l'audace. Ma curiosité me poussait à ne fréquenter que des filles prêtes à tout essayer.

Cette après-midi, quelque chose a changé. Et ce quelque chose m'a fait l'effet d'une bombe. En la revoyant, j'ai renoué avec une partie de ma jeunesse. J'ai surtout rencontré une belle jeune femme pour la première fois. Elle ne ressemble ni à Liv ni à Jensen, deux grands blonds maigrichons, les versions féminine et masculine de la même personne. Ziggy a emprunté à son père ses longues jambes et ses yeux gris. De sa mère, elle tient ses courbes voluptueuses, ses cheveux châtains, ses taches de rousseur et son large sourire.

J'ai eu un mouvement d'hésitation quand elle m'a sauté au cou. Le contact de nos corps était agréable, le moment intime. À part Chloé ou Sara, je ne côtoie aucune femme qui ne soit *que* mon *amie.* Serrer une femme dans mes bras est toujours sexuel. J'avais beau savoir que Ziggy était la petite sœur de Jensen, j'ai bien senti en la serrant contre moi qu'elle n'était plus une enfant. C'est une jeune femme, la vingtaine, dont les mains chaudes se sont accrochées à mon cou et qui s'est blottie contre moi. Elle sentait le shampoing et le café – une odeur de *femme*. Sous l'épaisseur de son sweat, sa poitrine s'est pressée contre mon torse. Elle s'est écartée pour m'observer, j'ai fait de même. Elle m'a immédiatement *plu* : elle n'était pas bien habillée, elle n'était ni maquillée ni coiffée. Elle portait le pull Yale de son frère, un pantalon noir trop court et des chaussures totalement élimées. Elle n'essayait pas de m'impressionner ; elle voulait juste me *voir*.

Elle est tellement naïve, mec, m'avait dit Jensen une semaine avant par téléphone. *J'ai l'impression d'avoir loupé le coche. J'aurais dû tout de suite comprendre qu'elle avait hérité des gènes paternels du travail à outrance. Nous allons la voir à New York. Je ne sais pas quoi faire.*

Je cligne des yeux, Bennett et Sara arrivent. Max se lève pour les saluer, je détourne le regard quand il l'embrasse juste sous l'oreille en murmurant : « Tu es magnifique, princesse. »

Je demande :

— On attend Chloé ?

Ma question est un peu directe, mais depuis des mois je dois vivre avec deux couples et leurs agendas, ce qui n'est pas toujours simple même si ça ne m'a jamais dérangé jusqu'ici.

Bennett répond derrière son menu :

— Elle est à Boston jusqu'à vendredi.

— Dieu merci, réplique Max. Elle met toujours des lustres à décider ce qu'elle veut manger et je meurs de faim, moi.

Bennett rit en reposant son menu sur la table. Je ne suis pas particulièrement affamé, plutôt soulagé. Il est parfois agréable de ne pas être la cinquième roue du carrosse. Mes amis ont un aplomb démesuré, ils ont depuis longtemps dépassé le stade « je m'investis dans la vie amoureuse de Will ». Ils sont convaincus que je suis sur le point d'avoir le cœur brisé par la femme de mes rêves, et se languissent du spectacle à venir.

Ils pensent que je leur ai donné raison : au retour de Vegas, j'ai fait l'erreur de leur raconter que je commençais à me lasser de mes plans-cul réguliers, Kitty et Alexis. Les deux filles me retrouvent régulièrement pour baiser, et l'existence de l'autre – ou d'un flirt occasionnel – ne semble les déranger ni l'une ni l'autre. Pourtant, depuis peu, j'ai l'impression que c'est toujours la même chose :

Se déshabiller,

Se caresser,

Baiser,

Jouir,

(Parfois discuter sur l'oreiller),

S'embrasser pour se dire bonne nuit,

Et je pars ou ce sont elles qui s'en vont.

Cette routine facile m'a-t-elle lassé ? Le sexe sans attaches n'est-il plus adapté à mon style de vie ?

Et pourquoi y penser *maintenant ?* Je me redresse, passe les mains sur mon visage. Rien n'a changé. Ce début de matinée avec Ziggy fut très agréable, c'est tout. C'est *tout*. Qu'elle soit aussi franche, drôle et jolie ne devrait pas me bouleverser outre mesure.

— Qu'est-ce qu'on disait ? demande Bennett en remerciant le serveur qui dépose un verre devant lui.

— On parlait des retrouvailles de Will avec *une* vieille amie ce matin, répond Max en insistant sur l'article féminin.

Sara éclate de rire.

— Will a vu une femme ce matin ? Comme si c'était une nouveauté !

Bennett lève la main :

— Attends, Kitty ce n'est pas ce soir ? Et tu as vu une autre fille ce matin ?

Il boit une gorgée de vodka-gin.

— C'est du propre !

En fait, c'est à cause de Kitty que j'ai suggéré à Hanna de me retrouver ce matin et non ce soir : c'était *Kitty*, ma réunion tardive. Mais plus j'y pense et moins l'idée de passer ma soirée avec elle comme de coutume me plaît.

Je marmonne une insulte, Max et Sara éclatent de rire.

— N'est-ce pas bizarre que nous connaissions tous l'agenda plans-cul de Will ?

Max me fixe, les yeux brillants :

— Tu vas annuler avec Kitty, n'est-ce pas ? Elle va te passer un savon

— Probablement.

Kitty et moi étions ensemble il y a des années. Quand elle m'avait avoué en vouloir plus que moi, notre relation avait pris fin à l'amiable. Nous nous sommes revus dans un bar quelques mois plus tard, elle m'a assuré qu'elle voulait seulement s'amuser. C'est faux, bien sûr. Elle est sublime et prête à tout. Elle me répète que notre arrangement lui convient. Mais nous savons tous les deux qu'elle ment : chaque fois que j'annule, le mardi suivant, elle perd toute confiance en elle.

Alexis ne lui ressemble en rien. Elle parle peu, en fait beaucoup. Elle adore être bâillonnée, ce qui n'est pas tellement mon truc. Elle reste rarement chez moi après avoir joui.

— Si cette nouvelle fille t'intéresse vraiment, tu devrais dire à Kitty que c'est fini, dit Sara.

— Arrêtez ! Il n'y a rien avec Ziggy. Nous sommes allés *courir.*

— Alors pourquoi en parlons-nous encore ? fait Bennett en riant.

J'acquiesce :

— Je me le demande.

Nous en parlons parce que je suis tendu. Toute tension chez moi se repère à des milliers de kilomètres. Je fronce involontairement les sourcils, mon regard est sombre, je parle par onomatopées. Je deviens un vrai connard.

Max *adore* ça.

— Oh! on en parle, parce qu'énerver Will est la chose que j'aime le plus au monde. Il est aussi très intéressant de voir l'effet que produit sur lui ce début de matinée avec la petite sœur. Il est tout perturbé.

Je clarifie pour Sara et Bennett:

— C'est la plus jeune sœur de Jensen.

— Il a roulé des pelles à l'autre sœur quand on était plus jeunes, ajoute Max à bon escient.

— Tu aimes remuer la merde, hein? Liv, c'était un flirt de rien du tout. Je m'en souviens à peine, on s'est embrassés et je suis retourné à New Haven. Par rapport à mes standards de l'époque, ce qui s'est passé avec Liv n'est pas du sexe. Elle était en Californie quand j'ai travaillé avec Johan. La dernière fois que j'ai vu les sœurs Bergstrom, c'était au mariage de Jensen il y a quatre ans. Il y a *longtemps.*

Nos entrées arrivent. Nous mangeons en silence. Mon esprit vagabonde, je pense au moment où j'ai baissé les bras et où j'ai ouvertement regardé Ziggy. J'admirais ses joues roses, ses lèvres pourpres, les mèches de cheveux qui s'échappaient de son chignon. J'ai toujours été très sévère dans mon appréciation du physique féminin. Toutes les femmes ne me plaisent pas. Alors, pourquoi celle-là? Elle est jolie, sans être hors-normes. Elle a sept ans de moins que moi, elle est innocente, totalement incapable de faire la part du travail et des loisirs. Comment pourrait-elle m'offrir ce que je ne trouve nulle part ailleurs?

Elle m'a saisi sur le vif. La tension entre nous était palpable. Elle a souri, son visage s'est éclairé. Un vrai livre ouvert. Malgré la température, mon sang s'est réchauffé. J'ai ressenti un désir vieux et familier. Un désir que j'avais presque oublié.

L'excitation de la rencontre, l'envie de découvrir la personnalité d'une fille dans ses recoins les plus secrets. La peau de Ziggy a l'air douce, ses lèvres sont pleines. La bête qui sommeille en moi rêvait de lui prendre les mains, d'embrasser sa bouche et ses seins.

Je lève les yeux sous le regard insistant de Max. Il mâche tranquillement sans détourner son attention de mon visage.

Il pointe sa fourchette vers moi.

— Il suffit d'une nuit avec la bonne fille. Je ne parle pas de sexe. Une nuit pourrait te changer, jeune hom…

— Oh ! ça suffit. Tu es vraiment con.

Bennett en rajoute :

— Il faut trouver celle qui t'oblige à te remettre en question. *Elle* sera celle qui te fera changer d'avis sur tout.

Je lève les mains en l'air.

— Merci de vous préoccuper de mon bonheur, vraiment. Mais Ziggy n'est pas mon genre.

— C'est quoi ton genre ? Une qui marche ? Qui possède une chatte ? demande Max.

J'éclate de rire :

— Elle est si jeune. Si innocente.

Les garçons hochent la tête, mais je sens que Sara n'est pas convaincue.

— Tu peux exprimer le fond de ta pensée, Sara ?

— Tu n'as jamais trouvé une femme qui te donne envie d'aller plus loin. Tu choisis un certain type de femme, du genre de celles qui n'iront pas contredire ta structure, tes règles, tes limites. Tu ne t'ennuies pas ? Tu dis que cette sœur…

— Ziggy, précise Max.

— Oui. Tu dis que Ziggy n'est pas ton genre, mais la semaine dernière, tu te plaignais de t'ennuyer avec les filles qui se satisfont de coucher avec toi sans rien attendre en retour. Tu devrais peut-être changer de genre.

— Ce n'est pas logique. Mes plans-cul m'intéressent moins, mais ça ne signifie pas que je remette tout en question.

Je continue à repousser la nourriture dans mon assiette :

— Même si j'ai un service à te demander.

Sara avale une bouchée en acquiesçant.

— Tout ce que tu veux.

— J'espérais que vous pourriez sortir avec elle, Chloé et toi. Elle n'a pas d'amies, et vous…

— Bien sûr, répond-elle tout de suite. Il me tarde de la rencontrer.

Je regarde Max du coin de l'œil, absolument pas surpris de le voir se mordre les lèvres, avec l'air du chat qui vient de dévorer un canari. Sara doit avoir appris une ou deux choses de Chloé et le tenir comme elle par les couilles sous la table – il reste inhabituellement calme.

Tu ne trouves pas que les gens qui comptent le plus sont parfois ceux que tu vois le moins ? En ce moment, j'ai l'impression de ne pas assez écouter mon cœur.

Elle a prononcé ces mots avec une telle franchise dans la voix et un regard qui m'a bouleversé.

Ziggy veut que je lui explique comment s'amuser, draguer, rencontrer des gens qui valent le coup… mais je ne suis pas sûr de savoir moi-même. Je ne suis peut-être jamais seul dans mon appartement, mais je ne suis pas heureux pour autant.

Je m'éclipse dans les toilettes des hommes et sors mon téléphone de ma poche. Je lui envoie un message.

Toujours partante pour le projet Ziggy ? Si oui, rendez-vous pour courir demain, et réserve ton week-end. Sois à l'heure.

Je fixe longuement mon téléphone, elle ne répond pas tout de suite, je retourne déjeuner avec mes amis.

En quittant le restaurant, je lis son message, mort de rire. Elle avait mentionné qu'elle n'utilisait jamais son vieux téléphone. Je n'y avais pas cru…

Ge3nial ! jenetrouvepaslabarredespace = maisjetappelle

* * *

Malgré leurs programmes surchargés, Ziggy, Chloé et Sara sont parvenues à trouver un créneau pour se voir ce week-end. J'en suis heureux : regarder Ziggy courir tous les matins les bras croisés sur sa poitrine commençait à me faire mal aux seins.

Samedi après-midi, Max est assis à une table du Blue Smoke quand j'arrive, essoufflé après mon jogging de douze kilomètres et totalement affamé. Comme d'habitude avec mon groupe d'amis, le plan a été décidé sans moi : un texto de Chloé m'a réveillé pour me dire de demander à Ziggy de les rejoindre pour un petit déjeuner suivi d'une séance shopping. J'ai donc couru seul pour la première fois depuis des jours.

Ça ne me pose pas de problème. C'est *bien*, en fait. Ziggy a besoin de sortir prendre l'air, elle doit aussi s'acheter des *vêtements*. Des chaussures pour courir. Des vêtements pour courir. Des vêtements pour sortir si elle veut rencontrer des gens – la plupart des hommes sont attachés à la première impression. Ziggy n'est pas très douée dans ce domaine, et je ne veux pas la faire changer du tout au tout. J'aime regarder les femmes bien habillées mais, étrangement, l'apparence négligée de Ziggy m'intrigue.

Sans même lever les yeux, Max attrape une pile de journaux sur la chaise à côté de lui et fait signe à la serveuse de prendre ma commande.

— De l'eau s'il vous plaît, dis-je en m'essuyant le front avec la serviette. Et, disons, des cacahuètes. Je commanderai autre chose plus tard.

Max jette un regard à mes vêtements avant de revenir à son journal, il me tend les pages « Finance » du *Times*.

— Tu étais avec les filles tout à l'heure ?

Je remercie la serveuse qui place mon verre d'eau devant moi, avant de le vider d'un trait.

— J'ai déposé Ziggs ce matin. J'avais peur qu'elle se perde, une fois sortie du campus de Columbia.

— Tu es une mère pour elle!

— Oh! si tu le prends comme ça, tu devrais savoir que Sara a accidentellement envoyé une photo de ses fesses nues à Bennett.

Lui faire peur en utilisant leur obsession commune pour les photos marche à tout les coups.

Il me jette un regard noir, puis son visage se détend en voyant mon sourire.

— Trou du cul! marmonne-t-il.

Je parcours quelques minutes les pages « Finance » avant de passer à la section « Sciences et Technologie ». Le téléphone de Max sonne. « Salut Chlo. » Il se tait, pose le journal sur la table. « Non, juste Will et moi. On grignote. Bennett fait peut-être un jogging? » Il acquiesce et me passe le téléphone.

Je prends l'appel, étonné:

— Salut... Tout va bien?

— Hanna est un amour, commence Chloé avant d'éclater de rire. Elle n'avait pas acheté de vêtements depuis sa première année d'université. Je te jure que nous ne jouons pas à la poupée, mais elle est tellement mignonne! Pourquoi ne nous l'as-tu pas amenée plus tôt?

Je sens mon ventre se serrer. Chloé n'était pas au déjeuner où nous avons parlé de Ziggy.

— Tu sais que ce n'est pas ma copine, hein?

— Je sais que tu ne fais que baiser. Peu importe, Will...

Je tente de l'interrompre sans succès.

— ... je voulais seulement te faire savoir que tout va bien. Elle serait capable de se perdre chez Macy's, mais on ne la quitte pas d'une semelle.

— Je te l'avais dit.

— Ouais. Bon, comme tu ne sais pas non plus où est Bennett...

— Hé, attends!

Je ne sais pas vraiment ce que je vais lui demander. Je ferme les yeux, en repensant à mes joggings avec Ziggy ces derniers jours. Elle est plutôt mince mais mon Dieu, elle a de quoi faire avec sa… poitrine.

— Oui?

— Si vous continuez à faire du shopping, assure-toi que Ziggy achète…

Je jette un coup d'œil à Max pour vérifier qu'il est bien absorbé par sa lecture. Je murmure:

— Un soutien-gorge. Genre, pour courir. Et… des soutiens-gorge normaux aussi. OK?

Je ressens plus que je n'entends le silence à l'autre bout du fil. Il est pesant, je suis mal à l'aise. Encore plus mal à l'aise. Je relève la tête, Max me fixe. Il sourit largement.

— Tu as de la chance de ne pas être avec Bennett, répond finalement Chloé. Il se serait tellement moqué de toi!

— Ne t'inquiète pas. Max est là, et je suis sûr qu'il en profitera pour deux.

Elle rit.

— On s'en occupe. Des soutiens-gorge pour les seins de la fille qui n'est pas ta copine. Eh ben, quel pervers…

— Merci.

Elle raccroche, je rends son téléphone à Max en évitant son regard.

— Oh! *Victoria*, chantonne-t-il. Tu as un *secret*? C'est ton truc d'aider les filles à trouver de la lingerie?

— Ta gueule! fais-je en riant.

À voir sa tête, on dirait que Leeds United vient de gagner la Coupe du monde.

— Elle court avec moi et porte… je ne sais quoi. Mais pas une brassière de sport. Et avec son soutien-gorge, ça donne…

Je fais des signes vers ma poitrine:

— Un effet bizarre. Quatre seins? J'ai pensé que si elles faisaient du shopping…

Max me sourit en prenant son menton dans ses mains.

— Bon Dieu, ce que tu es précieux, William.

— Tu connais mon amour des poitrines. On ne rigole pas avec ça.

Je n'ajoute pas que Ziggy a le corps d'une pin-up.

— Bien sûr, répond-il en reprenant son journal. J'aime ta manière de te voiler la face. Comme si tu ne fantasmais pas sur les filles à quatre seins.

* * *

Une demi-heure plus tard, la porte s'ouvre. Une chevelure brillante et une tonne de sacs se dirigent vers notre table. Max et moi nous levons, j'aide Ziggy à déposer ses sacs sur une chaise.

Elle porte un sweat bleu pâle, un slim noir et des chaussures plates de couleur verte. Elle n'est pas habillée de manière sophistiquée, mais elle a l'air à l'aise et elle porte ses vêtements simples avec style. Ses cheveux sont… différents. Je plisse les yeux, je la regarde poser son sac par terre. Elle les a lâchés au lieu de les relever en chignon négligé. Ils se répandent sur ses épaules, épais, lisses et soyeux. Malgré les changements dans sa coiffure et dans ses vêtements, elle ressemble heureusement toujours à *Ziggy:* peu de maquillage, un sourire éclatant, des taches de rousseur.

Elle tend la main à Max en souriant:

— Je suis Hanna. Tu dois être Max?

Il lui prend la main.

— Enchanté de faire ta connaissance. Tu t'es bien amusée ce matin avec les deux folles?

— Oui!

Elle se tourne vers moi, m'enlace. Elle me serre contre elle, j'essaie de me retenir de grogner. J'aime et je déteste ses câlins. Ils sont fermes, étouffants et tellement chaleureux. Elle me lâche et se laisse tomber sur une chaise.

— Cette Chloé adore la lingerie. Nous avons dû passer une bonne heure dans le rayon lingerie fine de la boutique Aubade!

Je murmure: « Sans blague! » en regardant distraitement la poitrine de Ziggy.

Ses seins sont parfaits, ronds et haut placés. Bien en place. Elle doit avoir acheté de la lingerie, elle aussi. Les fameux push-up Aubade, j'imagine.

— À propos de ça... dit Max en se levant et en glissant son portefeuille dans la poche arrière de son jean, il est temps que je retrouve ma princesse pour voir ce qu'elle a acheté! À une prochaine fois, Hanna.

Il me tape sur l'épaule et lui fait un clin d'œil.

— Bon appétit!

Ziggy désigne Max, puis se tourne vers moi, les yeux écarquillés.

— Waouh, il est *sexy*! J'ai rencontré Bennett ce matin. On dirait que vous formez le club des mecs sexy de Manhattan!

— Ça doit être ça. Tu es très en beauté, d'ailleurs.

Elle me regarde, surprise. J'ajoute rapidement:

— Je suis content que tu ne les aies pas laissées te recouvrir le visage de fond de teint. Ce serait dommage de cacher tes taches de rousseur.

— Dommage de cacher mes *taches de rousseur?* demande-t-elle dans un murmure. Mais quel genre de mec es-tu pour sortir ça? Tu essaies de me faire jouir à distance?

Je m'efforce de détourner le regard de sa poitrine en l'entendant parler d'orgasme. Je jette un coup d'œil à ses sacs.

— Je... euh... on dirait que tu as acheté beaucoup de chaussures pour courir?

Elle se penche, fouille à l'intérieur.

— Je pense que j'ai *tout.* Je n'ai jamais acheté autant de choses!Liv va sabler le champagne quand elle apprendra ça!

Elle observe mon visage, mon cou, mon torse comme si elle me voyait pour la première fois.

— Tu es allé courir ce matin ?

— Et faire du vélo.

— Quelle discipline !

Elle bat des cils.

— Tu es tellement musclé !

J'éclate de rire.

— Ça me calme.

Ça m'empêche de… Je cherche mes mots, en me sentant rougir :

— … faire des bêtises.

— Ce n'est pas ce que tu allais dire, réplique-t-elle. Ça t'empêche de quoi ? De te battre dans les bars ? Ça t'aide à relâcher ta tension et ta colère d'homme ?

Je décide de la tester, pour voir. Je suis désarçonné par le mélange subtil de naïveté et d'extravagance qui fait sa personnalité. Elle me donne envie de tout oser.

— Ça m'empêche d'avoir envie de baiser tout le temps.

Elle cille à peine.

— Et pourquoi préfères-tu courir que baiser ?

Parler avec elle est dangereux. Étrangement, Ziggy n'est jamais mal à l'aise quand je l'observe. Elle me regarde droit dans les yeux.

— Je ne sais pas pourquoi j'ai dit ça.

— *Will.* Je ne suis ni une vierge ni une fille qui aspire à être épinglée à ton tableau de chasse. On peut parler de sexe.

— Hum, je ne suis pas sûr que ce soit une bonne idée.

Je bois une gorgée de jus de fruit. Elle sirote son verre d'eau sans me quitter des yeux. Elle n'espère pas baisser mon pantalon ? Pas même un peu ?

Je me sens légèrement découragé. L'atmosphère entre nous est tendue. Me pencher vers elle, passer le doigt sur sa lèvre inférieure…

— Tout ce que je dis, c'est que tu n'as pas à prendre de gants avec moi. J'aime ta franchise.

— Tu es toujours aussi directe ?

Elle secoue la tête.

— Seulement avec toi. En général, je parle beaucoup. Je me sens souvent stupide, mais pas avec toi. De toute façon, je n'arrive pas à m'empêcher de dire ce que je pense.

— Je n'ai pas envie que tu arrêtes de dire ce que tu penses.

— Tu as toujours été très porté sur la chose, tu n'as jamais eu peur d'en parler. Tu es ce playboy sexy qui ne s'excuse jamais d'aimer les femmes. Si je l'ai remarqué à douze ans, c'est que c'est plus qu'évident. Je t'aime comme tu es.

Je ne réponds pas, je n'ai aucune idée de ce que je pourrais dire. Ce qui lui plaît chez moi est précisément le trait de caractère que toutes les femmes veulent dompter. Je ne suis pas non plus sûr d'apprécier que la première impression qu'elle a de moi, ce soit ça.

— Chloé m'a dit que tu leur avais demandé de m'emmener acheter des soutiens-gorge...

Je la regarde dans les yeux, les siens se détachent de ma bouche. Elle sourit, joueuse.

— Comme c'est attentionné, Will. Tellement charmant de penser à mes seins !

Je mords dans mon sandwich en murmurant :

— Ne parlons pas de ça. Max m'a déjà mis assez mal à l'aise.

— Tu es un homme mystérieux, Will. Mais d'accord, je vais changer de sujet. De quoi pouvons-nous parler ?

Elle parcourt le menu. J'avale ma salive en la regardant. Je n'arrive pas à imaginer cette jeune personne sauvage entre Chloé et Sara, le duo fatal.

— De ce dont vous avez parlé entre filles.

— Eh bien, Sara et moi avons eu une conversation très amusante sur l'abstinence et la possibilité de retrouver sa virginité après une longue période sans sexe.

Je tousse bruyamment, presque choqué.

— Waouh. Je… n'y avais jamais pensé.

Elle me regarde, amusée.

— Je suis sérieuse. Ce n'est pas pareil pour les garçons, j'imagine. Mais pour les filles, au bout d'un certain temps, c'est comme si… ton hymen se reformait. Comme de la mousse dans une grotte.

— C'est une comparaison dégoûtante.

Elle m'ignore, se redresse, l'air surexcité. J'éclate de rire :

— J'ai entendu parler du concept.

Elle se gratte le front et plisse son nez couvert de taches de rousseur.

— Ma théorie est la suivante : les hommes préhistoriques sont de retour. Les hommes sont violemment jaloux si leurs petites copines portent des tenues sexy en dehors de la chambre à coucher. Et les filles aiment ça, non ? Eh bien, je pense que la re-virginisation sera bientôt la nouvelle mode. Les filles voudront que leur copain croie qu'il est le premier. Sais-tu comment elles feront ?

Ses pupilles se dilatent, elle attend impatiemment ma réponse. Il y a quelque chose dans sa sincérité, dans la manière dont elle aborde le sujet, qui me perturbe autant que cela m'amuse.

— Euh… en mentant ? Je ne peux pas savoir si une fille est vierge à moins qu'elle…

— Avec une opération chirurgicale, évidemment ! Reconstruction de l'hymen.

Je laisse tomber ma fourchette dans mon assiette.

— Mon Dieu, Ziggs ! Je mange ! Pouvons-nous laisser tomber la discussion sur l'hymen pendant…

— Et puis, fait-elle en tambourinant sur la table pour créer le suspense. On en saura bientôt plus sur le potentiel des cellules souches. Déficience de la moelle épinière, Parkinson…

Je ne sais pas par où ils commenceront. Tu sais quel sera le grand coup d'éclat ?

— Aucune idée.

— Je parie que ce sera la reconstruction de la virginité.

Je tousse lourdement :

— Quoi ? De la *virginité* ?

— Tu m'as dit de ne pas utiliser le mot « hymen » mais... à ton avis ?

Elle ne me laisse pas le temps de répondre.

— On dépense des tonnes d'argent pour ça. Du Viagra. Quatre cents types différents de faux seins. Quelle est la matière la plus naturelle ? Mais c'est un monde d'hommes, Will. Les femmes ne peuvent pas s'empêcher de penser que vous remplissez leur vagin de *cellules en pleine croissance*. L'année prochaine, une fille qui n'est pas ta copine se fera reconstruire l'hymen et elle t'offrira sa nouvelle virginité.

Ziggy sirote sa boisson, ses yeux gris plantés dans les miens. Ma queue durcit sous ce regard insistant et joueur. Elle lâche la paille et murmure :

— *À toi.* Tu apprécierais un tel cadeau ?

Ses yeux pétillent, elle hoche la tête avant d'éclater de rire. Bon sang, cette fille me plaît. Elle me plaît beaucoup.

Je m'éclaircis la gorge.

— Ziggy, écoute-moi parce que c'est important. Je vais essayer de t'apprendre quelque chose.

Elle se rassoit et prend un air de conspiratrice.

— Tu as déjà intégré la règle numéro un : ne jamais appeler quelqu'un avant le lever du soleil.

Elle sourit, l'air légèrement coupable.

— Ouais. J'ai compris.

— Règle numéro deux : ne jamais parler de reconstruction d'hymen pendant un déjeuner. Même... jamais.

Elle glousse, la serveuse lui apporte son plat.

— Ne te moque pas. C'est une idée à deux milliards de dollars, golden boy. Si ça arrive un jour sur ton bureau, tu remercieras mon intuition.

Elle se jette sur sa salade, j'essaie de ne pas la dévorer du regard. Elle ne ressemble à aucune fille que je connais. Elle est jolie – en réalité, elle est belle –, mais elle n'est ni timide ni réservée. Elle est absurde, pleine de confiance en elle et tellement elle-même que le reste du monde semble fade à côté. Se prend-elle au sérieux ? Dans tous les cas, elle n'a pas l'air de s'attendre à ce que je le fasse.

— Quel est ton livre préféré ?

La question est venue de nulle part.

Elle se mord la lèvre inférieure, je fixe mon sandwich en continuant obstinément à le grignoter.

— Ça va avoir l'air cliché.

— Je suis sûr que non, dis toujours.

Elle murmure :

— *Une brève histoire du temps*.

— Hawking ?

— Bien sûr ! s'écrie-t-elle, offusquée.

— Ce n'est pas cliché. Ç'aurait été cliché si tu avais dit *Les hauts de Hurlevent* ou *Les quatre filles du docteur March*.

— Parce que je suis une fille ? Si c'était moi qui t'avais posé la question, à toi, et que tu avais dit Hawking, aurait-ce été cliché ?

Je réfléchis un instant. Si j'avais dit à mes potes d'université que c'était mon livre préféré, ils auraient répondu *mec, bien sûr !*

— Probablement.

— C'est vraiment bizarre. C'est cliché pour toi, mais pas pour moi parce que j'ai un vagin. De toute façon…

Elle hausse les épaules en mangeant une feuille de laitue.

— Je l'ai lu quand j'avais douze ans et…

— *Douze ans* ?

— Ouais, et ça m'a totalement impressionnée. Pas seulement la théorie – je crois que je n'ai pas tout compris à l'époque –, mais la simple idée d'aborder le sujet. Certaines personnes passent leur vie à essayer de comprendre ce qu'est le big bang. Ça m'a ouvert tout un univers.

Elle ferme les yeux, inspire profondément et sourit en les rouvrant, l'air légèrement inquiet.

— Je parle trop?

— Ouais, mais ces derniers temps, tu parles *toujours* trop.

Elle cligne des yeux et chuchote:

— Avoue que tu adores ça!

Je l'imagine soudain la tête renversée en arrière, la bouche ouverte, criant d'une voix rauque tandis que je l'embrasse dans le cou et sur les lèvres. Je la vois enfoncer ses ongles dans mes épaules, jusqu'à ce que ce soit légèrement douloureux… puis je cligne des yeux, en sursautant parce que ma chaise vient de heurter celle de mon voisin de derrière. Je lui demande de m'excuser et murmure quelque chose à Ziggy avant de filer aux toilettes.

Je verrouille la porte derrière moi. « C'était quoi, ça, Sumner? » Je m'asperge le visage d'eau froide.

Je m'appuie sur le lavabo, en me fixant dans le miroir. « C'était juste un fantasme. Rien du tout. Ziggy est une gamine adorable. Elle est jolie. Mais un, c'est la sœur de Jensen. Deux, c'est la sœur de Liv, et tu as peloté Liv dans une cabane quand elle avait dix-sept ans. Tu as déjà utilisé ton ticket avec les sœurs Bergstrom. Et trois… » Je prends une grande inspiration. « Trois. Tu portes trop souvent des shorts de sport pour fantasmer sur elle sans qu'elle s'en rende compte. Arrête ça tout de suite. Rentre à la maison, appelle Kitty ou Alexis, fais-toi sucer et calme-toi. »

Je reviens à la table, Ziggy a presque fini sa salade, elle regarde les gens par la fenêtre. Elle me jette un coup d'œil inquiet:

— Tu as mal au ventre ?

— Quoi ? Non. Non… Je devais passer un coup de fil.

Bordel. J'ai répondu comme un connard. Je grimace et soupire. « Je dois y aller, Ziggs. J'ai passé deux heures ici, il me reste des choses à faire cet après-midi. »

Merde. Encore plus connard.

Elle sort son portefeuille de son sac et pose quelques billets sur la table.

— Bien sûr. À vrai dire, moi aussi, j'ai mille choses à faire. C'était chouette de déjeuner avec toi. Et merci de m'avoir fait rencontrer Chloé et Sara.

Elle sourit, se lève en attrapant son sac à main et ses nombreux sacs de shopping, avant de s'éloigner.

Ses cheveux châtains scintillent dans son dos. Elle se tient droite, elle a un port de reine. Son cul est sublime dans ce jean.

Bordel, Will. Tu es dans la merde.

Chapitre 3

J'ai toujours autant de mal à courir.

— Bientôt, ce sera plus facile, insiste Will en m'entendant me lamenter, vautrée sur l'herbe. Tu verras.

J'arrache quelques brins d'herbe glacée en marmonnant quelque chose comme: «Tu parles, Will.» Il est tôt, le ciel est toujours aussi maussade et gris, aucun oiseau ne s'est aventuré dans le froid. Nous courons ensemble tous les jours depuis une semaine et demie. Mon corps tout entier est douloureux. Mais grâce à la séance de shopping avec Chloé et Sara, et au nouvel équipement de sport que j'ai acheté, je n'ai plus froid et mes seins ont cessé de me faire souffrir le martyre.

— Arrête de jouer à la mijaurée, ajoute-t-il.

Je lui jette un regard noir.

— Quoi?

— Je t'ai dit de lever tes fesses et de me rejoindre.

Je me redresse et traîne les pieds avant de trottiner vers lui. Il m'observe:

— Encore des courbatures?

Je hausse les épaules.

— Un peu.

— Autant que vendredi?

Je considère la question en faisant bouger mes épaules et en étirant mes bras au-dessus de ma tête.

— Ça va mieux.

— As-tu toujours l'impression que ta poitrine… comment disais-tu ? Que quelqu'un a versé de l'essence dans tes poumons avant d'y jeter une allumette ?

Je le fusille du regard.

— Non.

— Tu vois, la semaine prochaine, ce sera encore plus facile. Et la semaine suivante, tu auras envie de courir comme tu as parfois envie de chocolat. Je me trompe ?

J'ouvre la bouche pour mentir, mais l'expression de son visage coupe court à mes objections.

— Cette semaine, on passera un coup de fil pour que tu rencontres quelqu'un qui te motivera, et en un rien de temps…

— Pour que je rencontre quelqu'un ?

J'allonge ma foulée pour être à sa hauteur.

Il me jette un coup d'œil.

— Quelqu'un pour courir avec toi. Un coach.

Nous sommes isolés par les arbres dépouillés de leurs feuilles. Même si je discerne le sommet des immeubles et l'horizon au loin, les bruits de la ville sont totalement étouffés. Nous piétinons des feuilles mortes et du gravier sur la piste qui rétrécit. Mon épaule frôle la sienne, je suis assez proche de lui pour sentir son odeur de savon et de menthe, mêlés à celle du café.

— Mais… pourquoi on ne continuerait pas à courir ensemble ?

Will rit et fait un signe vers le ciel, comme si la réponse s'y trouvait.

— Ce n'est pas vraiment de la course à pied pour moi, Ziggs.

— Bien sûr, on fait un jogging. Et encore…

— Je veux dire que je dois m'entraîner.

Je fixe nos pieds, puis son visage.

— Et là, tu ne t'entraînes pas ?

Il éclate de rire encore une fois.

— Je cours l'Ashland Sprint au printemps. Il me faudra plus que trois kilomètres par jour pour me préparer.

— C'est quoi, l'Ashland Sprint ?

— Un triathlon à l'extérieur de Boston.

— Oh…

Le bruit de nos pieds qui s'écrasent sur le sol en cadence résonne dans ma tête, je sens mes membres se réchauffer et le sang bouillir dans mes veines. Ce n'est pas désagréable.

— Alors je le ferai avec toi.

Il me toise avec un petit sourire.

— Tu sais ce qu'est un triathlon ?

— Bien sûr. Nager, courir, tuer un ours.

— Bien essayé.

— OK, fais-moi profiter de tes lumières, Will. Combien de kilomètres, ce triathlon viril ?

— Ça dépend. Il y a la distance sprint, intermédiaire, longue course et ultra. Et pas d'ours, imbécile ! Nager, courir, *faire du vélo.*

Je hausse les épaules, en ignorant mes mollets douloureux dans la montée.

— Tu fais quoi, toi ?

— Intermédiaire.

— OK. Ça n'a pas l'air si terrible.

— Je dois nager un kilomètre et demi, parcourir quarante kilomètres à vélo et courir les derniers dix kilomètres.

Les pétales de ma nouvelle confiance bourgeonnante se fanent légèrement en entendant sa réponse.

— Oh !

— Tu comprends ? C'est pour ça que je ne peux pas courir comme une tortue avec toi tous les jours.

— Hé ! je fais en le poussant de la main.

Il me sourit plus largement :
— Est-il toujours aussi facile de t'énerver ?
Je lève les sourcils, il écarquille les yeux.
— Laisse tomber, lâche-t-il.

* * *

Le soleil perce finalement au moment où nous ralentissons pour marcher un peu. Les joues de Will sont rouges de froid, ses cheveux émergent de son bonnet. Ses joues sont recouvertes d'une fine couche de barbe. Je le dévisage en essayant de le comparer au souvenir que j'ai de lui. C'est un *homme* maintenant. Il doit se raser deux fois par jour sans parvenir à effacer cette ombre de son visage. Je le surprends en train de lorgner mes seins.

Je baisse la tête pour capter son regard, mais il persiste dans sa contemplation déplacée.

— Je déteste poser des questions dont la réponse est évidente, mais que regardes-tu ?

Il hoche la tête, m'observe d'un autre angle.

— Tes seins ont l'air différents.

— C'est pas génial ?

J'en prends un dans chaque main.

— Comme tu le sais, Chloé et Sara m'ont aidée à choisir de nouveaux soutiens-gorge. J'ai toujours eu des problèmes avec mes seins.

Le sourire de Will s'élargit.

— Les seins ne doivent être un problème pour personne. Jamais.

— Tu dis ça parce que tu n'en as pas ! Les seins sont fonctionnels, voilà tout.

Il me jette un regard brûlant.

— Ouais, tu as raison, putain ! Ils ont leur utilité.

Je ris en grognant :

— Ils ne sont pas utiles pour *toi,* jeune homme.

— Tu veux parier ?

— Tu vois, le problème avec les gros seins, c'est que tu ne peux jamais avoir l'air mince. Tu as toujours des traces rouges sur les épaules à cause des bretelles, et tu as mal au dos. Et à moins de les utiliser pour ce à quoi ils sont bons, ils sont toujours au milieu.

— Au milieu de *quoi* ? De mes mains ? Mon visage ? Ne blasphème pas !

Il contemple le ciel.

— Elle n'a rien dit, Seigneur. Je te le promets.

Je l'ignore et ajoute :

— C'est pour ça que j'ai subi une opération de réduction mammaire à vingt et un ans.

Son visage se pétrifie d'horreur. On dirait que je viens de lui dire que je prépare un délicieux ragoût de petits bébés et de langues de chiots.

— Pourquoi diable as-tu fait ça ? Dieu t'a offert un corps magnifique et tu lui donnes des coups de pied dans les couilles.

J'éclate de rire.

— Dieu ? Je pensais que tu étais agnostique, monsieur le scientifique.

— Tout à fait. Mais je serais capable de trouver Jésus dans une poitrine aussi parfaite que la tienne.

— Parce que Jésus vit dans mon décolleté ?

— Non, plus maintenant. Tes seins sont trop petits pour qu'il s'y installe confortablement.

Il secoue la tête, je ne peux pas m'empêcher de rire.

— Quel égoïsme, Ziggs !

Il sourit si largement que je trébuche.

Nous sursautons tous les deux en entendant une voix crier : « Will ! »

Une blonde court vers nous. Enfin, vers Will.

— Salut ! lance-t-il en lui faisant signe.

Elle revient vers nous en criant :

— N'oublie pas de m'appeler ! Tu me dois un mardi !

Elle lui sourit avant de disparaître. J'attends une explication, mais rien ne vient. La mâchoire de Will est serrée, ses yeux ne brillent plus et sont fixés sur la piste.

— Elle est jolie.

Will acquiesce.

— C'est une amie ?

— Ouais. C'est Kitty. On… sort.

Sortir. *Ouais.* J'ai passé suffisamment de temps sur un campus universitaire pour savoir ce que ce mot signifie dans 90 % des cas : *sortir*, un mot codé pour *baiser.*

— Ce n'est pas quelqu'un que tu présenterais comme ta copine ?

Ses yeux se plantent dans les miens.

— Non, répond-il comme si je l'avais vexé. Absolument pas.

Nous marchons quelques instants en silence, il regarde par-dessus mon épaule, je finis par comprendre. C'est une fille qui n'est pas sa copine mais qu'il voit régulièrement.

— Elle connaît Jésus, elle. Ça se voit.

Will éclate de rire.

— Disons qu'elle a dépensé beaucoup d'argent pour trouver Dieu.

* * *

Un peu plus tard, alors que nous venons de terminer notre jogging, Will s'étire à côté de moi. Je lui jette un coup d'œil et lâche :

— À propos, j'ai ce truc ce soir…

Je grimace : les muscles de ses cuisses se contractent sous son jogging. Je suis tellement occupée à les contempler que je l'entends à peine répéter : « Un truc ? »

— Ouais. Une sorte de truc… de travail. Ouais, pas vraiment en fait. Une sortie, mais de travail. Je ne vais jamais à ces soirées, mais dans la mesure où j'ai décidé de faire des efforts pour ne pas mourir seule entourée de chats sauvages, j'ai pensé que je devrais y aller. C'est un jeudi soir, donc j'imagine que ce ne sera pas non plus si *fou* que ça.

Il rit, secoue la tête en changeant de position.

— C'est à la Ding Dong Lounge.

Je me tais, mordille ma lèvre inférieure.

— Je me demande si ce n'est pas un nom de code.

— Non, c'est un bar sur Colombus Avenue.

Il se redresse, se gratte la joue.

— Pas très loin de mon bureau.

— Mes collègues y vont et cette fois, quand ils m'ont demandé si je viendrais, j'ai dit oui. Maintenant, je suis obligée d'y faire un tour. Qui sait, ça pourrait être amusant.

Il me regarde à travers ses longs cils.

— Tu respires parfois quand tu parles ?

— Will. Tu veux bien venir avec moi ? Tu passes me *prendre* ?

Il ricane et secoue la tête en continuant à s'étirer.

Il me faut un moment pour comprendre qu'il est tordu de rire.

— Euh, *pervers* ! je maugrée en lui donnant un coup d'épaule. Tu passes me prendre *chez moi* ?

Il lève la tête, je me frappe le front.

— Oh mon Dieu, c'est encore pire. Envoie-moi un message pour me dire si tu peux…

Je grimace, et m'éloigne sur la piste. Je rêve que le sol s'ouvre pour me transporter à Narnia.

— Oublie ça !

— J'adore quand tu me demandes de *te prendre* ! crie-t-il. Je suis impatient de *passer te prendre* ce soir, Ziggy ! Vers vingt heures ? Ou dois-je *te prendre* à dix heures ? Je peux *te prendre* deux fois ?

Je lui fais un doigt d'honneur sans m'arrêter. Dieu merci, il n'a pas vu mon sourire.

CHAPITRE 4

Après une journée passée devant mon ordinateur, j'ai des fourmis dans les jambes, je meurs d'envie d'aller à la Ding Dong Lounge – qui aurait pu croire que je dirais ça un jour! Des plaisirs simples: m'asseoir à côté de Ziggy et... me détendre. Ça fait longtemps que je ne me suis pas autant amusé avec une femme sans qu'elle ôte ses vêtements.

Malheureusement pour moi, plus je passe de temps avec Ziggy et plus j'ai envie que notre relation évolue dans le sens où elle devrait ôter ses vêtements. Il s'agit peut-être d'une parade, comme si mon corps et mon cerveau voulaient revenir à la routine familière du sexe sans attachement particulier. Elle n'en a aucune idée, mais Ziggy m'oblige à repenser mon existence. Je remets en cause mon job et ma vie personnelle. Ai-je vraiment envie de travailler dans la finance? Pourquoi coucher avec autant de femmes que je n'aime pas? Je n'ai jamais autant désiré posséder quelqu'un, corps et âme. Évincer tous ses autres amants, effacer leurs traces à force de caresses – mes mains, ma bite, ma bouche. Mais coucher avec Ziggy serait-il vraiment la solution à mon trouble? Cela ne me bouleverserait-il pas encore davantage?

Je ne la rejoins pas avant vingt-deux heures, pour lui laisser le temps de discuter avec ses collègues du labo. Le bar est calme, je la repère instantanément.

Elle me sourit, les yeux brillants.

— Salut Will !

Après avoir pris le temps de me dévisager, elle murmure :

— Tu n'es pas passé me… *chercher.*

Je me mords les lèvres pour ne pas éclater de rire.

— Tu as dîné ?

Elle acquiesce :

— Nous avons grignoté des fruits de mer au bas de la rue. Cela faisait des années que je n'avais pas mangé de moules.

Je fais une grimace, elle me donne une tape joueuse sur l'épaule.

— Tu n'aimes pas les moules ?

— Je déteste les fruits de mer.

— Ah bon ? C'était *délicieux.*

— Je n'en doute pas. Caoutchouteux avec un goût d'eau de mer sale.

— Je suis contente de te voir, dit-elle en passant du coq à l'âne.

Elle soutient mon regard.

— En dehors de nos joggings matinaux.

— Je suis content que tu sois contente.

Son attention s'attarde sur mes joues et mes lèvres avant de revenir à mes yeux.

— Ton regard de braise finira par me tuer, Will. Le pire, c'est que je suis sûre que tu ne te rends pas compte que tu déshabilles les femmes des yeux.

Je cligne des yeux :

— Hein ?

— Vous buvez quoi ? demande Jack, en nous faisant sursauter quand il place des dessous de verres en carton en face de nous.

Tous les amis de Ziggy sont partis, le Ding Dong est étrangement paisible. En général, Jack prend les commandes derrière son bar, tout en continuant à verser une bière à un client.

— Une Guinness. Et un shot de Johnny Gold.

Jack observe Ziggs :

— Et pour toi ?

— Un autre thé glacé, s'il vous plaît.

Il lève les sourcils en souriant.

— C'est tout ce que tu bois, beauté ?

Ziggy hausse les épaules et éclate de rire :

— Une goutte d'alcool et je m'endors dans le quart d'heure.

— Je suis sûr que je pourrais trouver derrière le bar de quoi te tenir éveillée pendant des heures.

Je me retourne pour voir la réaction de Ziggy. Si elle est choquée, je devrai probablement botter le cul de Jack.

Elle rit, insouciante, légèrement gênée d'avoir avoué qu'elle ne buvait pas d'alcool dans un bar. Elle joue avec son dessous de verre.

— Tu veux dire, un café avec du Bailey ? Quelque chose comme ça ?

— Non, répond Jack, le sourire éloquent. J'avais autre chose en tête.

— Juste un thé glacé, Jack, fais-je en sentant mon corps se raidir.

Un sourire suffisant sur les lèvres, le barman s'éloigne pour aller chercher nos verres. Ziggy me fixe, j'attrape une serviette en papier que je déchire méticuleusement.

— Pourquoi l'as-tu rembarré, William ?

— Il ne voyait pas que j'étais assis avec toi ? Il était lourd. Quel connard !

— Parce qu'il a pris ma commande ? répond-elle en me lançant un regard noir.

— Oh oui, quel *con* !

— Parce qu'il a fait des sous-entendus ?

— Tu rigoles. « Trouver derrière le bar de quoi te tenir éveillée pendant des heures »...

Elle ouvre la bouche, l'air pensive, avant de sourire.

— Ce n'est pas bon signe ? Des allusions grivoises de temps en temps ?

Jack nous apporte nos verres et fait un clin d'œil à Ziggy.

— J'imagine, fais-je en sirotant ma bière.

Elle se redresse à côté de moi et m'observe plus attentivement.

— Tu vas dire que je passe du coq à l'âne, mais j'ai vu un porno hier soir.

Je suis à deux doigts de la crise cardiaque.

— Mon Dieu, Ziggy, tu n'as aucune retenue !

Je lève mon shot et le vide d'un trait.

— Tu ne regardes pas de pornos ?

Je fixe mon verre vide avant d'avouer : « Si, bien sûr. »

— Pourquoi es-tu si étonné que je fasse pareil dans ce cas ?

— Je ne suis pas étonné que tu regardes du porno. Je suis étonné de t'entendre lancer le sujet comme ça. Je ne suis toujours pas habitué à ton manque de discrétion. Avant le projet Femme Fatale, je te connaissais comme la petite sœur ringarde de mon meilleur copain. Maintenant tu es une… femme qui regarde du porno et qui a subi une opération de réduction mammaire. Il me faut du temps pour m'y faire.

J'ajoute en pensée : *et que je trouve irrésistible.*

— Bref. J'ai une question.

Je la scrute du coin de l'œil.

— Oui ?

— Les femmes font vraiment ces bruits au lit ?

Je lui souris :

— *Quels* bruits, Ziggy ?

Elle n'a pas compris que je me moquais d'elle. Elle ferme les yeux.

— Genre « oh, oh, oui, Wiiiiill, donne-moi ta bite » et « plus fort, plus fort, oh mon Dieu, baise-moi mon gros lapin », etc.

Sa voix est douce, elle respire lourdement. Je suis horrifié de sentir ma queue se tendre légèrement. Ça risque de poser un sérieux problème.

— Certaines.

Elle éclate de rire.

— C'est ridicule!

Je me retiens de sourire. J'aime la voir si confiante dans un domaine dans lequel je suspecte qu'elle n'a que peu d'expérience.

— Elles doivent vraiment aimer ça, donc elles en redemandent. Tu n'aimerais pas désirer quelqu'un si fort que tu sois prête à le supplier de te baiser?

Elle boit une grande gorgée de thé glacé.

— En fait, ouais. Je crois que je n'ai jamais désiré personne suffisamment pour le supplier de me baiser. Un cookie? Oui. Une bite? Non.

— Ça devait être un super cookie.

— Absolument.

Je lui demande en riant:

— Et quel film as-tu regardé?

— Hum…

Elle lève les yeux au plafond. Elle ne rougit pas, ne semble pas gênée par ma question.

— *Étudiants fougueux*? Quelque chose comme ça. Beaucoup de jeunes étudiantes qui baisent avec leurs camarades de classe. Fascinant, vraiment!

Je reste silencieux, je repense à mes années d'université, puis à Ziggy, à son travail au labo, au désir de Jensen qu'elle se fasse de nouveaux amis, à Jack qui l'a draguée devant moi.

— À quoi penses-tu? demande-t-elle.

— À rien, vraiment.

Elle pose son verre et pivote sur son tabouret pour me dévisager.

— Comment est-ce possible ? Comment les garçons osent-ils répondre qu'ils ne pensent à rien ? Neils fait pareil, dit-elle en faisant allusion au timide de la fratrie Bergstrom. Il s'assoit et me fixe quand je parle, je lui demande à quoi il pense et il répond : à rien.

— Tu le laisses peut-être sans voix, ça doit arriver souvent, te connaissant.

— Très drôle.

— Je ne pense à rien d'intéressant, tu préfères ça ?

— On parle de porno et tu ne penses même pas au sexe ?

— Étrangement, non. Je pensais que tu étais naïve et attachante. Je réalise la portée de ma décision de t'aider à mieux comprendre le monde de la drague. J'ai peur de faire de toi la femme fatale la plus vulnérable du monde.

— Tout ça en une minute ?

J'acquiesce.

— Waouh. *Tout ça* c'est intéressant.

Sa voix est suave, un peu comme quand elle imitait du porno, mais avec de vrais mots et une vraie émotion. Je l'examine, son visage est tourné vers la fenêtre.

— Je ne suis pas aussi naïve que tu le penses, Will. J'ai toujours été obsédée par le sexe. Par son fonctionnement. Pourquoi certaines choses plaisent aux uns et pas aux autres. Pourquoi les gens aiment ceci, ou cela. Est-ce une question d'anatomie ? De psychologie ? Nous corps sont-ils tous différents ? Ce type de choses.

Je ne sais pas quoi répondre, je me contente de boire ma bière. Je n'ai jamais pensé à ça, j'ai toujours préféré tout essayer, sans réfléchir. Je suis néanmoins rassuré de savoir qu'elle n'est pas aussi innocente qu'elle le paraît.

— Ces derniers temps, je découvre ce que j'aime. C'est rigolo, mais plus difficile quand on n'a aucun moyen de le savoir de première main. D'où le porno.

Elle boit son thé glacé et me sourit. Il y a deux semaines, si Ziggy m'avait dit ça, son honnêteté m'aurait mis mal à l'aise. Maintenant, ce trait de caractère me séduit.

— Je n'arrive pas à croire que je participe à cette conversation mais… je me demande si le porno ne te donnera pas une mauvaise image du sexe.

— Pourquoi ?

— Le sexe filmé n'est pas très réaliste.

Elle demande en riant :

— Tu veux dire que la plupart des hommes n'ont pas un tube de Pringles dans le pantalon ?

Cette fois, je n'écarquille pas les yeux.

— Déjà, oui.

— Je ne suis pas vierge, Will. Je n'ai seulement pas eu beaucoup de partenaires. Regarder du porno, c'est une façon de savoir ce qui réveille le tigre, si tu vois ce que je veux dire.

— Tu me surprendras toujours, Ziggy Bergstrom.

Elle ne répond pas pendant un moment.

— Ce n'est pas mon prénom, tu sais.

— Je sais. Mais c'est comme ça que je t'appelle.

— M'appelleras-tu toujours Ziggy ?

— Probablement. Ça te dérange ?

Elle hausse les épaules, puis me fait face.

— Un peu, je crois. Ça ne me correspond plus vraiment. Ma famille m'appelle comme ça, c'est tout. Pas mes amis.

— Je ne te traite pas comme une gamine, si c'est ce qui t'inquiète.

— Non, ce n'est pas ce qui m'inquiète. Tout le monde commence par être un enfant avant d'apprendre à être adulte. J'ai l'impression d'avoir toujours su comment être adulte, et de réapprendre à être une enfant. Ziggy était mon surnom d'adulte. Dont je veux me libérer.

Je lui tire l'oreille, elle me tape sur les doigts.

— Tu t'en libères en regardant du porno ?

— Exactement. Puis-je te poser une question personnelle ?

Je ris :

— Tu me demandes la permission, maintenant ?

— Je suis sérieuse, glousse-t-elle.

Je fais glisser ma pinte vide sur le bar avant de me retourner pour la regarder dans les yeux.

— Tu pourras me demander ce que tu veux si tu m'offres une autre bière.

Elle lève la main, captant l'attention de Jack instantanément :

— Une autre Guinness !

— Tu es prêt ?

Je hausse les épaules. Elle chuchote :

— Les garçons aiment vraiment l'enculade, n'est-ce pas ?

Preuve de ma toute nouvelle aisance avec Ziggy, je cligne à peine des yeux.

— On ne dit pas l'enculade. On dit la sodomie.

— N'est-ce pas ? répète-t-elle.

Je soupire en passant les mains sur mon visage. Suis-je prêt à aborder ce sujet avec elle ?

— J'imagine… Je veux dire… ouais.

— Donc, tu l'as déjà fait.

— Ziggy !

— Et tu ne penses pas que tu es dans…

Je lève une main :

— Non !

— Tu ne sais même pas ce que j'allais dire !

— Non, mais je te connais, Ziggy. Je sais exactement ce que tu vas dire.

Elle grimace et regarde l'écran de télévision au-dessus du bar. Les Knicks sont en train de ratatiner les Heat.

— Les mecs peuvent arrêter de penser. Je ne sais pas comment ils font.

— Tu n'as jamais eu assez de plaisir pour ressentir ça.

— Je pense que *tu* arrêtes de penser même pour un plaisir médiocre.

Je ris en avouant :

— Probablement. Tu as mangé des moules. Pour moi c'est… c'est de la merde de mer filandreuse et caoutchouteuse. Mais si tu me faisais une pipe, je ne penserais pas aux moules que tu as mangées.

Elle rougit légèrement.

— Tu dois faire allusion à mes dons de suceuse d'élite.

Je la fixe :

— Je… quoi ?

Elle éclate de rire et secoue la tête.

— Tu vois. Tu es sans voix et je n'ai encore rien fait. Les hommes sont tellement prévisibles !

— C'est vrai. Un mec serait capable de mettre sa queue dans n'importe quel trou.

— N'importe quel trou *baisable.*

— Quoi ?

— Eh bien, tous les orifices ne sont pas baisables. Comme les narines. Les oreilles.

— C'est vrai. Tu as entendu parler de *L'Homme de Nantucket* ?

— Non.

Elle plisse le nez, je regarde ses taches de rousseur. Ce soir, ses lèvres sont écarlates. Pas seulement à cause du rouge à lèvres. Elles sont… rouges et gonflées.

— *Tout le monde* connaît. C'est un poème cochon.

— Pas moi !

— Il était une fois un homme qui venait de Nantucket. Sa bite était si longue qu'il pouvait la sucer tout seul. Il s'exclame, le menton dégoulinant de foutre : si mon oreille était une chatte, je pourrais la baiser.

Elle me regarde, interdite.

— C'est… vulgaire.

J'éclate de rire en murmurant :

— Je suis d'accord.

— Tu ne te sucerais pas la bite si tu pouvais ?

J'ouvre la bouche pour répondre « jamais de la vie », puis j'y repense à deux fois. Si c'était possible, j'essaierais probablement une fois, par curiosité.

— Bien sûr, sûrement. Tu as raison.

— Tu avalerais ?

— Putain, Ziggs, tu m'obliges à réfléchir à de ces trucs !

— Tu dois y *réfléchir* ?

— Je serais un connard si je disais qu'il est hors de question que j'avale, mais il est vraiment hors de question que j'avale. On parle d'une hypothèse où je sucerais ma propre bite, mais j'aime que les *filles* avalent.

— Toutes les filles n'avalent pas.

Mon cœur bat plus vite et plus fort, comme si l'on me frappait de l'intérieur. Notre conversation sort dangereusement des sentiers battus.

— Et toi ?

Elle ignore ma question et demande :

— Mais les garçons n'aiment pas vraiment faire des cunnis, si ? En tout honnêteté.

— J'aime lécher certaines filles. Pas toutes, mais pas pour la raison à laquelle tu penses. C'est intime, et toutes les femmes n'apprécient pas forcément qu'on aille y voir. Je ne sais pas, pour moi, une pipe c'est comme une branlette en plus agréable. Mais faire un cunni à une fille ? C'est quelque chose qu'on fait dans une vraie relation. Ça requiert de la confiance.

— Je n'ai jamais fait ni l'un ni l'autre. Ça me semble trop intime dans tous les cas.

Je me tais, en souriant à Jack qui me donne ma bière. C'est une étrange petite victoire. Mais pourquoi ? Ce n'est pas comme si j'étais le premier mec qu'elle sucera. Ce n'est pas comme si je pouvais aller jusque-là avec elle… D'ailleurs, Ziggy dit tout ce qu'elle pense… Mon ventre se serre : si elle me désirait de cette manière, elle me l'aurait déjà dit. Elle se serait approchée de moi, aurait posé ma main sur sa poitrine et aurait dit : «*As-tu envie de me baiser ?*»

— Et là ? demande-t-elle. Tu penses à quoi *maintenant* ?

Je porte la bière à mes lèvres en murmurant :

— À rien.

— Si je n'étais pas non violente, je te giflerais.

J'éclate de rire.

— D'accord. Je pensais qu'il est bizarre que tu aies couché avec des garçons sans jamais les avoir sucés ni avoir vécu un cunni.

— En fait… Je crois que j'ai fait une pipe à un garçon, mais je ne savais tellement pas m'y prendre que je suis très vite revenue à son visage.

— C'est facile avec les mecs : tu fais des va-et-vient et c'est plié.

— Oui, d'accord… je sais. Je voulais dire pour *moi.* Comment le faire tout en respirant, et sans le mordre ? Tu ne t'es jamais promené dans le rayon porcelaine d'un magasin chic en paniquant parce que tu as l'impression que tu vas briser toute la vaisselle ?

J'éclate de rire. Cette fille est *dingue.*

— Quand tu as une bite dans la bouche, tu as peur de la… mordre ?

Elle glousse elle aussi, nous sommes pliés en deux rien qu'à cette idée. Nous nous calmons en même temps. Elle fixe ma bouche.

— Certains garçons aiment qu'on mette les dents.

— Certains garçons… comme toi ?

J'avale ma salive et j'avoue :

— Ouais. J'aime les filles qui ne prennent pas de gants.

— Genre griffer, mordre, ce genre de choses ?

Comment le sait-elle ? Elle imagine bien que je ne parle pas de fouets ni de cordes. Elle a à peine sucé un mec, mais elle sait immédiatement ce que je veux dire quand j'avoue que j'aime les filles qui n'ont peur de rien.

— Avec combien de garçons as-tu couché ?

— Cinq.

— Tu n'as jamais taillé de pipe et tu as couché avec *cinq garçons* ?

Mon irritation est totalement hypocrite :

— Mon Dieu, Ziggs, *quand* ?

Elle roule des yeux et glousse :

— J'ai perdu ma virginité à seize ans. L'été où tu travaillais avec mon père, en fait.

Je m'apprête à protester, elle ajoute :

— Ne commence pas, Will. Tu as probablement perdu la tienne à treize ans.

Je me redresse sur mon tabouret. Elle a vu juste.

Elle me sourit en continuant : « Et *je t'en prie,* cinq, ce n'est pas beaucoup. J'ai couché avec quelques garçons ces deux dernières années avant de comprendre que ça ne me convenait pas. Ce n'était pas très intéressant. J'ai eu un petit ami à l'université mais… c'est comme si j'avais un problème. L'idée du sexe m'amuse jusqu'à ce que je la mette en pratique. Et puis je me demande si j'ai assez de boîtes de Petri prêtes au labo pour mon expérience du lendemain.

— C'est pathétique.

— Je sais.

— On ne s'ennuie jamais en baisant.

Elle me dévisage, hausse les épaules.

— Je sais qu'on n'est pas *censé* s'ennuyer. Mais moi, je m'ennuie la plupart du temps. Les garçons de mon âge ne savent pas quoi faire d'un corps féminin.

Jack lui demande si elle veut autre chose, elle secoue la tête.

— Je ne leur en veux pas. Ce n'est pas si simple par ici.

Elle fait un signe de la main vers son entrejambe.

— Cela fait si longtemps que je n'ai pas rencontré quelqu'un qui me donne envie de recommencer.

Elle lorgne mes lèvres avant de détourner les yeux.

Jack m'apporte une nouvelle bière, je fais tourner le dessous de verre. Bien sûr, elle a raison, la plupart des femmes ne baisent pas seulement parce qu'elles y prennent du plaisir. Kitty m'a dit une fois qu'elle se sentait plus proche de moi après l'amour. Elle me l'a avoué au moment où je m'apprêtais à faire un inventaire mental de mon frigo. Je me sens si proche d'Hanna, plus que je ne l'ai jamais été de Kitty, avant, pendant ou après le sexe.

Quelque chose en elle m'excite, me donne envie d'être aussi honnête sur tous les sujets qu'elle l'est. Je veux connaître Hanna, savoir ce qu'elle pense sur *tout*.

Je reste silencieux, sirotant ma bière. J'ai prononcé mentalement son prénom pour la première fois. Je me sens étrangement soulagé.

Ziggy est la petite sœur de Jensen. *Ziggy* est la gamine que je n'ai jamais connue.

Hanna est la femme pleine d'assurance et de fantaisie pour qui mon petit monde pourrait bien s'effondrer.

Chapitre 5

J'ai pris une décision: je monopolise le temps de Will et j'insiste pour m'entraîner avec lui, je dois donc trouver… un but à nos courses à pied.

J'ai décidé de m'y mettre sérieusement, d'arrêter de prendre le sport comme un jeu, d'en faire une expérience. Je me couche tous les soirs à une heure décente pour me lever tôt, courir avec lui et être au labo à l'heure pour une journée à jongler avec les éprouvettes. J'enrichis ma garde-robe de jogging d'un équipement de qualité et d'une nouvelle paire de chaussures. J'arrête de voir Starbucks comme un fast-food, je cesse également de me plaindre. Après beaucoup d'hésitations de ma part et d'encouragements de la sienne, nous nous inscrivons à un semi-marathon à la mi-avril. Je suis terrifiée.

Pourtant, Will a raison: c'est de plus en plus facile. En quelques semaines, mes poumons ont cessé de brûler, mes tibias ne me semblent plus en cristal, je n'ai plus envie de vomir à la fin de chaque parcours. Nous avons allongé notre course et nous empruntons maintenant son circuit habituel. Will m'a assuré que si j'arrivais à courir dix kilomètres par jour, et jusqu'à vingt kilomètres deux fois par semaine, il pourrait s'entraîner avec moi.

Ce n'est pas seulement de plus en plus agréable. Je commence à voir la différence. J'ai toujours été relativement mince, grâce aux gènes familiaux, mais mon corps n'était pas vraiment *ferme.* Je n'ai jamais eu d'abdos, mes biceps tremblotent toujours bizarrement quand je fais au revoir de la main, et j'ai un petit bourrelet au-dessus de la taille de mon jean si je ne fais pas attention à rentrer le ventre. Maintenant... tout change. Je ne suis pas la seule à l'avoir remarqué.

— Et alors? me demande Chloé qui s'est mis en tête de trier mes vêtements.

Elle me montre du doigt:

— Tu as l'air... différente.

— Différente?

Le but du Projet Ziggy n'a jamais vraiment été de passer ma vie avec Will – même s'il est de loin la personne que je préfère fréquenter. Il s'agit de m'aider à retrouver un équilibre, à avoir une vie en dehors du labo. Ces dernières semaines, Chloé et Sara en font partie: elles m'invitent à dîner ou passent du temps avec moi dans mon appartement.

Ce jeudi soir, elles ont apporté des plats tout préparés et nous nous sommes installées dans ma chambre, où Chloé fait l'inventaire de mon placard en décidant ce que je dois garder ou jeter de tout urgence.

— Tu es très en beauté, ajoute-t-elle avant de se tourner vers Sara occupée à parcourir un dossier financier sur mon lit. Tu ne trouves pas?

Sara lève la tête, me détaille:

— Absolument. Tu es heureuse, non?

Chloé acquiesce.

— C'est ce que j'allais dire. Tu rayonnes, ton teint est frais. Et ton cul est *magnifique* dans ce pantalon.

Je me scrute dans le miroir, de face et de dos. Mes fesses sont vraiment belles. Le reste n'est pas mal non plus.

— Mon pantalon est un peu large, dis-je en tirant sur la taille. Et regarde, plus de bourrelet muffin!

— C'est toujours bon à prendre, rit Sara en secouant la tête et en revenant à ses documents.

Chloé cligne des yeux et replace des robes sur des cintres, en jette d'autres dans des sacs plastique.

— Tu es plus tonique. Tu fais quoi ? Dis-moi tout !

— Je cours. Et je m'étire beaucoup. Will insiste toujours là-dessus. Il a ajouté une série d'abdominaux à notre séance quotidienne, ce que je déteste particulièrement.

Je continue à observer mon reflet dans la glace.

— Je ne me souviens plus de la dernière fois où j'ai mangé un cookie. Un crime.

— Tu continues à t'entraîner avec Will ? demande Chloé.

J'intercepte le regard qu'elle échange avec Sara. On dirait que je leur offre un cadeau magnifiquement emballé que nous allons passer des heures à déballer.

— Ouais, tous les matins.

— Tu cours avec Will *tous* les matins ?

Un autre regard.

J'acquiesce en ramassant les affaires qui traînent par terre.

— On se retrouve au parc. Vous saviez qu'il participait à des triathlons ? Il est en super forme.

Je referme la bouche pour me retenir d'en dire plus. Il n'y a pas qu'avec Will que je dois surveiller ce que je dis.

Chloé lève un sourcil et se redresse en replaçant une mèche brune derrière son oreille.

— À propos de William…

Je soupire en rangeant une paire de chaussettes.

— Tu le vois en dehors de votre rendez-vous jogging ?

Je sens le poids de leur attention dans mon dos, je me contente d'acquiescer en les fuyant des yeux.

Chloé ajoute : « Il est canon. »

Mon cerveau me prévient : *danger, danger.*

— Oui.

— Tu l'as vu tout nu ?

Je lance un regard interloqué à Chloé :

— *Quoi ?*

— Chloé ! l'interpelle Sara.

— Non, j'insiste. Nous sommes seulement amis.

Chloé glousse, s'approche du placard, des vêtements sur les bras.

— Bien sûr !

— Nous courons le matin, nous nous retrouvons pour boire un café de temps en temps. Ou prendre un petit déjeuner.

Je hausse les épaules, en ignorant mon baromètre de l'honnêteté quand il passe dans la zone rouge. Ces derniers temps, nous prenons tous nos petits déjeuners ensemble, et nous nous appelons au moins une fois par jour.

— Seulement des amis.

Je jette un coup d'œil à Sara qui continue à lire son dossier en souriant.

— Ouais, ouais, fredonne Chloé. Will Sumner ne fréquente aucune femme qui soit *seulement* son amie, à part sa mère, ses sœurs et nous deux.

— Ce n'est pas faux, renchérit Sara.

Je ne réponds rien, je me tourne pour chercher un pull dans la commode. Chloé m'observe, je tremble sous son regard. Je n'ai jamais eu beaucoup de copines – surtout, jamais une copine comme Chloé Mills –, mais je suis assez intelligente pour la craindre. Je crois que même *Bennett* a peur d'elle.

Je trouve mon cardigan préféré que j'enfile en faisant un effort pour conserver une expression neutre, et ne surtout pas penser à Will autrement que comme un ami. Mon petit doigt me dit que je suis transparente aux yeux de ces deux filles.

— Tu le connais depuis combien de temps ? demande Sara. Max et lui sont de vieux amis, mais je ne sais rien de sa vie, je ne le connais que depuis que je suis à New York.

— Pareil pour moi, ajoute Chloé. Lâche le morceau, Bergstrom. Il est bien trop sûr de lui, nous avons besoin de munitions.

J'éclate de rire, heureuse qu'elles changent de sujet.

— Que voulez-vous savoir ?

— Eh bien, tu le connaissais quand il était à l'université. Était-il ringard ? Je t'en supplie, dis-nous qu'il était membre d'un club d'échecs ! lance Chloé, pleine d'espoir.

— Ahah, *non*. C'était le genre de mec qui faisait fantasmer les mères de ses copains à dix-huit ans. En fait, Jensen m'a raconté que…

— Max m'a dit qu'il était sorti avec ta sœur.

Je me mords les lèvres en secouant la tête :

— Ils se sont rapprochés pendant les vacances, mais je pense qu'ils se sont juste embrassés. Il a rencontré mon frère Jensen à l'université et il a travaillé avec mon père après avoir obtenu son diplôme. J'étais la petite sœur, donc je ne traînais pas vraiment avec eux.

— Arrête d'éviter le sujet, me coupe Chloé. Tu dois te souvenir d'un tas de petits détails.

— Laisse-moi réfléchir… Lui aussi, c'est le benjamin. Il a deux sœurs beaucoup plus âgées que lui, je ne les ai jamais rencontrées. Sa mère est très protectrice. Il nous a raconté que ses parents étaient tous les deux médecins et qu'ils avaient divorcé bien avant sa naissance. Des années plus tard, ils se sont retrouvés à une conférence, ils ont trop bu et ont passé la nuit ensemble…

— Et paf, Will, devine Sara.

J'acquiesce :

— Ouais. Donc ses sœurs ont douze et quatorze ans de plus que lui. C'était leur petit bébé.

— Ce qui explique pourquoi il pense que les femmes n'existent que pour le chouchouter, conclut Chloé en se jetant sur le lit à côté de Sara.

Je ne suis pas tout à fait d'accord :

— Je ne sais pas si on peut dire ça. Il aime *vraiment* les femmes. Elles l'aiment aussi. Il a grandi entouré de femmes, il sait comment elles pensent et ce qu'elles ont besoin d'entendre.

— Il sait vraiment y faire. Pourtant, quand je repense à ce que Max m'a raconté… murmure Sara.

Je me remémore le mariage de Jensen. Will s'était éclipsé avec deux filles. Je suis certaine que ce n'était ni la première ni la dernière fois que ça lui arrivait.

— Les femmes l'adorent. J'ai entendu des amies de ma mère parler de lui quand il travaillait avec mon père. Dieu du ciel, ce qu'elles lui auraient fait !

— Cougars ! s'écrie Chloé, enchantée. J'*adore*.

J'éclate de rire :

— À vrai dire, toutes les filles étaient amoureuses de lui. Mes copines du collège – j'avais douze ans la fois où il a passé Noël avec nous – trouvaient toutes des excuses pour venir chez moi. L'une avait même insisté pour me rendre un pull la veille de Noël, et m'avait donné *son propre pull*. Imaginez Will à dix-neuf ans : un physique de playboy, une innocence feinte, des fossettes… Il jouait dans un groupe, il avait des tatouages… Tellement érotique. Il a vécu chez nous un été entier, il avait vingt-quatre ans, et moi seize. C'était insoutenable. Il promenait son corps parfait dans la maison à moitié nu et ne portait jamais de T-shirt.

J'arrête d'évoquer mes souvenirs, Chloé et Sara me sourient.

— Quoi ?

— C'est une description très sensuelle, Hanna, remarque Sara, avec malice.

— Tu viens de dire *sensuelle* ?

— Absolument, fait Chloé. Je suis d'accord. Tu étais totalement dedans.

Je grogne en me relevant.

— Donc, la jeune Hanna était clairement à fond sur Will, dit Sara. Plus intéressant : que pense la Hanna de vingt-quatre ans maintenant ?

Je réfléchis à une réponse. J'ai bien sûr considéré Will de toutes les manières possibles. J'ai imaginé son corps nu et sa bouche et tout ce qu'il ferait avec… J'ai aussi pensé à son esprit et à son cœur.

— Je pense qu'il est étonnamment doux. C'est un homme à femmes, mais à côté de ça, c'est vraiment un mec bien.

— Tu n'as jamais pensé à baiser avec lui ?

Je fixe Chloé :

— Pardon ?

Elle me rend mon regard.

— Quoi, pardon ? Vous êtes tous les deux jeunes et beaux, et vous avez un passé. Je parie que ce serait incroyable.

Des centaines d'images défilent en quelques secondes. Je me force à répondre :

— Il est *hors de question* que je couche avec Will.

Sara hausse les épaules :

— Pas pour l'instant, peut-être.

— Tu n'es pas censée être de mon côté, dans l'affaire ? Être réservée ?

Chloé éclate de rire, elle secoue la tête en lorgnant vers Sara, amusée.

— *Réservée.* C'est toujours celles qui ont *l'air* le plus innocent qui…

— Bref… Will me voit comme sa petite sœur.

Chloé se redresse, l'air grave :

— Je peux te dire une chose, quand un homme rencontre une femme, il la met dans la catégorie « amie pour toujours » ou « potentiellement baisable ».

— N'a-t-il pas des plans-cul réguliers ? dis-je en plissant le nez.

L'idée de sortir avec quelqu'un me plaît, mais planifier quelque chose d'aussi fluide et inattendu que le sexe… Je pense que ma relation avec lui est plus structurée et pas simplement futile. C'est l'une des facettes de mon amitié avec Will où je fais attention à ce que je dis. En général.

Sara acquiesce :

— Kitty, le mardi soir. Alexis le samedi. Il y a parfois d'autres épisodes.

Chloé lui lance un regard lourd de sens, que Sara soutient.

— Je ne lui conseille pas de tomber amoureuse de lui. Juste de le baiser.

— Je pense que tout le monde sait à quoi s'en tenir avec Will, réplique Sara.

— Justement, ça n'a aucune importance. Dans la mesure où c'est le meilleur ami de mon frère, je pense que je suis dans la case « amie pour toujours ».

— Il t'a déjà parlé de tes seins ? demande Chloé.

Je me sens rougir. Will en a parlé, il les a admirés. Il idolâtre ma poitrine.

— Euh, ouais.

— Alors, je maintiens ce que je dis.

* * *

Le lendemain, Will doit penser que je suis totalement lunatique. L'esprit ailleurs pendant notre course, je n'arrive pas à m'empêcher de repasser dans ma tête ma conversation avec Chloé et Sara. Je me souviens de toutes les fois où Will a regardé mes seins, les a montrés du doigt, leur a parlé. J'imagine aussi ce qu'il fait avec les autres femmes qui partagent sa vie. Toutes ces femmes à qui il fait l'amour… Que ressentent-elles ? S'amusent-elles avec lui autant que moi ?

Ceci bien sûr m'amène à l'imaginer nu, ce qui ne m'aide ni à me concentrer ni à courir sans faire des zigzags. Will doit croire que je suis ivre. Je m'efforce de le sortir de mes pensées, et je me concentre sur le travail qui m'attend au labo – le rapport que je dois terminer, les tests que je dois passer pour maintenir la note du labo de Liemacki.

Un peu plus tard, je m'effondre à cause d'une crampe. Will se penche vers moi pour étirer ma jambe. Il me regarde si intensément que tout revient. Mon ventre se serre, une chaleur délicieuse se répand dans ma poitrine et pénètre mes cuisses. Comme si je fondais sur le sol glacé.

— Tout va bien ? demande-t-il.

J'acquiesce. Il fronce les sourcils :

— Tu es bien silencieuse ce matin.

— Je réfléchis.

Il sourit, mon cœur bat plus fort.

— J'espère que tu ne réfléchis pas au porno, aux pipes ou à ce que tu veux expérimenter sexuellement, parce que ça n'a pas sa place ici. Nous avons un rythme à maintenir, Ziggs.

Je prends une douche particulièrement longue après ce jogging.

* * *

Je n'ai jamais été du genre à envoyer beaucoup de textos – avant Will, les seuls messages que j'écrivais se résumaient à des réponses simples à ma famille ou à mes collègues de travail. « Tu viens toujours ? » Oui. « Tu peux apporter une bouteille de vin ? » Bien sûr. « Tu amènes quelqu'un ? » Pas de réponse. Jusqu'à la semaine dernière – quand j'ai ouvert mon cadeau de Noël, l'iPhone que Niels m'a offert –, j'avais toujours un vieux portable. Jensen se moquait tout le temps de moi. Qui a le temps d'envoyer des centaines de messages alors qu'il suffit de passer un coup de fil pour tout régler dans la minute ? Beaucoup plus efficace.

Mais je m'amuse beaucoup en envoyant des textos à Will. Ce nouveau téléphone me facilite les choses. Il me parle de tout et de rien pendant la journée, m'envoie des photos de lui quand il fait une mauvaise blague, des photos de son repas si la poitrine de poulet qu'il a commandée a la forme d'une bite. Donc, après ma… douche relaxante, mon portable vibre dans l'autre pièce et je ne suis pas surprise que ce soit Will.

Sa question me désarçonne : Tu portes quoi ?

Je fronce les sourcils. C'est étrange, mais pas non plus choquant de sa part.

Nous allons nous retrouver pour petit-déjeuner dans environ une demi-heure, il a peut-être peur que j'arrive habillée comme une clocharde surdiplômée – son expression préférée.

Je regarde la serviette enroulée autour de ma taille et tape : Pantalon noir, T-shirt jaune, pull bleu.

Non, Ziggy, je voulais dire [sous-entendu] tu portes quoi.

Maintenant, je suis vraiment perturbée. Je ne comprends pas.

C'était un sexto.

Je m'arrête une seconde, pose mon téléphone avant de lui répondre : Quoi ?

Il tape beaucoup plus vite que moi, sa réponse apparaît presque immédiatement. Ce n'est plus aussi sexy si je dois te l'expliquer. Nouvelle règle : apprendre les bases de l'art du sexto.

Je comprends enfin. Oh ! Ahah ! « Sexto ». Très intelligent, Will.

Même si j'apprécie que tu penses que je suis assez brillant pour avoir trouvé ça tout seul, le terme n'est pas de moi. Il existe dans la culture populaire depuis un moment, tu sais. Maintenant, la réponse correcte s'il te plaît.

Je marche dans ma chambre en réfléchissant. *OK, un défi. Je peux y arriver.* J'essaie de repenser aux allusions sexuelles dans les films et dans les romans, et bien sûr, rien ne vient. Je réfléchis à ce qu'Éric disait toujours... puis je frémis.

Je ne sais vraiment pas quoi dire.

En fait, je ne suis pas encore habillée. Je me dis que je ne devrais pas porter de slip avec ce jean, mais je déteste les strings.

Je fixe mon téléphone. Il me réplique : Pas mal. Mais ne dis pas slip. Pas sexy.

Ne te moque pas de moi. Je ne sais pas quoi raconter. Je me sens idiote, toute nue, à t'envoyer des textos.

J'attends.

Quelques minutes passent avant que mon téléphone ne vibre encore. Ok, tu as compris le principe. Maintenant, quelque chose de cochon.

Cochon ?

Oh mon Dieu ! Ai-je le temps de chercher sur Google ? Non. Je me creuse la tête et j'écris la première chose qui me passe par l'esprit : Parfois, quand nous courons et que tu respires régulièrement, je me demande quels bruits tu fais en baisant.

Est-ce trop cochon ? Il ne répond pas pendant ce qui me semble durer une éternité. *Oh mon Dieu !* Je repose mon téléphone, convaincue que Will ne va plus jamais me répondre. Il attendait sûrement quelque chose de plus amusant et de moins... *honnête.*

J'entre dans la salle de bains pour me brosser les cheveux et les relever en chignon. J'entends mon téléphone vibrer sur le bureau.

Premier message : Waouh

Deuxième message : Trop pour... répondre tout de suite. Il me faut une minute. Voire cinq minutes.

Je tape maladroitement : mondieudessoollee.

Je voudrais entrer dans un trou de souris et y mourir.

Je veux dire désolée, jenarrivepasacroirequejaiditca.

Tu te moques de moi. Un vrai cadeau de Noël. Je dois augmenter les exigences. Laisse-moi deux minutes pour m'étirer.

J'écarquille les yeux. J'attends.

Ta polaire mettait tes seins en valeur.

C'est tout ce que tu as à dire ?

Honnêtement, il m'a dit des choses tellement plus perverses. En parlant à mes *seins*.

Vraiment ? Tu me trouves soft ?

Zzzzzzzzzzz

Puis-je voir tes seins la prochaine fois ?

Eh bien. Je rougis légèrement, hors de question de l'admettre.

Bâillement. Je souris à mon téléphone comme une idiote.

Une nouvelle bulle de texte apparaît, il tape. J'attends. J'attends. Finalement : Pourrai-je les toucher ? Les lécher ?

Je remonte ma serviette sur ma poitrine et avale ma salive en réfrénant un frisson. Mon corps entier est brûlant.

J'écris : C'est un peu mieux.

Pourrai-je les mordre et les baiser ?

Mon téléphone m'échappe des mains, je me penche pour le récupérer. Je tape, les mains tremblantes : Beaucoup mieux. Je ferme les yeux, en repoussant l'image de Will sur ma poitrine, sa queue qui va et vient entre mes seins.

Je sens sa détermination en lisant son message :

Dis-moi quand tu voudras me voir seul. Tu es prête ?

Non. Absolument pas. Oui.

Tu portais ce T-shirt, l'autre fois. Rose. Tes seins étaient sublimes. Je ne voyais que ça. Ils pointaient à cause du vent. Je ne pouvais m'empêcher d'imaginer l'effet que ça me ferait de les toucher, de les lécher. Ce à quoi ressemblerait ma queue sur ta peau, le bonheur de jouir dans ton cou.

Bordeeeel. Will ?

Je peux t'appeler ?

Pourquoi ?

Parce que c'est dur de taper d'une main.

Il ne répond pas pendant une minute, j'imagine qu'il a fait tomber *son* téléphone cette fois. Un message apparaît sur l'écran :

Oui ! Tu te caresses ?

Je ris en tapant :

Tu m'as eue.

Et je pose mon téléphone à côté de moi en fermant les yeux.

Parce que oui, je me caresse.

* * *

À la fin de notre jogging, j'ai accepté de rejoindre Will à Sarabeth pour le petit déjeuner. Malgré la neige et le froid, ma peau est brûlante sur le chemin qui me sépare du croisement de la 9e Avenue et de la 57e Rue. Pourrai-je m'asseoir en face de lui sans qu'il voie que je viens de me masturber ? Notre relation prend un nouveau cours. Quand cela a-t-il commencé ? Était-ce ce matin, quand il s'est penché sur moi pour faire passer ma crampe ? Ou il y a deux semaines, quand nous avons parlé porno et sexe au bar ? Peut-être même avant ça, la première fois où nous avons couru ensemble et qu'il m'a mis un bonnet sur la tête avec le sourire qu'il aurait eu s'il venait de me baiser contre un mur.

Ça ne va pas du tout. Je me remémore : *Amis. Mission secrète. Apprends du maître ninja sans tomber dans ses filets, sans y laisser de plumes.*

Je baisse la tête en marchant sur la neige et en maudissant un temps pareil pour un mois de mars. Les flocons de neige se posent sur mes cheveux lâchés. Un jeune couple quitte le restaurant, je me glisse par la porte qu'ils viennent d'ouvrir.

J'entends « Zig », et je vois Will, tout sourire, installé à l'étage. Je lui fais un signe en me dirigeant vers les escaliers, tout en retirant mon bonnet et mon écharpe.

— Je suis content de te voir.

Ses bonnes manières m'énervent étrangement, elles et ses cheveux encore mouillés, son pull qui moule son torse musclé. Il porte un T-shirt blanc dessous. Ses manches relevées sur ses avant-bras dévoilent ses tatouages. Sublime *connard.*

— Bonjour.

— Un peu ronchon ? Tu es tendue ?

— Non, je lui réponds avec un regard noir.

Il rit en se rasseyant en face de moi.

— J'ai passé ta commande.

— Quoi ?

— Ton petit déjeuner. Pancakes au citron et à la myrtille, c'est ça ? Et un jus de fruits multivitaminé ?

— Ouais, je fais en le foudroyant des yeux.

J'attrape ma serviette pour la déplier sur mes genoux. Il capte mon regard, l'air inquiet :

— Tu voulais autre chose ? Je peux rappeler la serveuse.

— Non…

Je prends une grande inspiration, ouvre puis referme la bouche. C'est un détail – le petit déjeuner que je prends toujours, le jus que je préfère, les étirements parfaits qu'il m'a conseillés ce matin –, mais tout ça me semble soudain important. Il est si mignon et je ne peux m'empêcher de l'imaginer nu. Je me sens presque mal.

— Je n'arrive pas à croire que tu t'en souviennes si précisément.

— Ce n'est pas grand-chose. Un petit déjeuner, Ziggy. Je ne te donne pas un rein !

Je repousse mon envie de jouer à la garce pour répondre :

— C'est simplement très gentil. Tu me surprends parfois.

Il me scrute, étonné.

— Ah bon ?

Je soupire, découragée :

— Je m'attendais à ce que tu me traites comme une enfant.

Je sais qu'il n'apprécie pas ce que je viens de dire. Il se redresse sur sa chaise, soupire, je continue :

— Je sais que tu me laisses envahir ton emploi du temps. Je sais que tu annules tes arrangements avec les filles qui ne sont pas tes copines et que tu prends du temps pour moi et je… je voudrais juste te dire à quel point je t'en suis reconnaissante. Tu es un ami génial, Will.

Il fronce les sourcils et se concentre sur son verre d'eau.

— Merci. Tu sais… j'aide la… petite sœur de Jensen. C'est normal.

— Ouais, dis-je, irritée.

J'ai envie d'attraper son verre d'eau et de me le renverser sur la tête pour me calmer.

— *Ouais,* répète-t-il en me faisant un clin d'œil, et avec un sourire si joueur que je me sens bouillir intérieurement. Du moins, c'est ce qu'on racontera au reste du monde.

CHAPITRE 6

Cela fait une éternité que je n'avais pas été seul un samedi soir. Hanna a bouleversé mes habitudes.

Quelque chose a changé, ces derniers jours. Notre relation n'est plus aussi légère. Cela a commencé quand elle a eu une crampe en courant. Elle était particulièrement distraite ce matin-là, elle est tombée tout à coup. Pendant le petit déjeuner, elle était irritée, comme si elle combattait quelque chose en elle. Elle a dû réaliser que notre attirance était irrésistible, qu'on ne pouvait pas lutter.

Adieu l'amitié.

Mon téléphone vibre sur la table basse, la photo d'Hanna s'affiche sur l'écran, je me redresse d'un coup. Elle m'appelle, ce seul fait me met en joie. C'est plus grave que je ne le croyais.

— Salut, Ziggs !

— Tu m'accompagnes à une fête ce soir ? lance-t-elle, en oubliant de me dire bonjour.

Classique d'Hanna nerveuse. Elle se tait et ajoute plus doucement :

— À moins que… merde, nous sommes samedi. À moins que tu ne voies l'une des filles avec qui…

J'ignore sa seconde question pour me concentrer sur la première. J'imagine une fête dans la salle de conférence du département biologie de Columbia. Des bouteilles de deux litres de soda, des Curly et du guacamole acheté au supermarché.

— Quel genre de fête?

Elle met un moment à répondre:

— Une pendaison de crémaillère.

Je souris, suspicieux.

— Quel genre d'*appartement*?

Je l'entends céder au bout du fil:

— D'accord, oui. Une fête d'étudiants. Un mec de mon département et ses amis viennent d'emménager. Ça doit être un trou à rat. J'ai envie d'y aller, mais avec toi.

J'éclate de rire avant de demander:

— Une fête d'étudiants fauchés? Des tonneaux de bière et des Curly?

— Will, soupire-t-elle. Ne sois pas snob.

— Je ne suis pas snob. Je suis un mec de trente ans qui a fini ses études depuis un bout de temps et pour qui la fête, c'est quand Max paie une bouteille de whisky mille dollars.

— Viens avec moi, je te promets que tu t'amuseras comme un fou.

Je soupire en fixant la bouteille de bière à moitié vide sur ma table basse.

— Je serai le plus vieux là-bas?

— Sûrement. Tu seras aussi le plus sexy.

Je glousse. Je n'ai rien de spécial à faire ce soir. J'ai dit à Alexis que je ne pouvais pas la voir, sans raison particulière.

C'est un mensonge. J'en connais la raison exacte. J'ai l'impression étrange que je ne dois pas voir d'autres femmes depuis qu'Hanna s'est ouverte à moi. J'ai annulé le rendez-vous avec Alexis, elle a compris à demi-mot. Elle ne m'a pas demandé pourquoi, elle n'a pas cherché à reporter, comme Kitty. Je ne coucherai probablement plus jamais avec cette jolie blonde.

— Will?

Je soupire, me lève pour mettre mes chaussures.

— OK, j'arrive. Mets un décolleté pour me distraire si je m'ennuie.

Elle a un rire de petite fille terriblement séduisant.

— Marché conclu.

* * *

La fête ressemble à ce que j'avais imaginé. L'appartement est typique des étudiants fauchés, ce qui me rappelle vaguement quelque chose. Je ressens une bouffée de nostalgie en entrant dans le trois pièces bondé. Des futons gris parsemés de taches font office de canapés. La télévision est posée sur une planche que soutiennent deux cageots de bouteilles de lait. La table basse a l'air d'avoir vécu et s'apprête à en voir bien d'autres encore avec les nouveaux locataires. Dans la cuisine, une horde d'étudiants barbus et branchés sont rassemblés autour d'un tonnelet de Sam Adams, de bouteilles d'alcool bon marché et de cocktails tout faits.

Hanna semble avoir trouvé le paradis. Elle sautille à côté de moi, serre ma main dans la sienne.

— Je suis tellement heureuse que tu sois venu !

— Tu es déjà allée à une fête avant ça ? Sérieusement ?

— Une seule fois, avoue-t-elle. À la fac. J'avais bu quatre shots de Bacardi et vomi sur les chaussures d'un type. Je ne sais pas comment je suis rentrée chez moi.

L'idée me rend malade. Il y avait toujours ce genre de fille – naïve, qui se force à faire la *folle* – à mes soirées d'étudiants. Je déteste l'idée qu'Hanna ait été *cette fille*. Pour moi, elle a toujours valu mieux que ça.

Elle parle toujours, je me penche vers elle pour comprendre ce qu'elle dit :

— … nos nuits les plus folles, on les passait à jouer aux cartes Magic dans notre dortoir et à boire de l'ouzo. Plutôt, tout le monde buvait de l'ouzo sauf moi. Rien que l'odeur me donnait envie de vomir. Je partageais ma chambre avec une Grecque.

Hanna me présente à un groupe, presque tous des garçons : Dylan, Hau, Aaron et Anil, je crois. L'un d'eux tend à Hanna un cocktail à la prune et au Schweppes.

Hanna ne boit pas beaucoup d'alcool, mon instinct protecteur prend le dessus. Je lui demande, assez fort pour que les gens autour de nous m'entendent :

— Tu ne préférerais pas un soft ?

Ces imbéciles veulent l'enivrer.

Tout le monde la regarde, mais elle boit une gorgée de son verre avec un roucoulement bizarre.

— C'est *bon* ! Bordel de merde !

Apparemment, elle apprécie son cocktail.

— Tant que je n'en bois qu'un… murmure-t-elle à mon intention en se rapprochant de moi. Sinon, je ne serai plus responsable de rien.

Eh bien, putain. En une phrase, elle réduit à néant mon intention de jouer au grand frère pour la soirée.

Hanna boit son cocktail plus vite que je m'y attendais. Ses joues rosissent, son sourire s'accentue. Elle me regarde dans les yeux, je la sens très heureuse, très enjouée. *Mon Dieu, qu'elle est belle.* Je rêve d'être seul avec elle, chez moi, devant un film. Il ne tient qu'à moi de réaliser ce fantasme. L'appartement est plein à craquer. La cuisine grouille de jeunes gens. Une étudiante se joint à notre petit cercle en pleine discussion sur les professeurs les plus fous du département, elle se place à ma droite. Je me présente. À ma gauche, Hanna me surveille. Je me vois à travers ses yeux. Elle a raison de dire que je suis différent avec les femmes. La fille est jolie, mais je ne parviens pas à la trouver séduisante ; surtout pas avec Hanna si proche de moi. Pense-t-elle vraiment que je couche avec toutes les filles que je rencontre ?

Je croise ses yeux pleins de reproches.

Elle glousse en articulant :

— Je te connais.

— Non, vraiment pas, je murmure, puis j'ose aller au bout de ma pensée : Tu as encore tant de choses à apprendre.

Elle me fixe longuement, la respiration courte. Sa poitrine se soulève rapidement. Elle baisse la tête, touche mon avant-bras, passe les doigts sur le tatouage du phonographe que j'ai fait à la mort de mon grand-père.

Nous nous éloignons du groupe avec un petit sourire. *Bordel, cette fille me perturbe.*

— Raconte-moi l'histoire de ce tatouage.

— Je me le suis fait faire il y a un an, quand mon grand-père est mort. C'est lui qui m'a appris à jouer de la basse. Il écoutait tout le temps de la musique.

— Parle-moi d'un tatouage que je n'ai encore jamais vu, dit-elle, les yeux fixés sur mes lèvres.

Je réfléchis un instant.

— Le mot *Non* est tatoué sur ma dernière côte, à gauche.

Elle rit, se rapproche de moi. Je sens son haleine sucrée à cause du cocktail.

— Pourquoi ?

— J'en ai eu l'idée, un jour que j'étais ivre, à l'université. Je vivais un délire anti-religion, je n'aimais pas l'idée que Dieu ait formé Ève à partir de la côte d'Adam.

Hanna éclate de rire, la tête renversée en arrière. J'adore l'entendre rire comme ça. Tout son corps tremble, elle est magnifique. Je chuchote : « Tu es sublime » en passant le pouce sur sa joue, sans réfléchir à ce que je viens de dire.

Elle me sourit, l'air diabolique. Elle m'attire hors de la cuisine, les yeux fixés sur ma bouche.

— Où va-t-on ?

Elle me fait avancer dans un petit couloir cerné de portes fermées.

— Chut… Je vais perdre tout courage si je te le dis avant d'y être. Viens avec moi.

Bien sûr, je l'aurais suivie dans ce couloir même s'il y avait eu un incendie. Je suis bien venu à cette fête d'étudiants, après tout.

Hanna s'arrête devant une porte au hasard, frappe, attend. Elle y colle son oreille en me souriant. Comme elle n'entend rien, elle tourne la poignée en laissant échapper une exclamation nerveuse qui me fait fondre.

La chambre est plongée dans l'obscurité, vide pour notre plus grand bonheur. Elle a l'air relativement propre. Le lit est fait, il y a une armoire et des cartons contre un mur.

— Qui dort dans cette chambre ?

— Denny, il me semble. Mais je ne suis pas sûre.

Elle verrouille la porte et m'observe en souriant.

— Will…

— Hanna.

Elle ouvre la bouche, ses yeux brillent.

— Tu ne m'as pas appelée Ziggy.

— Je sais.

— Encore, s'il te plaît.

Sa voix est rauque, j'ai l'impression qu'elle me demande de la *caresser*, de l'*embrasser.* Être appelée Hanna lui fait peut-être l'effet d'un baiser. C'est ce que je ressens. Une part de moi – largement majoritaire – décide de se laisser aller. Je me fous d'avoir embrassé sa sœur il y a douze ans ou que son frère soit l'un de mes amis les plus proches. Je me fous qu'Hanna ait sept ans de moins que moi et soit encore très innocente. Je me fous de savoir si mon passé la dérange. Nous sommes seuls, dans une chambre obscure. Le désir de la toucher hérisse ma peau.

« Hanna… » Ces deux syllabes font battre mon cœur plus fort.

Elle sourit, l'air mystérieux, puis contemple ma bouche. Elle se lèche la lèvre inférieure.

— Que se passe-t-il, Mystique? Que fait-on dans une chambre noire, à échanger des regards brûlants?

Elle lève les mains en l'air et bredouille:

— Cette chambre se trouve à Vegas. OK? Ce qui arrive ici reste ici. Ou, plutôt, *disons* qu'ici tout reste ici.

Je ris.

— D'accord...

— Si c'est bizarre, si je franchis la barrière de l'amitié que je n'ai pas encore franchie par magie, dis-le-moi. Nous partirons et tout redeviendra comme avant.

J'acquiesce en chuchotant: «D'accord.» Elle prend une grande inspiration. Elle est nerveuse et un peu ivre. Je frémis en pensant à ce qui est sur le point d'arriver.

— Tu me mets les nerfs à vif, dit-elle calmement.

— Moi?

Elle hausse les épaules:

— Je voudrais... que tu m'apprennes des choses. Pas seulement comment draguer les garçons mais comment... *être* avec un garçon. J'y pense tout le temps. Je sais que ça ne te dérange pas de le faire sans être dans une relation et...

Elle se tait, me cherche des yeux.

— Nous sommes amis, n'est-ce pas?

Je sais où elle veut en venir.

— Je ferai tout ce que tu veux.

— Tu ne sais pas ce que je te demande.

Je ris:

— Explique-moi.

Elle s'approche, pose la main sur ma poitrine. Je ferme les yeux en sentant sa paume chaude descendre sur mon ventre. Sent-elle à quel point mon cœur bat fort? *Je* sens mon cœur dans tout mon corps, ma peau vibre.

— J'ai vu un autre film. Un porno.

J'écarquille les yeux, surpris. Finalement, je ne sais peut-être pas où elle veut en venir.

— Ces films sont assez mauvais, continue-t-elle, comme si elle s'inquiétait de choquer ma sensibilité masculine en disant cela.

— C'est vrai.

— Les filles en font des tonnes. Les mecs aussi, la plupart du temps.

— La plupart du temps ?

— Pas à la fin, dit-elle, plus bas. Quand le mec jouit. Dans le film, il est sorti du vagin de la fille et a éjaculé *sur* elle.

Ses doigts passent sous ma chemise, jouent avec la ligne de poils qui part de mon nombril et descend jusqu'à mon pubis. Elle soupire, sa main explore mes pectoraux.

Bordel. Je suis tellement perturbé que j'ai du mal à m'empêcher de l'attraper par les hanches. Je veux pourtant la laisser parler. Elle m'a amené ici, c'est elle qui a commencé. Je veux qu'elle aille au bout de ses actes. Ensuite, je ne me retiendrai plus.

— C'est souvent le cas dans les pornos. Les acteurs jouissent, il faut que ça se voie.

Elle lève les yeux vers moi :

— J'ai aimé ça.

Je sens ma queue durcir dans mon pantalon.

— Ah ouais ?

— Je me rends compte que je ne sais encore rien de ma sexualité. Je n'ai jamais vraiment exploré ces choses-là… j'étais sûrement avec les mauvais garçons. Mais depuis que je te vois, je pense au sexe sans arrêt.

— C'est bien.

Je grimace dans la pièce sombre, en espérant n'avoir pas répondu trop vite ni avoir eu l'air trop désespéré. Je rêve qu'elle me demande de la porter jusqu'au lit et de la baiser si fort que tous les invités sauront où nous sommes partis et pourquoi.

— Je ne sais pas ce qui plaît aux garçons. Tu penses que c'est facile, mais non. Pour moi, ce n'est pas naturel.

Elle me prend la main, les yeux plantés dans les miens. Elle la pose sur sa poitrine. C'est exactement la sensation que j'ai imaginée à peu près mille fois, putain. Gros et souples, des courbes séduisante sur une peau de lait. Je me retiens de la soulever pour la plaquer contre le mur.

— Je veux que tu me montres.

— Que je *te montre*?

Elle ferme les yeux, avale sa salive:

— J'ai envie de te caresser et de te faire jouir.

Je prends une grande inspiration en jetant un coup d'œil au lit, au milieu de la chambre.

— Ici?

Elle secoue la tête.

— Pas ici. Pas dans un lit. Je...

Elle hésite, avant de demander:

— Tu es d'accord?

— Hum, oui, bien sûr. Même si je devrais te dire non. J'en suis incapable.

Elle se mord les lèvres pour ne pas sourire, pose ma main sur sa hanche.

— Tu veux me branler? C'est ce que tu me demandes?

Je me penche pour la regarder dans les yeux. Être aussi direct me donne l'impression d'être un salaud, cette conversation est *surréaliste.* Mais je dois éclaircir ce qui se passe ici avant de laisser de côté mon self-control et d'aller trop loin.

— Je voudrais être sûr de bien comprendre.

Elle avale sa salive une nouvelle fois, l'air timide, et acquiesce:

— Ouais.

Je m'approche, l'odeur de son shampoing me frappe, je me rends compte de mon état d'excitation. Je n'ai jamais été nerveux avant le sexe, et à cet instant, je suis terrifié. Je me fous de savoir si elle fera ça bien – ce pourrait tout aussi bien être bizarre, maladroit, trop rapide ou trop lent, trop doux ou trop fort –, je sais que je m'abandonnerai entre ses mains. Je veux qu'elle reste aussi ouverte avec moi. Je veux que le sexe soit *amusant* pour elle.

— Je suis d'accord, lui dis-je balançant entre mon désir d'être doux et ma tendance à être exigeant.

Elle attrape ma ceinture, la défait. Je caresse ses hanches, en remontant vers sa taille pour ouvrir son chemisier. Elle a un sourire étourdi, penche la tête pour me le cacher, sans succès. Je ne sais pas de quoi j'ai l'air. Mes yeux doivent être écarquillés, ma bouche ouverte. Mes doigts tremblent sur ses boutons. J'ouvre son chemisier, elle hésite à descendre ma fermeture Éclair, se dégage pour laisser tomber son chemisier.

Elle est là, devant moi, seulement vêtue d'un soutien-gorge en coton blanc. Je la contemple avant de le détacher et de le faire glisser sur ses bras. Je reste bouche bée devant sa poitrine nue.

— Pour ton information, tu n'es pas obligé de me faire quelque chose.

— Pour *ton* information, je ne peux pas garder mes mains pour moi.

— Je veux être concentrée.

Je maugrée, elle me rend fou.

— Une si bonne élève, dis-je en l'embrassant dans le cou. Mais il est hors de question que je reste debout comme ça, sans regarder ou toucher ces beautés. Tu as dû remarquer que ta poitrine m'obsédait.

Sa peau est douce, elle sent bon. J'ouvre la bouche, je la mordille légèrement pour évaluer sa réaction. Elle gémit et m'attire contre elle – la meilleure réaction, *putain.* Des images de ses ongles enfoncés dans mon dos me viennent, j'embrasse ses seins avec fougue.

— Caresse-moi, Hanna.

Je remonte un sein dans ma main, je le serre. *Mon Dieu, elle est tellement appétissante.* Ses mains reviennent sur ma fermeture Éclair et restent là, immobiles.

— Tu me montres comment on fait ?

C'est probablement la chose la plus sexy qu'une femme puisse dire. Peut-être est-ce le ton de sa voix, un peu rauque, très excitée. Ou tant de perfection, sa timidité, le fait qu'elle n'ose pas prendre les devants, qu'elle me demande de l'aide. Ou simplement la sensation d'être fou d'elle. Montrer à Hanna comment me donner du plaisir revient à dire à l'univers : *elle m'appartient.*

Je l'aide à ouvrir mon jean, à baisser mon boxer sur mes hanches, pour libérer ma queue.

Je la laisse m'observer en caressant ses cheveux et en l'embrassant dans le cou :

— Tu as bon goût, putain.

Je bande tellement que je sens les battements de mon cœur dans ma queue.

— Bordel, Hanna, prends-la dans ta main.

— *Montre-moi*, Will, me supplie-t-elle en passant les mains sur mon ventre et en effleurant seulement mon gland.

Je prends sa main, la pose sur ma queue et la fais bouger en gémissant longuement : « *Putaaaaaaain.* »

Elle gémit doucement d'excitation, je suis sur le point de jouir. Je ferme les yeux, l'embrasse dans le cou, je la guide. C'est langoureux. On ne m'a pas branlé depuis des lustres, en général je préfère une pipe ou baiser direct, mais ici et maintenant, c'est sexy et parfait.

Tellement *parfait*.

Ses lèvres sont si proches des miennes… Je sens sa respiration sucrée, j'ai presque le goût de son cocktail en bouche.

— Est-ce bizarre que je te branle alors que nous ne nous sommes pas encore embrassés ? murmure-t-elle.

Je secoue la tête en regardant ses doigts enroulés autour de moi. J'avale ma salive, j'ai du mal à réfléchir.

— Il n'y a pas de bien et de mal dans le sexe. Aucune règle.

Elle s'arrache à la contemplation de ma bouche.

— Tu n'es pas obligé de m'embrasser.

Je halète :

— Putain, Hanna, oui. Et si.

Elle humecte ses lèvres.

— OK.

Je ne sais pas si je pense ce que je viens de dire. Il est bizarre, de manière générale, qu'une fille me branle dans une chambre sans m'avoir embrassé. Mais au-delà de cela, il est bizarre d'être avec *Hanna,* comme ça, dans un moment tellement intime et franc, sans s'embrasser. Je rêve de l'embrasser depuis des semaines.

Je l'attire contre moi, au plus près de moi, elle continue à me toucher la queue, je la dévisage. Ses lèvres sont très proches des miennes, elle gémit légèrement quand je halète chaque fois qu'elle passe sur mon gland. C'est beaucoup trop bon pour être une simple branlette. Et bien trop intime pour des gens qui sont *seulement amis.*

Je contemple ses yeux, sa bouche, avant de franchir les derniers centimètres qui me séparent de ses lèvres.

Elle est tellement douce et chaude, notre premier baiser est irréel : mes lèvres qui effleurent les siennes, qui lui demandent : *Laisse-moi faire. Laisse-moi être doux et attentionné avec toi.* Je l'embrasse plusieurs fois, sur la bouche, des baisers sages, pour lui prouver que je serai aussi patient que possible.

J'ouvre la bouche pour lécher sa lèvre inférieure, son gémissement m'électrise. *Mon Dieu*, je veux la soulever, baiser sa bouche avec ma langue et la prendre contre le mur, pendant que ses amis s'amusent dans la pièce à côté, mes yeux dans les siens, pour l'observer à chaque instant.

Elle s'éloigne pour me dévisager: ma bouche, mes yeux, mon front. Elle m'étudie, je ne sais pas si son apprentissage la fascine ou s'il s'agit seulement de ce moment, de moi. Mais rien ne pourrait me faire sortir de ma transe. Ni des feux d'artifice ni un incendie. Mon désir d'être en elle – de la posséder totalement – me saisit, se fait presque douloureux.

— Tu me le dirais si c'était nul, n'est-ce pas? demande-t-elle calmement.

Je ris en respirant bruyamment.

— Oh! ce n'est pas nul du tout. C'est génial et c'est seulement ta main.

— Et… les autres… elles ne le font pas? ajoute-t-elle, incertaine.

J'avale ma salive, pourquoi mentionne-t-elle les autres femmes à cet instant? Jusque-là, j'ai toujours aimé m'en souvenir, un rappel de toutes les soirées où j'ai pris du plaisir. Mais avec Hanna, je voudrais qu'elles disparaissent.

— Chut…

— Tu ne fais que baiser, en général?

— J'aime ce que *nous* faisons. Je n'ai envie de rien d'autre. Peux-tu te concentrer sur ma queue?

Elle rit, je m'arque dans sa main.

— D'accord, murmure-t-elle. Je dois commencer par les bases.

— J'aime que tu apprennes comment me caresser.

— J'aime te caresser, chuchote-t-elle contre ma bouche.

Nous accélérons tous les deux, je lui montre comment serrer ma queue, en lui expliquant qu'elle ne doit pas hésiter, que je voudrais qu'elle me branle plus vite et plus fort.

— Serre-la. J'aime quand on serre.

— Ça ne fait pas mal?

— Non, ça fait du bien, *putain.*

— Laisse-moi essayer, souffle-t-elle en écartant doucement ma main.

Je prends ses seins à pleines paumes, je me penche pour les sucer, en soufflant sur leurs pointes. Elle gémit, ralentit avant de resserrer la pression sur ma queue et d'accélérer.

— Puis-je continuer comme ça jusqu'à ce que tu jouisses ?

Je souris. Elle me fait vibrer, je lutte pour ne pas me laisser aller chaque fois qu'elle passe la main sur mon gland.

— J'y comptais.

Je mordille son cou, en fermant les yeux. Me laissera-t-elle y déposer des marques ? Que je pourrai voir demain ? Que tout le monde pourra voir ? Tout tourne autour de moi. Sentir sa main sur moi est très agréable, mais ne serait-ce que sa seule présence me rend fou. L'odeur et le goût de sa peau douce et ferme, ses gémissements de plaisir quand elle me touche. Elle est sensuelle, réactive, curieuse. Je n'ai jamais été aussi excité de ma vie.

Mon ventre se tend de plus en plus, je baise sa main.

— Hanna... Bordel... Un peu plus vite, d'accord ?

Parler dans son cou, la respiration courte, est tellement intime.

Elle faiblit avant de reprendre la caresse, plus vite, plus fort, je suis sur le point de jouir – si vite –, mais je m'en fous. Ses longs doigts fins sont serrés autour de ma queue, elle me laisse lécher sa lèvre inférieure, embrasser sa joue, mordiller son cou. Je sais qu'elle est délicieuse, *absolument partout.*

J'ai envie de lui montrer le plaisir qu'on a à baiser.

Cette pensée en tête, m'effondrer sur elle, en elle, la faire jouir... je la supplie de me mordre, le cou, l'épaule, *n'importe où.* Qu'elle me trouve autoritaire ou pas, je sais qu'elle ne refusera rien.

Elle se penche sans hésitation, me mord dans le cou. Mes pensées se troublent, une excitation folle prend possession de moi, chaque synapse de mon corps se déconnecte. Sa main glisse sur moi très vite, l'orgasme monte, je jouis avec un long gémissement. Mon corps est brûlant, mon sperme coule dans sa main et sur son ventre nu.

Au moment parfait, elle arrête de bouger mais ne me lâche pas. Je sens son regard sur sa main, elle fait encore un va-et-vient, pour voir. Je tressaille.

— Stop, je gémis.

— Désolée.

Elle passe le pouce sur mon sperme au creux de sa main, l'observe, fascinée. Elle respire si fort que sa poitrine bouge en rythme.

— Bordel de merde.

— C'était…

Le silence est lourd, entre sa question inachevée et ma respiration saccadée. Je me sens étourdi, je rêve de l'entraîner avec moi par terre.

— C'était tellement bon, Hanna.

— Tu as gémi comme un fou en jouissant.

Je reste coi. Je commence à débander lentement dans sa main. Tout ce que je veux, c'est savoir si m'avoir fait jouir l'a excitée.

Je lui demande en l'embrassant dans le cou :

— Est-ce mon tour maintenant ?

Elle soupire, tremblante :

— Oui, s'il te plaît.

— Tu veux mes mains ? Autre chose ?

Elle rit, nerveuse.

— Je ne pense pas être prête pour plus… mais je ne pense pas que tu y arrives avec les mains.

Je la fixe, incrédule, en déboutonnant son jean. Je la défie de m'arrêter.

Elle n'en fait rien.

— Ce que je veux dire, c'est que je ne pense pas pouvoir jouir avec un doigt en moi, tu vois… précise-t-elle.

— Bien sûr que tu ne jouiras pas seulement avec un doigt. N'oublie pas l'existence de ton *clitoris.*

Je glisse la main sous sa culotte de coton et frémis en sentant sa peau douce et nue.

— Oh, Hanna, je ne pensais pas que tu étais du genre à t'épiler totalement.

Elle glousse, mal à l'aise.

— Chloé en parlait. J'étais curieuse…

Je la pénètre d'un doigt, mon Dieu, elle est trempée.

— Bordel…

— J'aime ça, avoue-t-elle en m'embrassant dans le cou. J'aime la sensation.

— Tu te fous de moi ? Tu es si douce. J'ai envie de te lécher…

— *Will…*

— Ma bouche serait déjà sur toi si on n'était pas dans la chambre d'un inconnu.

Elle frissonne sous mes doigts, gémit légèrement.

— Tu n'imagines pas combien j'en ai rêvé.

Putain. Je me sens bander à nouveau.

— Tu fondrais comme du sucre sous ma langue, tu ne crois pas ?

Elle rit, s'appuie sur mes épaules.

— Je fonds déjà.

— C'est vrai. Tu vas fondre sur ma main, putain, et je la lécherai ensuite. Tu fais du bruit, petite Prune ? Tu cries fort quand tu jouis ?

Elle a l'air choquée, elle murmure après un silence :

— Quand je suis seule, je ne fais pas de bruit.

Putain. C'est tout ce que je désire entendre. Je pourrais fantasmer sur Hanna pendant des siècles. Hanna, les jambes écartées sur son canapé ou allongée sur son lit. Hanna qui se caresse.

— Toute seule, que fais-tu ? Juste le clitoris ?

— Ouais.
— Avec un gode ou… ?
— Parfois.
— Je parie que je peux te faire jouir comme ça, dis-je en la pénétrant très lentement de deux doigts.
Elle se blottit contre moi. Je frotte mon nez au sien.
— Dis-moi. Tu aimes les doigts qui te baisent ?
— Will… tu es si *cochon*…
Je ris en mordillant sa joue.
— Je suis sûr que tu aimes les choses cochonnes.
— J'aimerais que ta bouche cochonne soit entre mes jambes.
Je soupire en la pénétrant plus fort.
— Tu y as déjà pensé ? me demande-t-elle. À m'embrasser ici ?
— Oui. J'y ai pensé, je me suis demandé si je ne m'y noierais pas.
Tellement trempée. Elle frémit sur ma main, gémit désespérément, j'ai envie de la dévorer. Je retire mes doigts, ignorant son petit grognement excédé. Je les passe sur ses lèvres avant de l'embrasser profondément.
Bordeeeel.
Elle a un goût enivrant de femme, sucré et capiteux, sa langue est toujours parfumée à la prune, après son cocktail. Cette saveur de fruit mûr dans ma bouche me rend fou, je me sens comme un roi quand elle me supplie de continuer, et gémit, surprise, qu'elle est sur le point de jouir.
Je fais tomber son pantalon et sa culotte sur ses jambes, elle les retire. Elle est complètement nue, mes bras tremblent, je désire tellement glisser dans sa chaleur chaude et douce.
Elle attrape mon bras, replace ma main entre ses jambes.
— Petite gourmande.
Ses yeux s'écarquillent, elle a l'air mal à l'aise :
— Je…
— Chut…

Je la fais taire d'un baiser, je lèche ses lèvres et sa langue. Je murmure :

— J'aime ça. Je veux te faire exploser.

— Je n'y manquerai pas.

Mes doigts effleurent son clitoris, elle tremble sur ma main.

— Je n'ai jamais ressenti ça.

— Tu es tellement trempée…

Sa bouche s'ouvre, elle halète, je la pénètre à nouveau. Elle fixe mes lèvres, mes yeux, attentive à mes réactions. J'aime sa curiosité, son regard insistant.

— Accorde-moi une faveur…

Elle acquiesce.

— Quand tu seras sur le point de jouir, dis-le-moi. Je le saurai, mais j'ai envie de l'entendre.

— D'accord. D'accord, mais… s'il te plaît…

— S'il te plaît quoi, Prune ?

— S'il te plaît, n'arrête pas.

Je la pénètre plus profondément, plus vite, mon pouce appuie sur son clitoris, dessine de petits cercles. *Oui. Bordel, elle est tellement proche de l'orgasme.*

Je bande à nouveau, je me frotte contre ses hanches nues alors que j'ai joui sur elle il y a seulement quelques minutes. Je sens que je pourrais jouir encore.

— Attrape ma queue, veux-tu ? Tiens-la. Tu es trempée et tes gémissements… Putain, je…

Elle y est, elle me tient si étroitement que je peux baiser son poing, je la sens si douce autour de mes doigts… Sa langue, sa bouche ont le goût de la prune.

Elle commence à trembler, son corps se déchaîne totalement. Elle halète encore et encore, crie *oh mon Dieu*. Je pense la même chose.

— Dis-le.

— Je vais…

Elle a un hoquet, resserre sa main sur ma queue.

— Dis-le, putain !

— Will. Mon Dieu…

Ses cuisses s'agitent, j'entoure sa taille de mon bras pour l'empêcher de tomber.

— Je vais jouir.

Après un dernier mouvement brusque des hanches, elle jouit, tremblante et trempée. Sa chatte se resserre sur mes doigts, elle crie en enfonçant ses ongles dans mes épaules. C'est exactement ce dont j'avais besoin, *comment l'a-t-elle su ?* Avec un long grognement, je sens mon deuxième orgasme surgir, chaud et liquide, dans sa main.

Putain. Mes jambes me soutiennent à peine. Je la plaque contre le mur.

On a fait du bruit. Trop de bruit ? On est dans une chambre loin du salon et de la cuisine où la fête se déroule, mais je n'ai aucune idée de ce qui se passe dans le reste du monde. Le mien se résume aux bras d'Hanna.

Sa respiration est chaude dans mon cou, je retire mes doigts avec précaution, les passe sur son sexe sensible.

— C'était bon ?

— Ouais, murmure-t-elle, en m'enlaçant et en enfonçant son visage dans mon cou. *Mon Dieu.* Tellement bon.

Je laisse ma main là où elle est, tout en reprenant mes esprits. Je caresse distraitement son clitoris, puis l'entrée de son vagin, son mont de Vénus. Je crois que c'est la meilleure première fois que j'ai eue avec une fille.

Et seulement avec les mains.

— On devrait y retourner, dit-elle, la voix étouffée contre ma peau.

Je m'éloigne à regret. Elle allume la lumière, je grimace. Je remets mon pantalon en détaillant son corps nu dans la pièce éclairée. *Eh bien putain.* Elle est ferme et tonique, avec des seins somptueux et des hanches aux courbes généreuses. Sa peau a rougi sous l'orgasme, ses joues sont roses, son ventre brillant de foutre.

— Toi d'abord, fait-elle en attrapant un paquet de mouchoirs dans un tiroir.

Elle se nettoie, jette le mouchoir dans une poubelle.

Je remets ma ceinture et m'assieds sur le bord du lit. Elle se rhabille devant moi. Elle est incroyablement attirante, elle n'a pas idée…

La chambre sent le sexe, elle sait que je la regarde, mais elle ne se hâte pas. Elle apprécie que je la détaille, chaque angle, chaque courbe, pendant qu'elle remet sa culotte, enfile son pantalon, attache son soutien-gorge et reboutonne lentement son chemisier.

Elle me contemple, se lèche les lèvres. Mon cœur bat plus fort. Elle doit avoir son goût dans la bouche, à cause de mes doigts. Me rappellerai-je cette saveur jusqu'à la fin des temps?

— Et maintenant?

— Maintenant…

Elle prend mon bras, redessine la double hélice qui va de mon coude à mon poignet.

— On y retourne et on boit un autre verre.

Mon sang se glace au son de sa voix redevenue totalement normale. Plus de halètement, plus d'excitation – plus d'hésitation ni d'espoir. Elle est redevenue elle-même, la Hanna que tout le monde voit. Elle n'est plus mienne.

— Ça me va.

Elle me dévisage un long moment, les yeux et les joues, le menton, les lèvres.

— Merci de ne pas être bizarre.

— Quoi?

Je l'embrasse sur la joue.

— Pourquoi serais-je bizarre?

— On vient juste de se caresser… chuchote-t-elle.

J'éclate de rire en fixant le col de son chemisier.

— J'avais remarqué.

— Je pense que l'amitié améliorée, c'est top pour moi. Tellement facile et détendant. On va sortir d'ici…

Elle me sourit largement et ajoute avec un petit clin d'œil :

— Et nous serons les seuls qui saurons que tu viens de me jouir sur le ventre et moi dans ta main.

Elle tourne le verrou, ouvre la porte. Le bruit de la fête nous parvient. Personne n'a pu nous entendre. Nous pouvons faire comme si rien n'était arrivé.

J'ai déjà fait ça des dizaines de fois. Coucher avec une fille et retourner dans une soirée. Entrer dans une pièce et m'amuser d'une autre façon. Même si les invités sont relativement sympathiques, je n'arrive pas à me détacher d'Hanna. Dans le salon, elle discute avec le grand Asiatique, Dylan il me semble. Dans le couloir, elle me fait signe avant d'aller aux toilettes. Elle boit un verre d'eau dans la cuisine. Me jette un coup d'œil.

Dylan parle encore avec Hanna, il la boit des yeux. Il a un grand sourire, ses vêtements suggèrent qu'il appartient au haut du panier étudiant. Il semble vraiment l'apprécier. Je la vois lui sourire en retour, puis avoir l'air embarrassé. Elle lui fait un câlin et le regarde se diriger vers la cuisine. Je ne sais pas ce qui s'est passé. Je suis heureux qu'elle s'amuse bien. Mais j'imagine autre chose pour elle… après deux heures de fête post-branlette, je rêve de la ramener chez moi et de la baiser pour de bon.

Je prends mon téléphone dans ma poche pour lui écrire un message. Partons d'ici. Viens dormir chez moi.

Au moment d'appuyer sur « envoyer », je remarque qu'elle a commencé à taper un iMessage. J'attends un instant.

Elle a écrit : Dylan vient de me demander de sortir avec lui.

Je fixe mon téléphone, elle me regarde, inquiète.

J'efface mon message pour taper : Et tu lui as dit quoi ?

Son téléphone vibre dans sa main. Je lui ai dit qu'on en parlerait lundi.

Elle cherche des conseils, peut-être même ma permission. Il y a quelque temps, je couchais encore avec deux à trois femmes différentes chaque semaine. Je ne savais pas où j'en étais avec Hanna ; je n'arrivais pas à le savoir. Encore moins maintenant.

Mon téléphone vibre encore. Est-ce bizarre après ce que nous venons de faire ?? Je ne sais pas quoi décider, Will.

Voilà ce dont elle a besoin. Des amis, des sorties, une vie hors de l'université. Tu ne peux pas la monopoliser.

Pour une fois, j'ai envie de choses compliquées alors qu'elle va au plus simple.

Pas du tout, lui dis-je. Tu t'amuses, c'est tout.

Chapitre 7

Jusqu'ici, je n'avais jamais su reconnaître les bruits d'une chatte en chaleur. Les miaous, les gémissements, les plaintes ont commencé il y a une heure et ne font que s'aggraver. L'animal frustré hurle – je l'entends comme si elle était à côté de moi.

Le pire, c'est que je sais exactement ce qu'elle ressent.

Je roule sur le ventre avec un grognement, en attrapant un oreiller pour étouffer le son. Ou pour m'étouffer tout court, je n'ai pas encore décidé. Je suis rentrée de mon dîner avec Dylan depuis trois heures, je n'arrive pas à fermer l'œil.

Je suis une véritable catastrophe, je me tourne et me retourne dans mes draps depuis que je me suis couchée. Je fixe le plafond comme si la solution à mes problèmes se trouvait dans le plâtre. Pourquoi tout est-il aussi compliqué? N'est-ce pas ce que j'ai toujours voulu? Sortir? Une vie sociale? Un orgasme *avec quelqu'un?*

Quel est le problème, alors?

Dylan m'a clairement draguée, *voilà* le problème. Nous sommes allés dans l'un de mes restaurants préférés, j'étais totalement ailleurs, je pensais à Will alors que j'aurais dû sourire à Dylan qui est venu me chercher, m'a tenu la porte du restaurant, qui a été en adoration devant moi pendant tout le dîner. Je n'arrivais pas à chasser Will de mon esprit – son sourire complice, l'expression de son visage quand j'ai pris sa queue dans ma main, ses joues rouges, ses cris en jouissant, sa manière de me regarder.

Je me remets sur le dos en rejetant les couvertures. Désespoir. Nous sommes en mars, il a plu toute la journée et je *transpire.* Il est deux heures du matin, je suis totalement réveillée, et très frustrée. Vraiment, *vraiment* frustrée.

Will a été si gentil pendant la soirée, il m'a couverte d'attentions... Je savais que le sexe serait naturel et facile avec lui. Il m'a encouragée, il a dit tout ce que j'avais besoin d'entendre, il ne m'a poussée à aucun moment à donner ce que je n'étais pas prête à offrir. Et putain, il est si sexy... Ses mains. Sa bouche. Sa manière de m'embrasser, de me lécher comme si sa vie en dépendait. J'avais envie de coucher avec lui, plus que tout au monde. C'était la suite logique : nous étions ensemble, il faisait sombre, il était excité, et moi prête à exploser. Il y avait un lit... mais non. *Je* ne me sentais pas prête.

Il n'a rien tenté. Je pensais que notre relation en pâtirait, mais pas du tout. Je lui ai parlé de Dylan, il m'a encouragée. Nous sommes rentrés en taxi, il m'a dit que sortir et m'amuser me ferait du bien. Il m'a répété qu'il serait toujours là pour moi, qu'il avait eu beaucoup de plaisir avec moi. Il m'a conseillé de faire mes propres expériences, d'être heureuse. *Mon Dieu,* je ne l'en désirais que davantage.

Je n'arriverai jamais à trouver le sommeil, je le sais. Je me lève et me dirige vers la cuisine. J'ouvre le frigo, en fermant les yeux : l'air frais apaise ma peau brûlante. Mon entrejambe est trempé. Même si cela fait huit jours que Will m'a caressée, je le *sens* encore. Je me souviens de chaque mouvement de ses doigts en moi.

J'entre dans le salon, je jette un coup d'œil par la fenêtre. Le ciel sombre est d'un gris acier, les toits brillent sous le gel. Je compte les lampadaires en calculant combien séparent son appartement du mien. Est-il debout, lui aussi ? Me désire-t-il comme je le désire ?

Je prends mon pouls et ferme les yeux en frémissant. Je m'exhorte à aller au lit. C'est peut-être l'occasion parfaite de goûter au brandy que mon père range dans le salon. Appeler Will est une mauvaise idée, rien de bon n'en sortirait. Je suis intelligente et logique. Je pense à tout.

Je suis tellement fatiguée de penser.

J'ignore l'avertissement que me lance mon cerveau, je m'habille rapidement et sors dans la rue. La neige a été piétinée pendant la journée, elle forme une couche épaisse et marron sur le trottoir. Mes bottes crissent à chaque pas.

Je lève la tête : me voilà en face de l'immeuble de Will. Je n'ai pas vu le temps passer.

Je sors mon téléphone, les mains tremblantes, pour écrire la première chose qui me passe par la tête : Tu es réveillé ?

Je manque faire tomber l'iPhone de surprise : il répond immédiatement Malheureusement.

Tu me laisses entrer ? Me dira-t-il oui ? Me renverra-t-il chez moi ? Au point où j'en suis, je n'en sais rien.

Où es-tu ?

J'hésite. Devant chez toi.

Quoi ? Je descends tout de suite.

J'ai à peine le temps de penser à ce que je viens de faire, je me tourne dans la direction de la porte qui s'ouvre en grand. Will en sort :

— Bordel, il fait froid ! crie-t-il en jetant un coup d'œil à la rue déserte. Pour l'amour de Dieu, Hanna, tu n'aurais pas pu prendre un taxi ?

Je grimace :

— J'ai marché.

— À *trois heures du matin ?* Tu es folle ?

— Je sais, je sais… Je…

Il secoue la tête et m'attire à l'intérieur.

— Viens par ici. Tu es insensée, tu sais ça ? J'ai envie de t'étrangler. On ne marche pas dans Manhattan toute seule à trois heures du matin, Hanna.

Il a prononcé mon prénom. Je sens mon ventre se réchauffer. Quel stratagème pourrais-je inventer pour qu'il le répète, avec plus de conviction ? Il me jette un regard d'avertissement, je hoche la tête en le suivant dans l'ascenseur. Les portes se ferment, il me dévisage.

— Tu viens de rentrer de ton dîner ? demande-t-il d'une voix beaucoup trop sexy à mon goût. Le dernier message que tu m'as envoyé disait que tu montais dans un taxi pour le rejoindre au restaurant.

Je secoue la tête en clignant des yeux vers le tapis. À quoi pensais-je quand j'ai décidé de venir ici ? Je ne pensais pas, c'est bien le problème.

— Je suis rentrée chez moi vers vingt et une heures.

— *Vingt et une heures* ? fait-il, surpris.

— Ouais.

— Et ?

Son ton est neutre, son visage impassible, mais la rapidité avec laquelle il enchaîne les questions me prouve qu'il n'est pas tout à fait indifférent.

Je danse d'un pied sur l'autre en réfléchissant à ma réponse. Ma soirée n'a pas été un désastre complet – loin de là. Dylan est sympathique, plutôt intéressant. C'est moi qui étais à l'ouest.

Nous arrivons à son étage, ce qui me permet d'éviter de répondre. Je le suis dans un long couloir. Son dos et ses épaules se contractent à chaque pas. Il porte un bas de pyjama bleu, ses tatouages sont visibles sous son T-shirt blanc. Je refoule le désir de passer mon doigt sur sa peau, de retirer son T-shirt pour les admirer. Il y en a beaucoup plus qu'avant, mais quels sont-ils dans le détail ? Quelles histoires se cachent sur l'encre de sa peau ?

— Tu vas me raconter ?

Il s'arrête devant sa porte, mes yeux plongent dans les siens.

— Quoi ?

— Ton dîner, Hanna.

— Oh ! fais-je en tentant d'ordonner le chaos de mon esprit. On a mangé et bla bla bla, j'ai pris un taxi pour rentrer. Tu es sûr que je ne t'ai pas réveillé ?

Il soupire en me faisant signe d'entrer :

— Malheureusement non.

Il prend une couverture derrière le canapé.

— Je n'avais pas encore réussi à m'endormir.

J'ai envie de tout détailler, mais soudain je suis entourée de trop de parcelles de la vie de Will. Son appartement se trouve dans l'un des immeubles les plus récents du secteur, il est moderne mais modeste. Il enclenche un interrupteur pour mettre en marche une petite cheminée contre le mur, les flammes crépitent doucement, dégageant une lumière douce.

— Réchauffe-toi, je te prépare quelque chose à boire, dit-il en faisant un signe vers le tapis devant le foyer. Et dis-moi tout de ce dîner qui s'est terminé à vingt et une heures.

Du salon, on voit la cuisine, je le vois ouvrir et refermer des placards, remplir d'eau une bouilloire qui semble vétuste et la placer sur les plaques du gaz. Son appartement est plus petit que je ne l'avais imaginé, le sol est en parquet, les bibliothèques sont pleines de livres. Deux canapés de cuir sont disposés dans le salon, des œuvres d'art discrètement encadrées habillent les murs. Un panier déborde de magazines, des enveloppes s'entassent sur le manteau de la cheminée, un verre plein de bouchons de bouteille est posé sur une étagère.

Je tente de me concentrer sur un détail, mais tout me semble si intéressant, les pièces du puzzle de son passé qu'il ne tient qu'à moi d'assembler.

— Il n'y a rien à dire, je fais, distraite.

— Hanna.

Je grogne, en retirant mon manteau que je pose sur le dossier d'une chaise.

— Je n'avais pas la tête à ça, tu comprends, dis-je en scrutant son visage.

Il écarquille les yeux et ouvre la bouche ; il contemple mon corps de haut en bas.

— Quoi ?

— Qu'est-ce que tu… tousse-t-il. Tu es venue jusqu'ici dans cette tenue ?

Je me regarde, honteuse. Je me suis couchée en boxer et débardeur, et j'ai seulement pris le temps de mettre un pantalon de pyjama, des bottes fourrées et le vieux manteau de Jensen. Mon top dévoile ma poitrine, les pointes de mes seins sont dressées, totalement visibles sous le tissu fin.

— Oh… Oups.

Je croise les bras sur ma poitrine pour masquer le fait que j'ai eu très froid dehors.

— J'aurais dû faire attention mais… j'avais juste envie de te voir. Est-ce normal ? Ce n'est pas normal, si ? Je dois briser d'un coup une vingtaine de règles.

Il cligne des yeux.

— Oh ! il me semble qu'il y a une clause quelque part pour les cas désespérés…

Il parvient à détourner les yeux de ma poitrine quand l'eau bout. Mon pouvoir sur lui m'étonne et me donne une curieuse sensation de puissance. Il revient avec deux tasses fumantes, je m'efforce de ne pas avoir l'air trop contente de moi.

— Tu veux en parler ?

Je m'assois en tailleur devant la cheminée.

— J'avais la tête ailleurs.

— Et tu pensais à quoi ?

— Hum…

Je ne sais vraiment pas quoi répondre.

— À la fête.

Le silence se fait entre nous.

— Je vois.

— Ouais.

— Eh bien, au cas où tu n'aurais pas remarqué, je ne dormais pas non plus.

J'acquiesce et me tourne vers le feu, sans savoir comment procéder.

— J'ai toujours réussi à contrôler mon esprit, tu sais ? En cours, je pensais aux cours. Au travail, je pense au travail. Mais ces derniers temps… je n'arrive plus à me focaliser sur quoi que ce soit.

Il rit.

— Je comprends tout à fait.

— Je suis incapable de me concentrer.

— Je vois.

Il se gratte le cou en me dévisageant.

— Je ne dors pas très bien.

— Moi non plus.

— Je suis tellement perturbée que j'ai du mal à tenir assise.

Je l'entends respirer lourdement. Ce n'est qu'à ce moment-là que je réalise que nous nous sommes inconsciemment rapprochés. Je lève les yeux, il m'observe. Ses yeux s'arrêtent sur chaque centimètre carré de mon visage. Qu'y voit-il ? À quoi pense-t-il ?

— Je ne sais pas… si j'ai déjà désiré quelqu'un autant que toi.

Il est *si proche* de moi, assez proche pour que je distingue chacun de ses cils dans la lumière de la cheminée. Je contemple les petites taches de rousseur sur son nez. Je me penche sans réfléchir pour effleurer ses lèvres. Il écarquille les yeux, il se raidit, reste immobile un instant avant de se détendre.

— Je ne devrais pas te laisser faire, ajoute-t-il. Je ne sais pas dans quoi nous nous sommes embarqués.

Nous ne nous embrassons pas vraiment, nous nous effleurons, nous respirons le même air. Je sens l'odeur de son savon, un effluve de dentifrice. Je vois mon reflet dans ses pupilles. Et puis il ouvre mes lèvres, y glisse la langue, plus fort, plus longtemps. Je m'agrippe à son T-shirt.

Il hoche la tête et ferme les yeux, m'embrasse une fois, les lèvres écartées.

— Demande-moi d'arrêter, Hanna.

Impossible. Je me colle contre lui, j'attrape son cou pour l'attirer à moi. Il ouvre la bouche, lèche ma lèvre inférieure, masse ma langue. Mon ventre brûle, mon corps entier se dissout, fond jusqu'à n'être plus qu'un cœur battant et des membres entrelacés avec les siens, contre le sol.

Je sens son érection contre mes hanches. Depuis combien de temps bande-t-il ? A-t-il autant pensé à notre nuit que moi ? Je voudrais me pencher et le caresser, le regarder s'abandonner comme pendant la fête, comme je l'ai imaginé chaque fois que j'ai fermé les yeux.

Ma main passe sous son T-shirt, je sens ses muscles durs dans son dos, ses biceps contractés. Je murmure son nom, ma voix est faible, je ne la reconnais pas. Ce n'est pas nouveau, le désespoir que je ressens avec lui commence à m'être familier. Je désire tout de lui.

— J'en ai beaucoup rêvé, lui dis-je.

J'ai l'impression que les mots ne sortent pas de ma bouche. Son corps se presse contre le mien, ses hanches entre mes jambes.

— Quand nous étions dans le salon avec mon frère. Quand tu lavais la voiture torse nu.

Il gémit, caresse mes cheveux, mon visage, mon cou.

— Ne me dis pas des choses comme ça.

C'est tout ce à quoi je peux penser: mes souvenirs de nos années d'adolescence, la réalité de nos vies d'adulte, *maintenant*. Je ne peux plus compter le nombre de fois où je me suis demandé à quoi il ressemblait sans ses vêtements, quels étaient ses gémissements pendant l'amour. Le voilà sur moi, dur entre mes jambes, sous ses vêtements. Je voudrais contempler tous ses tatouages, ses muscles, chaque pouce de sa mâchoire carrée.

— Je t'espionnais par la fenêtre, je fais en haletant.

Il se place de manière à ce que sa queue appuie sur mon clitoris.

— Mon Dieu, j'avais seize ans et tu étais déjà l'objet de tous mes fantasmes.

Il me dévisage, clairement surpris. J'avale ma salive.

— Je n'aurais pas dû te l'avouer?

— Je... commence-t-il, avant de s'humecter les lèvres. Je ne sais pas.

Il a l'air étonné, perturbé. Je n'arrive pas à me détacher de la contemplation de sa bouche.

— Je sais, je ne devrais pas trouver ça sexy mais, mon Dieu, Hanna. Si je jouis dans mon pantalon, ce sera de ta faute.

Je lui fais un effet pareil, moi? Ses mots allument un brasier dans ma poitrine, j'ai envie de tout lui raconter:

— Je me caressais, sous les couvertures. Parfois, je t'entendais parler... alors je faisais semblant... je me demandais ce que ce serait si tu étais avec moi. Je me faisais jouir en me racontant que c'était toi.

Il jure, m'embrasse à nouveau, plus profondément, avec la langue. Ses dents s'attardent sur ma lèvre inférieure.

— Et je disais quoi ?

— Que c'était bon avec moi, que tu me désirais. Je n'avais pas beaucoup d'imagination, je suis sûre que tu étais bien plus cochon, même à l'époque.

Il rit, et son rire envoie une vibration dans mon cou.

— Faisons comme si tu avais seize ans, offre-t-il en couvrant ma bouche de la sienne, sa voix se brise. Tu me montres ?

Je ne sais pas quoi dire. Bien sûr, j'en ai envie. J'imagine la sensation que ce serait de le sentir nu contre moi, en moi. Je plonge les mains dans ses cheveux et tire dessus, l'entendant haleter en basculant contre moi, de plus en plus vite.

— Putain, Hanna, fait-il en remontant mon débardeur sur mes côtes et en dévoilant ma poitrine.

Il attrape mes seins, les caresse, en embrasse les pointes. L'oxygène quitte mes poumons, mes hanches sont plaquées sur le sol, je brûle de désir. Je le griffe, il crie chaque fois et grogne contre ma peau.

Sa bouche suit ses mains, je ferme les yeux. Sa langue est brûlante. Il m'embrasse sur les lèvres et dans le cou. La douleur entre mes jambes s'accentue, je suis de plus en plus trempée et avide, je voudrais sa bouche contre moi, ses doigts en moi. Sa queue en moi.

— Si proche, je gémis, surprise de le voir me regarder, les lèvres ouvertes, les cheveux dans les yeux.

Il écarquille les yeux, excité.

— Ouais ? Comme ça ?

J'acquiesce, le reste du monde s'évanouit, le plaisir monte entre mes jambes, ardent et ravageur. Je voudrais le supplier de retirer mes vêtements, de me baiser, de m'obliger à le supplier.

— Putain, je n'arrive pas à croire qu'on fasse ça par terre dans mon salon. C'est tellement excitant. Comme toujours avec toi.

— Oh…

Je m'agrippe à son T-shirt. Je me laisse aller, je ferme les yeux, le plaisir monte en moi. Je crie, il se frotte plus fort contre moi. Il attrape mes hanches et jouit dans un grognement.

Je reprends progressivement conscience de mon corps. Je me sens lourde, maladroite, si épuisée que j'ai du mal à garder les yeux ouverts. Will s'effondre contre moi, en sueur, la respiration brûlante dans mon cou.

Il remonte sur ses coudes et me regarde, l'air étourdi, doux, presque timide.

— Hanna, murmure-t-il avec un grand sourire.

Je replace les mèches de ma frange derrière mes oreilles et lui souris en retour.

— Will...

— Je... euh... commence-t-il avant d'éclater de rire. Je ne veux pas te brusquer, mais il faut... que je nettoie...

L'absurde de la situation nous revient en plein visage, je ris moi aussi. Nous sommes par terre, je suis allongée sur une chaussure, il vient de jouir dans son pantalon.

— Arrête de rire. Je n'ai pas dit que c'était ta faute.

J'ai soudain très soif, je me lèche les lèvres.

— Vas-y.

Il m'embrasse doucement, sur les lèvres, avant de se relever et de marcher vers la salle de bains. Je reste dans la même position pendant un moment, la sueur perle sur mon front, mon rythme cardiaque revient lentement à la normale. Je suis aussi soulagée que torturée.

Il revient dans le salon dans un pyjama différent, il sent le savon et le dentifrice.

— J'ai appelé un taxi, lui dis-je en lui lançant un regard qui signifie « ne t'inquiète pas ».

Son visage se décompose – du moins j'en ai l'impression – mais tout arrive si vite que je suis pas sûre d'en croire mes yeux.

— Bien, murmure-t-il en marchant vers moi, un pull dans les mains. Je vais réussir à dormir maintenant.

— Tu avais seulement besoin d'un orgasme, fais-je en souriant.

— En fait, jusque-là, ça n'avait pas fonctionné... répond-il de sa voix grave.

Bordel de merde. Je vais partir avec l'image de Will qui se branle. Je ne sais pas si j'arriverai à dormir.

Il me raccompagne en bas, m'embrasse sur le front, sur le pas de la porte, et me regarde monter dans le taxi.

Je reçois un message de lui : Dis-moi quand tu es rentrée.

Je vis à sept pâtés de maisons de chez lui, j'arrive à l'appartement en deux minutes. Je me rue dans mon lit et m'installe confortablement sous la couette avant de lui écrire : Bien rentrée.

CHAPITRE 8

New York fourmille toujours d'activité. Je vis près du campus de Columbia. Mystérieusement, le Dunkin Donuts le plus proche de mon immeuble est toujours bondé le jeudi. Mais même en attendant une demi-heure, je n'aurais probablement pas reconnu Dylan, juste devant moi, s'il ne m'avait pas salué.

Il se tourne vers moi et lance un amical: « Salut! Will, n'est-ce pas? »

Je sursaute et cligne plusieurs fois des yeux. Il m'a tiré de mes rêveries. Je réfléchissais à l'évolution de ma relation avec Hanna. Après tout, elle est venue chez moi au milieu de la nuit il y a deux jours et nous avons fini par jouir tous les deux, tout habillés. Je revis sans cesse cette nuit. Chaque fois que mon esprit vagabonde, le souvenir ressurgit. Je joue avec les images, je les fais défiler, je me réchauffe à la pensée d'Hanna. Cela fait des années que je ne me suis pas arrêté aux préliminaires avec une fille mais, putain, j'avais oublié combien ça pouvait être sexy et avoir un goût d'interdit.

Mais voir ce type – le mec avec qui Hanna a dîné! – me fait l'effet d'une douche glacée.

Dylan ressemble à n'importe quel étudiant de Columbia: habillé de manière si négligée qu'on ne saurait dire s'il est en pyjama ou si c'est un SDF.

— Ouais, je fais en lui tendant la main. Salut Dylan. Ravi de te voir.

Tandis que nous avançons dans la file, l'étrangeté de cette rencontre me frappe. Je n'avais pas réalisé à quel point il faisait jeune pendant la fête. Il est du genre à se tortiller sur place, sa jambe tremble nerveusement. Hyperactif. Dylan hoche la tête en m'examinant comme si je lui étais supérieur.

Je prends le temps de détailler ma tenue : je porte un costume qui me donne un air très sérieux. Depuis quand suis-je devenu ce type en costume ? Depuis quand ai-je si peu de patience avec les étudiants d'une vingtaine d'années ? Probablement depuis qu'Hanna m'a branlé dans une chambre en pleine fête, ce qui est de loin le meilleur sexe que j'ai eu depuis longtemps.

— Tu t'es amusé chez Denny ?

Je le fixe un long moment en essayant de me souvenir de la dernière fois où je suis allé chez Denny.

— Euh...

— À la fête, pas le restaurant, ajoute-t-il en riant. Le type qui vit dans l'appartement s'appelle Denny.

Ah oui ! la fête. Le souvenir du visage d'Hanna quand j'ai glissé mes doigts sous sa culotte et contre sa peau nue fait irruption dans mon esprit. Je me souviens parfaitement de son expression quand elle a joui, comme si je venais de réussir un tour de magie. Elle avait l'air de découvrir la sensation pour la première fois.

— Ouais, la fête était super.

Il tripote son téléphone, me jette un coup d'œil, l'air de ne pas trop savoir à qui il s'adresse.

— Tu sais, c'est la première fois que je tombe sur le mec qui sort plus ou moins avec la fille avec laquelle je sors plus ou moins. C'est bizarre, non ?

Je me retiens d'éclater de rire. Eh bien, on dirait qu'il est aussi franc qu'Hanna.

— Pourquoi penses-tu que je sors avec elle ?

Dylan a l'air mortifié.

— J'ai supposé… parce qu'à la fête…

Je souris, comme pour le gronder :

— Et tu l'as invitée à dîner.

Il rit, comme s'il ne croyait pas à sa propre audace.

— J'étais ivre ! J'ai tenté le tout pour le tout.

J'ai envie de le frapper. Je suis l'homme le plus hypocrite du monde. Je n'ai absolument aucun droit sur Hanna.

— Tu en avais le droit, dis-je en me calmant.

Je n'ai jamais eu à vivre une conversation pareille. Mes maîtresses se sont-elles déjà croisées comme ça ? Comme ce serait gênant. J'imagine la conversation de Kitty – d'une beauté éclatante, toujours tout sourire – et d'Alexis – également belle, mais qui ne sourit jamais – dans la même situation.

Je hausse les épaules.

— Hanna et moi nous connaissons depuis très longtemps. C'est tout.

Il glousse, acquiesce comme si je venais de répondre à sa question implicite.

— Elle m'a dit qu'elle voulait sortir et s'amuser. Je comprends. C'est une fille très drôle. Cela fait des lustres que je voulais l'inviter à dîner. J'en ai profité.

Je fixe la caissière en la suppliant, par transmission de pensée, d'aller plus vite. Malheureusement, je vois exactement ce qu'il veut dire :

— Ouais.

Il hoche encore la tête. J'ai envie de lui apprendre le jeu du roi du silence : *parfois un silence gênant est beaucoup moins gênant qu'une conversation forcée.*

Dylan commande son café, je retourne à un divertissement plus sûr en sortant mon smartphone de ma poche. Je le fuis du regard, il paye et s'éloigne. Je me sens très mal à l'aise.

Que m'arrive-t-il, bordel!

Je me sens de plus en plus gêné à chaque pas qui me rapproche de mon bureau. Ces dix dernières années, j'ai toujours été très clair avec mes conquêtes. Parfois, je provoquais la conversation. D'autres fois, cela venait naturellement quand elles me demandaient si j'avais une copine. Je disais simplement: «Je n'ai pas de relation exclusive et ce n'est pas ce que je cherche.» Elles savaient toujours à quoi s'en tenir au moment de coucher avec moi. Les quelques fois où il y avait eu un après, nous en avions discuté.

J'ai été totalement pris de court par l'apparition de Dylan – dans mon monde, et pire, dans celui d'Hanna. Pour la première fois, je réalise que j'avais imaginé qu'elle m'avait attiré dans cette chambre pour explorer sa sexualité avec moi… et *seulement* avec moi.

Karma de merde.

* * *

Ce matin, je me plonge dans le travail, je liquide la paperasse qui s'accumule depuis une semaine. Je passe des coups de fil, j'organise un voyage d'affaires à San Francisco pour ne rien perdre des dernières biotechnologies. Je prends à peine le temps de respirer.

Au milieu de l'après-midi, je n'ai toujours rien mangé. La caféine cesse de faire effet, Hanna accapare à nouveau mes pensées.

La porte de mon bureau s'ouvre en grand, Max entre et dépose un énorme sandwich sur ma table avant de s'affaler sur la chaise en face de moi.

— Que se passe-t-il, William? On dirait que tu viens de découvrir que l'ADN est une double hélice droite.

— C'est le cas. Même si le premier brin tourne vers la gauche.

— Comme ta bite?

— Exactement.

J'attrape le sandwich, je le sors de son emballage. Je n'avais pas réalisé à quel point j'avais faim jusqu'à sentir son délicieux fumet.

— Je réfléchis trop, c'est tout.

— Pourquoi as-tu l'air tellement à l'ouest, alors? Trop réfléchir, c'est ton superpouvoir, mec.

— Pas à ce sujet en l'occurrence.

Je me frotte le visage, décidant d'être honnête plutôt que de lui faire des blagues.

— Je suis assez perturbé.

Il mord dans son sandwich en me dévisageant. Au bout d'un long moment, il demande:

— C'est à cause de Gros Lolos, n'est-ce pas?

Je le toise, impassible.

— Tu n'as pas le *droit* de la surnommer comme ça, Max.

— Bien sûr que non. Pas devant elle, en tout cas. Après tout, je surnomme bien Sara « Langue », mais elle n'en a aucune idée.

Malgré mon irritation, je ne peux m'empêcher de rire.

— C'est faux.

— En effet!

Il fronce les sourcils.

— Ce serait de mauvais goût.

— De *très* mauvais goût.

— Je n'ai pu m'empêcher de remarquer qu'Hanna avait des seins magnifiques.

J'éclate de rire:

— Maximus, tu n'as pas idée.

Il se redresse sur sa chaise.

— Non, en effet. Mais on dirait que *toi*, oui. Tu les as vus? Je ne savais pas que vous aviez sauté le pas.

Je lève les yeux vers lui, je sais qu'il lit sur mon visage les sentiments que j'ai pour Hanna.

— J'ai… Les choses ont… euh… *progressé* l'autre soir. Et puis il y a quelques jours…

Je mords dans mon sandwich.

— Nous n'avons pas fait l'amour mais… hélas, ce soir, elle sort avec un autre type.

— C'est ce qu'elle voulait, non ?

— Ouais.

— Elle sait que tu tournes en rond comme un adolescent amoureux ?

Je lui lance un regard noir.

— Non. Connard.

— Elle a l'air d'être une fille bien, répond-il.

Je m'essuie la bouche avec ma serviette avant de me balancer en arrière sur ma chaise. *Bien* ne peut pas définir Hanna. Je n'ai jamais rencontré une fille comme elle, de toute ma vie.

— Max, elle est *géniale.* Drôle, douce, honnête, belle… Je suis totalement perdu.

C'est au moment où je les prononce que je réalise à quel point ces mots me sont étrangers. Le silence entre nous est embarrassé, je sais que Max va se moquer de moi. C'est évident, rien qu'à voir le mouvement de ses lèvres.

Putain.

Il me scrute et me fait signe d'attendre en sortant son téléphone de sa poche. Je lui demande, circonspect :

— Tu fais quoi ?

Il me fait taire, met le haut-parleur pour que je profite de l'appel. Bennett décroche : « Max. »

— Ben, lance Max avec un sourire gigantesque. C'est enfin arrivé.

Je grogne en me prenant la tête entre les mains.

— Tu as eu tes règles ? Félicitations.

— Non, espèce d'idiot. Je parle de Will. Il est nunuche jusqu'au bout des ongles, à cause d'une fille.

J'entends une main s'écraser sur une surface en bois, j'imagine que Bennett vient de faire un high-five à son bureau.

— Fantastique! A-t-il l'air malheureux?

Max me scrute:

— Aussi malheureux que possible. Et – *et!* – elle sort avec un autre mec ce soir!

— Oh! c'est dur. Que fait notre garçon ce soir?

— Il va sécher ses larmes toute la soirée, j'imagine.

Il lève les sourcils, comme s'il s'attendait à ce que je réponde maintenant.

— Je reste chez moi. Il y a un match des Knicks. Je suis sûr qu'Hanna va me raconter sa soirée. Demain. Quand nous irons courir.

Bennett sifflote dans le téléphone.

— Il faut que je le dise aux filles.

— *Non*, pitié!

— Elles viendront te voir pour te chouchouter. Max et moi avons un dîner de prévu. Nous ne pouvons pas te laisser seul dans un état aussi pathétique.

— Je ne suis pas pathétique! Tout va bien! Bordel, pourquoi t'en ai-je parlé?

Sans m'écouter, Bennett réplique:

— Max, je m'en occupe. Merci pour l'info.

Il raccroche.

* * *

Chloé me pousse pour entrer dans mon appartement, les bras chargés de plats tout préparés. Je lui demande: «Tu as invité des gens chez moi ce soir?» Elle me lance un regard plein d'ironie et disparaît dans *ma* cuisine.

Sur ses talons, Sara s'attarde dans le couloir. Elle porte un pack de bières et une bouteille d'eau pétillante.

— J'avais faim, j'ai demandé à Chloé de commander un peu de tout.

J'ouvre la porte pour la laisser entrer, je la suis dans la cuisine où Chloé déballe une quantité de nourriture qui suffirait à nourrir un régiment.

— J'ai déjà mangé, leur dis-je en grimaçant. Je ne savais pas que vous alliez apporter le dîner.

— Tu rigoles ? Bennett m'a dit que tu étais déprimé. Ce qui signifie que tu as besoin de pad thaï, de cupcakes au chocolat et de bière. D'ailleurs, vu la manière dont tu te nourris, tu dois encore avoir faim.

Elle jette un coup d'œil à ma vaisselle, bien rangée dans le placard.

Je hausse les épaules, sors trois assiettes, des couverts et le décapsuleur. Je les dispose sur la table basse. Les filles me rejoignent, Chloé s'assoit sur le sol, Sara à côté de moi sur le canapé. Nous commençons à dîner devant le match de basket-ball.

Finalement, je suis content qu'elles soient là. Elles ne m'ennuient pas avec des questions sur mes sentiments, elles dînent simplement avec moi et me tiennent compagnie. Pour m'empêcher de devenir fou. Ce n'est pas la première fois que quelqu'un sort avec une fille qui sort avec quelqu'un d'autre. Mais c'est la première fois que ça me fait quelque chose. Karma de merde.

Je suis heureux qu'Hanna s'amuse. Le pire dans cette histoire, c'est que je souhaite qu'elle parvienne à ses fins, qu'elle se libère… Je voudrais simplement qu'elle ne désire que moi. Je voudrais qu'elle vienne ce soir, qu'elle m'avoue qu'elle n'a envie que de moi, qu'elle arrête de sortir avec des types, un point c'est tout. C'est ridicule, je suis un gros con égoïste. Mon Dieu, c'est exactement ce que j'ai fait subir à des centaines de filles par le passé. C'est pourtant ce que je souhaite, plus que tout au monde.

Putain, je n'arrive pas à me détendre. Je n'arrête pas de regarder mon téléphone, de vérifier l'heure. Pourquoi ne m'a-t-elle pas envoyé de texto? Pourquoi ne pas me tenir au courant? Elle n'a même pas envie de me dire bonsoir?

Je me déteste.

— Elle t'a envoyé un message? demande Chloé.

Je secoue la tête.

— Mais ça va. Je suis sûr que tout va bien.

— Qu'ont dit Kitty et Alexis? fait Sara en buvant un verre d'eau.

— Kitty et Alexis?

Le silence se fait, je cligne des yeux et répète:

— Kitty et Alexis?

— Quand tu leur as dit que c'était fini.

Putain. Puuuuuutain.

— Oh! fais-je en me grattant le menton. Je n'ai pas à proprement parler mis fin à ces histoires.

— Donc, tu es à fond sur Hanna, mais tu n'as pas dit à tes maîtresses que tu as des sentiments pour quelqu'un d'autre?

Je fixe ma bière. Ce n'est pas seulement la perspective d'une conversation pénible avec Kitty et Alexis. Pour être honnête, je les garde comme joker, si ça ne se passe pas bien avec Hanna. Ce n'est pas très gentleman, même pour moi.

— Pas encore. Nous n'avons pas d'attaches. Dois-je vraiment le leur dire?

Chloé se penche vers moi, boit une gorgée, plante ses yeux dans les miens.

— Will. Je t'adore, vraiment. Tu seras garçon d'honneur à notre mariage, tu feras partie de notre famille. Je te souhaite le meilleur.

Elle plisse les yeux, je sens mes testicules se contracter.

— Mais je ne sais pas si je pousserais une fille à tenter quelque chose avec toi. Je lui dirais de coucher avec toi, mais d'éviter d'avoir des sentiments parce que tu es vraiment nul dans ce domaine.

Je grimace :

— Tu es d'une franchise rafraîchissante.

— Je suis sérieuse. Oui, tu as toujours été très clair avec tes plans-cul. Non, tu n'as rien à cacher. Mais pourquoi refuses-tu obstinément d'avoir une relation ?

Je lève les mains en l'air.

— Je n'ai rien contre les relations !

Sara en rajoute une couche :

— Tu dis que tu ne veux rien de plus que du sexe. Et laisse-moi te dire une chose. Les jeunes femmes fantasment sur les play-boys mais, très vite, elles choisissent d'être avec un type qui sait admettre que l'amour n'est pas un jeu. *Tu* n'en as toujours aucune idée et tu as, quoi ? Trente et un ans ? Hanna est peut-être plus jeune que toi, mais elle est plus mature. Elle va vite comprendre que ton modèle ne peut pas fonctionner pour elle. Tu lui apprends à vivre avec plusieurs hommes à la fois alors que tu devrais lui apprendre ce que cela fait d'être *aimée.*

Je lui souris en grommelant :

— Vous êtes venues pour me faire la leçon ?

Sara répond « non » au moment où Chloé s'écrie : « Oui ! »

Finalement, Sara rit et avoue : « Oui. » Elle pose la main sur mon genou.

— Tu ne connais tellement rien à la vie, Will. Tu es notre petit poney préféré.

— C'était affreux, ne répète jamais ça !

Notre attention revient au match de basket. Ce n'est pas gênant. Je ne suis pas sur la défensive. Je sais qu'elles ont raison, je ne sais pas si je peux y changer quelque chose. Hanna sort avec *Dylan*, putain. C'est un grand pas pour moi d'admettre que je voudrais partager plus de choses avec elle et qu'elle ne voie pas d'autres mecs. Mais à quoi bon si Hanna ne ressent pas la même chose que moi ? Je voudrais qu'elle ne couche qu'avec moi, mais à part ça, que rien ne change entre nous.

Ou pas.

J'attrape mon téléphone pour voir si je n'ai pas manqué un message ces deux dernières minutes.

— Bordel, Will ! Envoie-lui un texto ! s'écrie Chloé en me lançant une serviette en papier au visage.

Je me relève, moins pour obéir à Chloé que pour *bouger* simplement. Que fait Hanna ? Où sont-ils ? Il est presque vingt et une heures. Ils devraient avoir fini de dîner, non ?

La connaissant, elle devrait déjà être rentrée... à moins qu'ils ne soient chez lui ?

J'écarquille les yeux. Est-il possible qu'elle soit dans son lit ? Qu'elle couche avec lui ? Je ferme les yeux en me rappelant les sensations que j'ai eues avec elle, les courbes de son corps, ses genoux pressés contre mes côtes. Penser qu'elle pourrait être avec ce gosse maigre ? *Nue.*

Putain de merde.

Je me dirige vers ma chambre, je sens vibrer mon téléphone dans ma poche et m'arrête net. Je le déverrouille avec une rapidité qui me surprend moi-même. C'est Max.

Ta petite copine est au même resto que Ben et moi. Le Projet Hanna est une réussite, Will. Elle est hyper sexy.

Je maugrée, agacé, en m'appuyant contre le mur : Elle embrasse le gosse ?

Non, me répond Max. Elle n'arrête pas de tripoter son téléphone. Arrête de lui envoyer des messages, sale merde. Elle « s'amuse », tu te souviens ?

J'ignore sa tentative pour m'énerver et relis son message plusieurs fois. Je suis la seule personne qui envoie régulièrement des textos à Hanna, et je ne l'ai pas fait de toute la soirée. Regarde-t-elle son téléphone autant que moi ?

J'entre dans la salle de bains un peu hagard et je m'assois sur le rebord de la baignoire. Ce n'est *pas* un jeu avec elle. Sara a tort. Je *sais* que ce n'est pas un jeu. Ça ne me fait pas rire du tout. L'absence d'Hanna me rend fou d'angoisse. Cherche-t-elle à me faire comprendre quelque chose ? Dois-je prendre un risque, lui parler de mes sentiments et parier qu'elle ne me brisera pas le cœur ?

Je tape frénétiquement sur mon téléphone, le cœur battant, une seule phrase, que je relis, encore et encore. Je ferme finalement les yeux et appuie sur « envoyer ».

Chapitre 9

Je n'enverrai pas de message à Will.

« … peut-être vivre à l'étranger, un jour… »

Je n'enverrai pas de message à Will.

« … peut-être en Allemagne. Ou en Turquie. »

Je me concentre à nouveau sur la conversation et hoche la tête en écoutant Dylan, assis en face de moi. Il a nommé les pays du monde entier.

— Ça a l'air très excitant, dis-je en souriant.

Il baisse les yeux vers la nappe, ses joues rosissent. D'accord, il est mignon. Comme un chaton.

— Avant, j'avais très envie de vivre au Brésil. Mais j'y suis allé tant de fois que ce ne serait plus dépaysant, tu comprends ?

J'acquiesce encore, en faisant de mon mieux pour l'écouter, organiser mes pensées, me concentrer sur le dîner et non sur mon téléphone, désespérément silencieux.

Le restaurant que Dylan a choisi est sympathique, pas vraiment romantique mais charmant. Lumière douce, grandes fenêtres, rien de trop sérieux ou guindé. Rien qui ne signale ostensiblement « rendez-vous avec un garçon ». J'ai pris du poisson, Dylan un steak. Son assiette est presque vide, j'ai à peine touché à la mienne.

Qu'a-t-il dit ? *Qu'il voulait vivre à l'étranger ?* Un été au Brésil ?

— Combien de langues parles-tu, déjà ? je lui demande, en espérant tomber juste.

Ce doit être le cas parce qu'il sourit, heureux que je me souvienne de ce détail.

— Trois.

Je me redresse, impressionnée.

— Waouh, c'est vraiment… génial, Dylan.

C'est vrai. Il *est* génial. Dylan est beau, brillant, parfait pour moi. Mais ça ne m'empêche pas de jeter un autre coup d'œil à mon téléphone au moment où le serveur remplit nos verres de vin. Je fronce les sourcils, l'écran est toujours vide.

Pas de message. Pas d'appel manqué. Rien. Putain.

Je passe un doigt sur le prénom de Will, relis plusieurs de ses messages.

J'aimerais te voir défoncée. L'herbe révèle la personnalité des gens, tu parlerais probablement tellement que ta tête exploserait. En fait, je me demande comment tu pourrais réussir à dire plus de bêtises que d'habitude.

Un autre : Je viens de te voir à l'intersection de la 81e et Amsterdam. J'étais dans un taxi avec Max, tu as traversé la rue devant nous. Tu portais une culotte sous cette jupe ? Je vais garder cette image en mémoire, donc, même si c'était le cas, mens s'il te plaît.

Son dernier message date d'une heure de l'après-midi, il y a donc plus de six heures. Je parcours encore quelques-uns de ses textos avant d'hésiter, les doigts sur le clavier. Que fait-il ? Avec *qui* ? Je me renfrogne.

Je commence à lui écrire un message, je l'efface tout de suite. *Je n'enverrai pas de message à Will. Je n'enverrai pas de message à Will. Ninja. Agent secret. Obtiens l'information et sors-en indemne.*

— Hanna ?

Je lève la tête, Dylan m'observe.

— Oui ?

Il fronce les sourcils avant de lancer, mal à l'aise.

— Tout va bien ce soir ? Tu as l'air distraite.

— Ouais, je fais, horrifiée que cela se voie à ce point.

Je lui montre mon téléphone.

— J'attends un message de ma mère.

Je n'ai jamais su mentir.

— Mais tout va bien ?

— Oui !

Dylan soupire, rassuré. Il repousse son assiette et s'appuie sur ses coudes.

— Parle-moi de toi. J'ai l'impression d'avoir monopolisé la conversation toute la soirée. Décris-moi tes recherches.

Pour la première fois, je me sens dans mon élément. Ça, je sais faire. Parler de mon travail, de mes études, de science ? Oh oui !

Nous venons de terminer le dessert et, pour ma part, un long monologue scientifique où j'expliquais que je travaillais à la fabrication d'un vaccin contre le *Trypanosoma cruzi* dans un autre labo, au sein du même département. On me tape sur l'épaule. Max se tient debout derrière moi.

— Salut ! dis-je, surprise de le voir ici.

Il m'impressionne, du haut de ses deux mètres (au moins). Il se penche très naturellement pour m'embrasser sur la joue.

— Hanna, tu es magnifique ce soir.

Bordel. Cet accent me fait fondre. Je souris :

— Tu pourras complimenter Sara, c'est elle qui a choisi cette robe.

Je ne pensais pas qu'il pouvait être plus sexy qu'il ne l'est au naturel. Mais ce sourire…

— Je n'y manquerai pas. Tu ne me présentes pas ? me demande-t-il en regardant Dylan.

— Oh ! Désolée. Max, je te présente Dylan Nakamura. Dylan, Max Stella, l'associé de mon ami Will.

Les deux hommes se serrent la main et discutent quelques instants, je dois me retenir de demander des nouvelles de Will à Max. Après tout, je dîne avec quelqu'un d'autre. Je ne devrais pas penser à lui.

— Je vous laisse, lance Max.

— Passe le bonjour à Sara.

— Ce sera fait. Passez une bonne fin de soirée.

Je suis Max des yeux, plusieurs hommes l'attendent à sa table. Un dîner d'affaires. Pourquoi Will ne l'a-t-il pas accompagné ? Je ne connais pas grand-chose à son job, mais ils sont censés organiser ce genre de réunions ensemble, non ?

Le serveur apporte l'addition, mon téléphone vibre sur mes genoux.

Tu passes une bonne soirée, Prune ?

Je ferme les yeux, le surnom me fait l'effet d'une décharge électrique. Je repense à la dernière fois où il m'a appelée comme ça. Je me sens me liquéfier.

Très bien. Max est là, tu l'as envoyé pour m'espionner ?

Ah ! Comme s'il était capable de faire ça pour moi ! Il vient de me dire que tu étais très sexy ce soir.

Je n'ai jamais beaucoup rougi avant de rencontrer Will. Je sens que mes joues brûlent.

Lui aussi était très sexy.

Ce n'est pas drôle, Hanna.

Tu es chez toi ? J'appuie sur envoyer en retenant mon souffle. Que ferai-je s'il me dit non ?

Oui.

Il faut vraiment que j'aie une discussion avec moi-même. Savoir que Will est chez lui, qu'il m'envoie des messages ne devrait pas me rendre aussi heureuse, putain. On court demain ?

Bien sûr.

Je m'efforce d'arrêter de sourire avant que Dylan ne le remarque. Je range mon téléphone dans ma poche. Will est chez lui, je suis tranquille, il ne me reste plus qu'à apprécier le reste de ma soirée.

* * *

— Alors, c'était comment ton dîner ? me demande-t-il en s'étirant.

— Très bien. Très sympa.

— Sympa ?

— Ouais.

Je hausse les épaules, incapable d'exprimer plus d'enthousiasme.

— Sympa.

J'ai décidément de plus en plus besoin de voir Will. C'est encore pire qu'hier soir. Je dois me reprendre et me rappeler : *Agent secret. Comme un ninja. Apprendre du maître.*

Il secoue la tête.

— Quel enthousiasme !

Je ne réponds pas et vais chercher la bouteille d'eau que j'ai déposée au pied d'un arbre. Il fait froid – si froid que l'eau a gelé dans la bouteille. Nous sommes à la phase d'étirement, le moment où Will m'encourage et me fait des plaisanteries inappropriées sur ma poitrine, le moment où je me plains du froid et du manque de toilettes publiques de Manhattan.

Je ne suis probablement pas prête à avoir cette conversation aujourd'hui, ni à avouer que même si Dylan me plaît, je n'ai pas envie de l'embrasser, de le mordre dans le cou ni de le regarder jouir sur ma hanche, comme quelqu'un que je connais. Je me refuse à lui dire que je pense à lui sans arrêt, que je n'arrive pas à m'investir ailleurs. Je répugne à lui avouer que je n'ai plus envie de sortir, que je n'arriverai probablement jamais à avoir des relations légères, à apprécier la vie, à vivre à fond comme lui.

Il me cherche des yeux, en répétant sa question : « À quelle heure es-tu rentrée ? »

— Vers vingt et une heures, je crois.

— Vingt et une heures ?

— Peut-être un peu plus tard. Pourquoi est-ce si drôle ?

— Vingt et une heures ? C'est de pire en pire. C'est ton grand-père ? Il te sort entre dix-neuf et vingt et une heures ?

— Pour tout te dire, je devais me lever tôt pour aller au labo ce matin. Et toi, folle nuit, playboy ? Une orgie ? Une rave ou deux ? je fais pour changer de sujet.

— C'était plutôt calme. J'ai dîné avec Chloé et Sara. Je t'ai harcelée. Classique. Au fait, tu n'as pas mal aujourd'hui ?

— *Pardon ?*

Il sourit.

— Les courbatures. À cause de notre jogging d'hier. Mon Dieu, Hanna, arrête de penser tout le temps au sexe. Tu es rentrée à vingt et une heures, à quoi pouvais-je faire allusion ?

Je bois une autre gorgée d'eau en grimaçant.

— Ça va.

— Nouvelle règle, Prune : tu ne peux pas dire « bien » et « ça va » plus d'une fois dans une conversation, sinon tu as l'air de te moquer de ton interlocuteur. Trouve d'autres façons de décrire ton état de lendemain de soirée.

Je ne sais pas comment me comporter ce matin. Je pensais qu'il aurait compris, mais non. Je réfléchis trop quand nous sommes ensemble. Quand nous ne sommes pas ensemble également, si j'en juge par hier soir. Cela lui importe-t-il vraiment que je sois sortie avec Dylan ?

À quoi m'attendais-je, au juste ?

Ah. Sortir, c'est vraiment trop compliqué, je ne sais même pas si l'on peut dire que Will et moi nous nous fréquentons. C'est l'une des seules questions que je ne *peux pas* lui poser.

— Eh bien, reprend Will avec un sourire malicieux. Comme tu as compris le concept du rendez-vous, il est temps que tu élargisses ton échantillon d'expérimentation. Tu devrais peut-être sortir avec quelqu'un d'autre. Pour voir comment ça se passe. Pourquoi pas l'un des garçons de la fête ? Aaron ? Hans ?

— Hans a une copine. Aaron…

Il acquiesce avec énergie.

— Il est pas mal du tout.

— C'est vrai. Mais il est du genre… SN2.

Will fronce les sourcils :

— SN2 ?

— *Mais si.* La Substitution Nucléophile Bimoléculaire. Quand la liaison C-X est brisée, et que le groupe nucléophile attaque le carbone à cent quatre-vingts degrés…

Je parle si vite que je n'articule pas vraiment.

— Oh ! mon Dieu. Tu viens vraiment d'utiliser la chimie organique pour me dire qu'Aaron est plus sexy de dos que de face ?

Je hausse les épaules en regardant au loin.

— OK, je viens de battre un record geek.

— Non, c'était génial, s'exclame-t-il, l'air vraiment impressionné. J'aimerais y avoir pensé il y a dix ans.

Il s'interrompt et fait la moue.

— Mais honnêtement, c'est mieux dans ta bouche. Si ça venait de moi, j'aurais l'air d'un vrai connard.

J'avale ma salive en m'efforçant de ne pas regarder vers son short.

Malgré le froid et l'heure matinale, de plus en plus de New-Yorkais affrontent les éléments. Deux jolis garçons tapent dans un ballon de foot, ils portent des bonnets noirs, leurs cafés refroidissent dans leurs thermos. Une femme marche rapidement en poussant une énorme poussette, des coureurs sillonnent le parc. Will se penche pour relacer sa chaussure.

— Je dois avouer que ton acharnement à t'entraîner m'impressionne.

— Ouais, je fais en m'étirant comme il me l'a montré, sans regarder son cul. Je travaille dur.

— Pardon ?

— Je travaille dur. Très dur.

Il se redresse, moi aussi. Je me force à ne pas le regarder.

— Pour tout te dire, je n'aurais jamais cru que tu survives à la première semaine.

Je devrais lui lancer un regard noir, être ennuyée parce qu'il croyait que je ne tiendrais pas le coup, mais je me contente d'acquiescer, détournant les yeux des abdominaux qu'il dévoile en levant les bras au-dessus de la tête.

— Tu seras peut-être dans les cinquante premiers si tu continues comme ça.

Je scrute cette mince étendue de peau, ces muscles tendus. Je soupire en repensant à la sensation de sa peau.

— J'espère bien !

Je m'éclaircis la gorge en me retournant. Honnêtement, son corps est *délicieusement indécent.* Je m'éloigne.

— À quelle heure sors-tu ce soir ? lance-t-il en courant pour me rejoindre.

— Demain.

— OK, à quelle heure, *demain ?*

— Hum… dix-huit heures ?

Je n'arrive pas à m'en souvenir.

— Non, vingt heures.

— Tu n'es pas sûre ?

Je l'observe, le sourire coupable.

— Euh non.

— Tu te languis ?

— J'imagine que oui.

Il passe son bras sur mes épaules en riant.

— Il étudie quoi, déjà ?

— Les drosophiles.

Il m'a parlé de science pendant des heures et il ne m'en reste pas une miette le lendemain. Je suis nulle.

— Un mec qui étudie la génétique! s'exclame-t-il, joueur.

Il veut plaisanter mais sa voix est si grave, si sensuelle, que j'en frémis.

— Et il est sympa? Drôle? Bon au lit?

— Bien sûr.

Will s'immobilise:

— *Bien sûr?*

Je lève les yeux vers lui.

— Oui, bien sûr.

Puis me reviennent les mots qu'il a employés.

— À part le côté bon au lit. Je n'ai pas testé la marchandise.

Will continue à marcher, silencieux. Je lui jette un coup d'œil:

— Au fait, je peux te poser une question?

Il répond par l'affirmative, l'air ennuyé.

— Que se passe-t-il au troisième rendez-vous? J'ai googlelisé...

— Tu as *googlelisé?*

— *Oui,* et tout le monde a l'air de dire qu'on passe à la casserole à la troisième sortie avec un garçon.

Il s'arrête, je le détaille. Son visage vire à l'écarlate.

— Il te met la pression pour *passer à la casserole*?

— Quoi? je dis en le fixant, perplexe. Bien sûr que non.

— Alors pourquoi penses-tu à ça?

— Calme-toi. Je me demande juste à quoi il s'attend. Mon Dieu, Will, je veux seulement savoir à quoi m'en tenir.

Il soupire, secoue la tête:

— Tu me rends fou, parfois.

— Toi aussi.

Je contemple l'horizon, en pensant à voix haute.

— Il y a une sorte de courbe de progression, non ? Nos deux premiers dîners n'ont rien eu de notable. Mais le troisième ? Ce serait mieux avec un mode d'emploi !

— Tu n'as pas besoin d'un mode d'emploi, bon sang…

Il retire son bonnet, passe les mains dans ses cheveux. Il réfléchit.

— OK, donc… le premier rendez-vous, c'est comme un entretien d'embauche. Il regarde ton CV…

Il relève les sourcils et fixe mes seins pour se faire comprendre.

— On approfondit progressivement. Les questions du genre *est-ce un tueur en série ?* et bien sûr *ai-je envie de coucher avec cette personne ?* La décision éliminatoire. Mais, franchement, si un mec te propose de sortir avec lui, c'est qu'il veut coucher avec toi.

— OK, je réponds, sceptique.

J'imagine Will dans ce scénario : rencontrer une fille, l'amener dîner, se demander s'il a envie de coucher avec elle ou non. Je suis à 97 % sûre de ne pas apprécier l'idée.

— Et le deuxième rendez-vous ?

— Le deuxième soir suppose qu'on se rappelle. Vous avez passé le stade de l'examen mutuel, donc l'autre est forcément tenté, il est temps de mettre en pratique. T'amener aux ressources humaines pour savoir si tes réponses charmantes et ta personnalité brillante étaient une illusion. Savoir s'il a toujours envie de toi. Ce qui est certain… finit-il en haussant les épaules.

— Et le troisième rendez-vous ?

— La concrétisation. Vous êtes sortis deux fois, vous vous appréciez toujours. La phase de drague est passée. Vous vous entendez bien, c'est en général à ce moment-là que vous vous déshabillez, pour voir si ça « fonctionne bien ». Les mecs savent que c'est l'étape décisive : fleurs, compliments, restaurant romantique…

— Donc sexe.

— Parfois. Mais pas toujours. Tu n'es obligée de rien, Hanna. *Jamais.* Je couperais les couilles de tout homme qui te mettrait la pression.

Je sens de la chaleur monter dans mon ventre. Mon frère m'a dit presque la même chose plusieurs fois, mais c'est différent dans la bouche de Will Sumner.

— Je sais.

— As-tu *envie* de coucher avec lui ? demande-t-il, l'air désintéressé – c'est un échec, semble-t-il se dire à lui-même.

Je frissonne en réalisant que l'idée le dérange.

J'inspire profondément. J'allais dire non, par instinct. Je hausse les épaules. Dylan est mignon, je l'ai laissé m'embrasser pour me dire bonne nuit devant ma porte, mais ça n'a *rien* à voir avec ce que je ressens pour Will. Mon problème. J'aime que Will ait autant d'expérience. C'est exactement pour ça qu'il est intouchable.

Je me souviens de toutes les fois où il était avec Jensen, à ses concerts ou à des fêtes, l'été. Will partait rarement seul. La plupart du temps, il ramenait une fille avec lui. Je demandais : « Où est Will ? » Mon frère riait en regardant autour de lui : « Je ne pense pas qu'on le reverra ce soir. »

* * *

La plupart des doutes que j'ai eus lorsque Will m'a exposé le topo du troisième rendez-vous s'apaisent quand Dylan et moi entrons dans le restaurant.

Dylan voulait m'emmener dans un restaurant que je ne connaissais pas – ce n'est pas difficile, j'ai passé trois ans à New York sans jamais sortir. Le taxi nous dépose au Daniel, entre Park Avenue et la 65e Rue, il sourit fièrement.

Si j'avais dû imaginer un restaurant romantique, il aurait ressemblé à cela : des murs crème, aux détails argentés et bruns, des arcades et des colonnes grecques qui jalonnent la salle principale. Des tables rondes drapées de nappes somptueuses, des vases remplis de fleurs partout et d'énormes lustres. Rien à voir avec le restaurant de la dernière fois. Il a mis la barre haut.

Je ne suis pas prête.

Le dîner commence assez bien. Nous choisissons les entrées, il commande une bouteille de vin. Rien d'exceptionnel. Je me suis promis de ne pas envoyer de message à Will – s'il peut se retenir, moi aussi –, mais Dylan part aux toilettes et je cède.

Mon troisième rendez-vous est un échec.

Il répond presque immédiatement : Quoi ? Impossible. Tu as vu ton professeur ?

Il a commandé une bouteille très chère et a eu l'air vexé quand j'ai refusé d'en boire. Ça ne te dérange jamais, toi, que je ne boive pas d'alcool.

Je vois qu'il commence à taper – un long message, vu le temps qu'il met –, j'attends en parcourant la salle du regard pour voir si Dylan revient.

C'est parce que je suis un génie : je te verse un demi-verre de vin, tu fais semblant de le boire pendant tout le dîner, je garde le reste de la bouteille pour moi. Boum, le mec le plus intelligent de la Terre.

Je pense que ce n'est pas son avis.

Dis-lui que tu t'amuses bien plus quand tu ne t'endors pas à cause de l'alcool. Pourquoi m'envoies-tu des textos, d'ailleurs ? Où est le prince charmant ?

Toilettes. On s'en va.

Il répond au bout d'une minute : Oh ?

Ouais, chez moi. Il revient. Je te raconte plus tard.

* * *

Le trajet jusqu'à mon appartement est bizarre. Règles stupides, attentes, Google, imbécile de Will qui m'a convaincue.

Je ne comprends pas ce qui m'arrive. Je ne *désire* pas vraiment Will. Will a un programme de plans-cul et un passé trouble. Will ne veut pas s'attacher ni vivre une vraie relation, et je voudrais au moins me laisser cette chance. Will n'est pas une option, il ne fait même pas partie de mon plan. J'aime le sexe, j'ai envie de faire l'amour. Voilà comment ça se passe. Un garçon rencontre une fille, le garçon plaît à la fille, la fille laisse le garçon lui mettre la main dans le pantalon. Je suis prête à ce qu'on fourrage dans ma culotte. Donc, pourquoi cette impatience, cette chaleur entre mes jambes et dans mon ventre quand j'ai attiré Will dans la chambre? Cette sensation m'a forcée à sortir de chez moi à trois heures du matin, alors qu'il neigeait. Avec le désir de m'abandonner à ses mains.

Je ne ressens rien de tel avec Dylan.

Nous arrivons chez moi, il fait nuit noire, la neige commence à peine à tomber. J'allume la lumière, Dylan reste près de la porte d'entrée en attendant que je l'invite à entrer. Je suis en mode autopilotage. Mon ventre est noué, il y a tellement de bruit dans ma tête que j'ai envie de mettre de la musique pour faire taire mon cerveau.

Devrais-je? Ou non? En ai-je envie?

Je lui propose un dernier verre, il accepte. Nous entrons dans la cuisine, je sors des verres, une bouteille et il fait le premier pas.

Je lui tends son verre, surprise qu'il soit soudain si près de moi. Je sens tout de suite que ça ne me convient pas.

Dylan prend le verre et le repose sur le comptoir. Il me caresse la joue et le nez. Il tient mon visage entre ses mains. Il m'embrasse, hésitant. Un baiser léger puis un autre. Je ferme les yeux en sentant sa langue, mon cœur bat plus fort, je préférerais que ce soit de désir plutôt que de panique.

Il embrasse trop maladroitement. Ses lèvres sont trop douces. Des lèvres comme des oreillers. Son haleine a un goût de pomme de terre. Ses doigts sont doux et délicats, il met de la crème ou quoi? Je me gratte le nez, en imaginant Will mettre de la crème pour faire des choses très très cochonnes.

Euh… pourquoi suis-je en train de penser à Will? *Un peu de concentration, Hanna.*

J'entends l'horloge de la cuisine faire tic-tac, l'un de mes voisins crie. Était-ce pareil quand j'embrassais Will? J'étais obsédée par son odeur, la sensation de sa peau, mon excitation folle. Je n'étais pas en état d'entendre les camions-poubelle dans la rue.

— Qu'est-ce qui ne va pas? demande Dylan en s'écartant.

Je touche mes lèvres, elles n'ont rien, elles ne sont ni gonflées ni éraflées. Rien du tout.

— Ça ne va pas fonctionner.

Il reste silencieux tout en me dévisageant, l'air gêné:

— Mais je croyais…

— Je sais. Je suis désolée.

Il hoche la tête, passe les mains dans ses cheveux.

— Bon… Si c'est à cause de Will, adresse-lui mes félicitations.

Je ferme la porte derrière lui, m'appuie contre le bois froid. Je sens le poids de mon téléphone dans ma poche. Je l'attrape et commence à écrire un message à Will.

J'efface une douzaine de messages différents avant d'arrêter mon choix. Je le tape et j'appuie sur « envoyer » sans réfléchir.

Où es-tu ?

CHAPITRE 10

Franchement, je ne sais pas ce qui m'a pris. Je marche – je marche comme si j'avais une destination en tête. Mais en réalité, ça n'a aucun sens. Je ne *devrais* pas me diriger vers l'immeuble d'Hanna.

Ouais, chez moi. Il revient, je te raconterai.

Je referme les poings en me souvenant de ses mots exacts – ils me brûlent le cerveau. L'image d'elle dans les bras de Dylan est encore plus insoutenable. Ma poitrine est douloureuse. J'ai envie de tout casser sur mon passage.

Il fait froid, si froid que je souffle de la fumée. Mes phalanges gèlent, même enfoncées dans mes poches. Quand j'ai reçu son texto, je suis sorti de chez moi en courant, sans gants, avec un manteau trop léger, en baskets et sans chaussettes.

En l'espace de sept pâtés de maisons, je la maudis de me faire ça. Tout allait bien avant qu'elle ne fasse irruption dans ma vie avec ses bavardages et ses yeux de diablotin. Tout allait bien avant qu'elle s'immisce dans mon quotidien. J'aimerais que Dylan sorte de chez elle pour que je puisse lui dire ses quatre vérités, que je la déteste d'avoir tout bouleversé autour de moi.

Je m'approche, il y a de la lumière dans son appartement, je vois l'ombre de deux corps enlacés. Mon seul soulagement, c'est qu'ils ne sont pas encore au lit.

J'enfonce mon bonnet sur ma tête, en jurant entre mes dents. Je cherche des yeux un café. Mais il n'y a que des immeubles, des boutiques de vêtements fermées depuis longtemps, au loin un petit bar. La dernière chose dont j'ai besoin, c'est un verre d'alcool. Autant rentrer chez moi.

Combien de temps attendrai-je ici ? Tant qu'elle ne m'aura pas envoyé de message ? Jusqu'au lever du jour, quand ils se lèveront tous les deux, épuisés par leurs étreintes, souriant bêtement après leur nuit d'amour ? Où Hanna aura été si parfaite et Dylan tellement décevant ?

Je grogne en regardant un homme sortir de l'immeuble, le col de son manteau relevé à cause du vent. Mon cœur bat plus fort. C'est Dylan. Le soulagement me submerge. Je l'ai instantanément reconnu, ce qui en dit long sur ma capacité à espionner Hanna. J'attends de voir s'il va revenir sur ses pas, mais il continue à marcher sans se retourner.

Ça y est. Tu as franchi une limite, maintenant, il faut que tu reviennes à la raison et que tu repartes dans l'autre direction.

Et si elle voulait me voir ? Je devrais rester pour m'assurer qu'elle va bien avant de rentrer chez moi. Je fixe mon téléphone, les sourcils froncés. Si je pars maintenant, j'irai faire un jogging. Je me fous de savoir qu'il est vingt-trois heures, je courrai pendant des kilomètres et des kilomètres. Je suis soulagé et frustré, nerveux et plein d'énergie. J'ouvre notre fil de conversation, les doigts tremblants.

Elle tape quelque chose. Je soupire.

J'agrippe mon téléphone, les yeux fixés sur l'écran, en attendant que son message apparaisse. Enfin ! Alors que je croyais voir un paragraphe entier, je lis : Où es-tu ?

J'éclate de rire, passe les mains dans mes cheveux et prends une grande inspiration. Je tape : OK, ne me tue pas. Je suis devant chez toi.

* * *

Hanna sort de l'immeuble avec un gros manteau qu'elle porte sur une robe en soie bleue, les jambes nues, des chaussons Kermit la Grenouille aux pieds. Elle s'approche de moi à pas rapides. Je suis incapable de bouger, j'ai du mal à respirer.

— Que fais-tu ici ? me demande-t-elle en me voyant assis sur une borne-fontaine.

— Je ne sais pas.

Je l'attire vers moi pour la prendre dans mes bras. Je la serre contre mon torse, elle grimace – *que m'arrive-t-il ?* – mais elle se laisse faire.

— Will…

— Ouais ?

J'ose finalement la regarder. Elle est *belle*, putain. Son maquillage léger met en valeur son beau visage, ses cheveux légèrement bouclés se déploient sur ses épaules. Son regard a la même intensité que quand je l'ai enlacée par terre, dans mon salon, ou quand j'ai glissé les doigts sur son clitoris. Je fixe sa bouche, qu'elle humecte.

— Dis-moi ce que tu fais ici.

Je hausse les épaules en appuyant mon front contre sa poitrine.

— Je ne pouvais pas supporter l'idée que quelqu'un d'autre te possède.

Elle glisse les doigts dans le col de mon manteau, me caresse le cou.

— Ouais. Dylan voulait coucher avec moi.

Instinctivement, je la serre plus étroitement.

— Ça ne m'étonne pas.

— Mais… je ne savais pas comment faire. C'est censé être simple, non ? Il devrait être facile de m'amuser avec quelqu'un qui me plaît. Je le trouve charmant. Je m'amuse avec lui ! Il est gentil et attentionné. Il est drôle et beau.

Je préfère ne rien répondre.

— Mais en l'embrassant, je n'ai pas ressenti ce que je ressens avec toi.

Je m'écarte un peu pour étudier son expression. Elle hausse les épaules, comme pour s'excuser.

— Il a agi comme un gentleman ce soir.

— Bien.

— Il n'a même pas eu l'air énervé quand je lui ai demandé de partir.

— *Bien*. Hanna, s'il avait insisté, je lui aurais arraché les couilles et…

— *Will.*

Je ferme la bouche pour la laisser parler. Pour la première fois de ma vie, je me fous de savoir ce que nous ferons. Si elle me demande de partir, je partirai. Si elle me demande de l'aider à fermer son manteau, je le ferai.

— Tu montes ?

Mon cœur bat soudain la chamade. Je la regarde longuement, elle ne semble pas changer d'avis, elle ne se détache pas de mon regard, elle n'éclate pas de rire. Elle attend ma réponse. Je me lève, elle s'éloigne pour me laisser un peu d'espace, mais pas trop. Je suis toujours près d'elle. Elle me caresse le dos, m'attrape par la taille.

— Si je monte chez toi…

Elle acquiesce :

— Je sais.

— Je ne sais pas si je pourrai me retenir.

Son regard s'assombrit, elle se blottit contre moi.

— Je *sais.*

* * *

L'ascenseur est faiblement éclairé. Hanna s'est installée dans un coin, elle m'observe, debout dans la cabine sombre.

— Tu penses à quoi ? demande-t-elle.

Je pense à *tout,* je rêve de ce que je ferai, je panique en me demandant si je parviendrai à contrôler mes émotions. J'imagine ce que je ferai avec cette fille dans son lit.

— À beaucoup de choses.

Je la vois sourire malgré l'obscurité.

— Tu pourrais être plus précis ?

— Je ne suis pas content que ce mec soit venu chez toi ce soir.

Elle hoche la tête en me jaugeant :

— Je pensais que c'était ce qu'on faisait avec les garçons. Parfois, ils montent.

— Je sais. Tu m'as demandé à quoi je pensais, je te réponds.

— C'est un type bien.

— Je n'en doute pas. Mais il pourrait être un type bien qui ne t'embrasse pas.

Elle se redresse :

— Tu es jaloux ?

Je la dévisage en acquiesçant.

— De *Dylan* ? Je sais qu'il n'a rien de spécial. Mais oui, je suis jaloux parce qu'il passe du temps avec toi.

— Mais toi, tu vois bien Kitty et Alexis !

Je ne prends pas la peine de rectifier.

— Tu y pensais quand tu étais avec lui ?

Son sourire faiblit un peu :

— Je pensais surtout à toi. Je me demandais si tu étais seul.

— Oui. Je n'étais avec personne en particulier.

Ça a l'air de la bouleverser. Elle reste silencieuse un long moment. Nous arrivons à son étage, les portes s'ouvrent avec un petit ding. La cabine d'ascenseur est toujours aussi calme.

— Pourquoi ? demande-t-elle. Tu n'es pas avec Alexis le samedi soir ?

— Comment peux-tu *savoir* ça ? je lui demande en sentant une bouffée de colère envers la personne qui lui a donné cette information. Je n'étais pas avec elle ce soir. J'étais avec toi les deux samedis précédents.

Elle fixe ses pieds, pensive, avant de se concentrer sur mon visage.

— Ce soir, je pensais à ce que je voulais que tu me fasses. Et à ce que je voulais te faire. À toi, pas à Dylan.

Je m'approche dans l'obscurité, passe une main sur sa poitrine.

— Raconte-moi.

Je sens sa respiration s'accélérer. Je caresse les pointes de ses seins.

— Tu me léchais, commence-t-elle d'une voix tremblante. Jusqu'à ce que je jouisse.

— Bien sûr. Quand je le ferai, tu jouiras plus d'une fois.

Elle ouvre la bouche avant de poser sa main sur la mienne, sur sa poitrine.

— Tu m'allongeais sur le canapé, tu te branlais et tu éjaculais sur mes seins.

Je bande déjà. Putain, c'est une belle image.

— Ensuite ?

Elle secoue la tête, hausse les épaules, le regard ailleurs.

— *Tout le reste.* Tu t'occupais de mon corps. Je te mordais, c'était si bon. On baisait, et je faisais tout ce que tu voulais, ce n'était pas seulement bon pour moi, mais pour toi aussi.

J'en oublie mes mots, surpris :

— Ça te préoccupe ? Me donner du plaisir ?

Elle plante ses yeux dans les miens.

— Bien sûr, Will.

Je m'approche d'elle, elle doit renverser la tête en arrière pour continuer à me regarder. Je presse mon érection contre son ventre.

— Hanna, je n'ai jamais désiré quelqu'un comme je te désire. Vraiment. Je rêve de t'embrasser, seulement t'embrasser, pendant des *heures*, putain! Tu devines quel genre de baisers? Du genre à te donner tant de plaisir que tu ne souhaiteras plus rien d'autre.

Elle secoue la tête, sa respiration est hachée.

— Je ne connais pas non plus ces baisers, parce que je n'en ai jamais eu envie avant toi.

Elle passe les mains sous ma veste et sous mon T-shirt. Ses mains sont chaudes, mes abdominaux se contractent sous ses doigts.

— Je voudrais que tu écartes les jambes sur mon visage. Te prendre par terre, juste devant ton appartement parce que je n'en peux plus d'attendre. Je ne désire plus personne d'autre que toi, ce qui signifie que je suis obligé d'aller courir à des heures indues, ou que je me branle en pensant que ma main pourrait être la tienne.

— Sortons de l'ascenseur, murmure-t-elle en me poussant dans le couloir.

Elle attrape maladroitement sa clé, mes mains tremblent en la prenant par la taille. Je me contrôle pour ne pas la lui arracher des mains et l'enfoncer dans la serrure moi-même.

Elle parvient finalement à ouvrir la porte, je la pousse à l'intérieur en claquant la porte derrière nous. Je la plaque contre le mur. Je lèche son cou, ses joues, en caressant sous sa jupe la peau douce de ses cuisses.

— Dis-moi d'arrêter si je vais trop vite.

Ses mains tremblent dans mes cheveux, ses ongles s'enfoncent dans mon crâne.

— Non.

Je l'embrasse, du menton à la bouche, je la suce et je la lèche, en appréciant la douceur de ses lèvres. Je veux qu'elle me lèche, qu'elle laisse des marques de morsure sur ma poitrine. Je veux sentir ses dents s'enfoncer dans la peau de mes hanches, mes cuisses, mes doigts. Je me refuse à cesser de la caresser, je m'écarte juste assez pour nous débarrasser de nos manteaux, de mon T-shirt, de sa robe. Je défais son soutien-gorge d'une pression des doigts, elle le fait tomber. Ses seins se collent à ma poitrine, j'ai envie de me frotter contre elle, violemment, et de la baiser.

Elle m'attrape par la main et m'attire dans sa chambre avec un petit sourire.

Sa chambre est bien rangée. Elle est très simple : un grand lit placé contre un mur, à part ça, je ne vois rien. Elle ne porte qu'une culotte, ses cheveux sont lâchés sur ses épaules. Elle détaille ma poitrine, mon cou, mon visage.

Nous ne brisons pas le silence.

— J'ai imaginé ce moment tant de fois, dit-elle en caressant mon ventre et les poils de ma poitrine.

Elle touche mes tatouages sur l'épaule gauche, puis mon bras.

— Mon Dieu, on dirait que j'y pense depuis toujours. Mais tu es là... Je suis nerveuse.

— Tu n'as aucune raison d'être nerveuse.

— Dis-moi ce que je dois faire.

Je prends ses seins dans mes mains, je me penche pour les embrasser. Elle halète, s'accroche à mes cheveux. Je souris en mordant ses tétons.

— Tu pourrais commencer par ouvrir mon pantalon.

Elle défait ma ceinture et mon jean. J'adore la façon dont ses mains tremblent quand elle est excitée, ardente. J'admire son corps presque nu dans la lumière douce qui filtre de la rue : son cou, ses seins, sa taille fine, la courbure de ses hanches, ses longues jambes. Mes doigts descendent de son nombril à son pubis, sur sa culotte.

Je glisse un doigt sous la dentelle, dans sa chaleur.

— J'aime comme tu mouilles.

— Retire ton pantalon. Tu as toute la nuit pour me caresser.

Mon jean tombe sur mes chevilles en un clin d'œil. Je porte seulement un boxer, qu'elle n'a pas encore enlevé. Toujours fébrile, elle attend pour finir de me déshabiller. Je me dirige vers le lit en la tenant par la taille. Elle s'allonge, je monte sur elle. Les yeux gris d'Hanna sont grands ouverts, clairs et sincères. Elle est sublimement excitante.

Sa culotte bleu pâle fait ressortir la pâleur de sa peau, on dirait qu'elle est en porcelaine. Seul un petit grain de beauté, à côté de son nombril, prouve qu'elle est réelle.

— Tu as mis cette culotte pour lui?

Je n'ai pas réfléchi en posant la question. Elle fixe la dentelle, je contemple ses seins ronds. Elle répond:

— Je ne l'ai pas laissé retirer ma robe. Donc je ne pense pas l'avoir mise pour lui.

Je l'embrasse sur le ventre jusqu'à sa culotte. Hanna n'a jamais été timide, ou frivole, mais c'est tout nouveau. Elle s'appuie sur ses coudes, m'observe. Elle tremble, son cœur bat si vite que je le sens dans son cou. Ce n'est plus le jeu de «comment être une bombe sexuelle». C'est réel. Hanna est parfaite, allongée presque nue devant moi. Je me détesterais pour toujours si je déconnais maintenant.

— Eh bien, je fais comme si tu l'avais mise pour moi.

— Peut-être…

J'en attrape le bord avec les dents, elle claque contre ses hanches.

— Je vais faire comme si tu pensais toujours à moi, nue ou habillée.

Elle me scrute, surprise:

— Ces derniers temps, je pense toujours à toi. Ça t'inquiète?

Je la regarde.

— Pourquoi ça m'inquiéterait?

— Je te connais, Will. Je ne peux pas te demander ce que tu n'es pas capable de me donner.

Je ne vois pas ce qu'elle veut dire. À la vérité, je ne sais pas ce dont je suis ou ne suis pas capable. Pour une fois, je n'ai pas envie de tout définir à l'avance. Je caresse son visage, toujours sur elle, et je l'embrasse en murmurant :

— Je ne sais pas par où commencer...

Je me sens totalement excité, légèrement brutal. J'ai envie de l'entendre gémir, de la baiser, de sentir ses lèvres sur moi. Je sens l'angoisse monter : et s'il s'agissait seulement de l'affaire d'une nuit ? Et si je n'avais que quelques heures ?

— Je ne compte pas te laisser dormir.

Elle écarquille les yeux en souriant :

— Je n'ai pas sommeil. Commence par ce que je t'ai dit dans l'ascenseur.

Je l'embrasse dans le cou, sur la poitrine, sur le ventre. Sa peau est ferme et douce, elle frémit sous mes lèvres, *pleine de désir.* Elle ne ferme les yeux à aucun moment, pas même une fois. J'ai déjà couché avec des filles qui m'observaient comme ça, mais je n'ai jamais ressenti cette connexion intime avec elles.

— Tu aimes regarder ?

Elle acquiesce.

— Pourquoi, Prune ? Pourquoi regardes-tu tout ce que je fais ?

Elle hésite, avale sa salive avant d'avouer :

— Tu sais comment...

Elle termine sa phrase pas un haussement d'épaules.

— Tu aimes me regarder parce que je sais te faire jouir ?

Elle acquiesce, les yeux brillants. Je retire lentement sa culotte.

— Toi aussi tu sais te faire jouir avec la main. Tu regardes ta main quand tu te caresses ?

— Non.

Je descends sa culotte sur ses jambes avant de la jeter sur le sol. Je me place entre ses jambes écartées.

— Tu as un vibromasseur ?

Elle acquiesce, étonnée.

— Ça te fait jouir. Regarder ton vibromasseur t'excite autant que ça ?

Je glisse un doigt dans sa chatte puis dans sa bouche. Elle gémit, lèche mon doigt avant de m'attirer à elle pour m'embrasser. Ses lèvres ont le goût de son sexe, elles sont brûlantes, *putain,* j'ai envie de la lécher.

— Tu aimes me regarder te faire des choses ?

— Will...

— Ne joue pas à la timide maintenant.

Je mordille sa lèvre inférieure.

— Tu regardes comment un homme te lèche la chatte d'un œil technique ? Ou est-ce *ma* bouche ?

Elle me caresse la poitrine, puis le sexe sur mon boxer.

— J'aime *te* regarder.

Je souffle :

— J'aime que tu me regardes. Mon esprit se déconnecte totalement quand tes yeux gris se posent sur moi.

— Je t'en prie...

— Laisse-toi aller, tu pourras regarder ma bouche.

— Will... dit-elle, la voix tremblante.

— Ouais ?

— Ne me brise pas. Après ça.

Je scrute son visage. Elle a l'air excitée et effrayée.

— Bien sûr que non.

Je l'embrasse dans le cou, sur la poitrine. Je la lèche, je la suce. Je descends sur son corps, ses cuisses tremblent quand je les ouvre, je souffle sur sa peau brûlante.

Elle se redresse sur les coudes, je lui souris une dernière fois avant d'embrasser son sexe. Mes yeux se ferment, je la lèche doucement, enivré par sa chaleur.

Elle crie brièvement, sa tête retombe en arrière, elle se cambre sur le lit.

— Oh mon Dieu...

Je lui souris en léchant son pubis avant de me concentrer sur son clitoris. Des cercles, des cercles, encore des cercles.

— Ne t'arrête pas, murmure-t-elle.

Je n'en ai pas envie. *J'en suis incapable.* J'ajoute un doigt, puis deux, en les glissant sur son vagin trempé avant de la pénétrer d'un coup. Elle s'accroche à la tête de lit et mord dans l'oreiller. Elle gémit, suppliante et heureuse. Je fais tout pour que l'intensité ne diminue pas minute après minute.

Elle va bientôt jouir. Je la baise avec deux doigts, profondément. Je la lèche si fort que mes joues se creusent. J'admire son corps, ses seins parfaits et son long cou. Elle se cambre contre ma bouche. Hanna crie encore, son vagin se contracte.

Un.

Je bande tellement que je baise littéralement le matelas. Les muscles de ses cuisses se tendent, elle gémit plus fort. Elle enfonce les mains dans mes cheveux, et *putain,* elle commence à se frotter contre moi, les jambes écartées. Elle baise mon visage pendant plusieurs minutes. Je n'ai jamais eu l'impression de *baiser* en faisant un cunnilingus avant de connaître Hanna. Je me laisse aller à la sensation, en la dévorant avec avidité.

Elle jouit encore avec un cri très excitant, elle tire si fort sur mes cheveux que je passe près de jouir moi-même. Je suis incapable de détourner le regard, même une seconde. Je lèche sa peau soyeuse, totalement absorbé dans la sensation.

— Je t'en supplie, halète-t-elle, les jambes tremblantes, les yeux sombres et pleins de désir.

Elle s'appuie sur un coude, continue à me tirer les cheveux.

— Viens par ici.

Je retire mon boxer, colle ma queue à ses cuisses et je remonte en léchant tout son corps, du nombril à la base de ses seins, jusqu'à ses tétons.

J'ai envie de baiser chaque partie de son anatomie : la vallée entre ses seins, sa bouche aux lèvres pleines, ses fesses rondes, ses mains expertes. Mais à cet instant, je ne pense qu'à la chaleur de son sexe. Elle écarte les jambes plus largement et attrape une boîte de préservatifs sur sa table de nuit. J'observe sa poitrine qui rougit, en caressant ma queue, jusqu'à réaliser qu'elle me tend la boîte.

— Un seul suffira, je fais, amusé.

Elle s'entête à me tendre la boîte, l'air suppliant.

— Sors-en un.

— Je ne sais pas comment le mettre, gémit-elle, en essayant maladroitement d'ouvrir la boîte.

Elle déchire le carton, les préservatifs tombent sur son ventre. J'en attrape un que je déchire, avant de lui tendre la capote. Les autres s'éparpillent sur le lit.

— C'est très simple. Sors le préservatif et enfile-le sur ma bite.

Ses mains frémissent, d'excitation ou de peur. Je suis rassuré par la rapidité avec laquelle elle attrape mon sexe pour le recouvrir de latex.

Je sais instantanément que le préservatif est à l'envers. Elle le réalise au bout de quelques secondes et le jette avec un grognement : « Merde ! », avant d'en attraper un autre.

Je bande à fond, je suis si excité que mes dents grincent. Elle sort la deuxième capote, prend une minute pour l'observer et l'enfiler dans le bon sens cette fois. Ses mains sont chaudes, son visage est si près de ma queue que je sens son souffle sur mes cuisses.

Je vais la baiser, maintenant.

Elle le déroule bizarrement, les doigts sont trop hésitants, cela prend une éternité. Elle le glisse sur moi comme sur du cristal. Alors que je suis prêt à la baiser si fort que le lit fera s'effondrer le plafond des voisins.

Elle arrive enfin à la base de ma queue, soupire de soulagement, s'allonge devant moi. Je retire le préservatif et le jette par terre avec un sourire diabolique.

Je serre les dents :

— Encore une fois. Ne sois pas si hésitante. Enfile le préservatif sur ma bite pour que je puisse te *baiser.*

Elle me fixe, les yeux pleins de confusion. Finalement, ils s'éclaircissent, comme si elle avait compris où je voulais en venir : *Je ne veux pas te sentir incertaine. Je bande comme jamais, j'ai léché ta chatte jusqu'à te faire crier, je ne suis pas délicat, putain.*

Elle déchire l'emballage avec les dents, les yeux plantés dans les miens, et déroule le latex. Elle le retourne dans sa main et l'enfile sur ma queue, avec douceur et efficacité, en serrant très fort à la base. Elle caresse mes couilles avant de passer la main sur mes cuisses.

— C'est mieux comme ça ? murmure-t-elle, en me caressant sans sourire, sans froncer les sourcils.

J'acquiesce en effleurant sa joue :

— Tu es parfaite.

Elle soupire de soulagement, s'allonge sur le dos. Je me couche sur elle en collant ma queue à son sexe brûlant pour m'exciter. Mon désir m'étourdit. Mes hanches sont tendues, je suis prêt à la pénétrer, tout mon corps est douloureux, j'ai *besoin* de baiser cette fille.

Le contact de ma poitrine nue sur la sienne, de ses cuisses autour de mes hanches, me fait vibrer. C'en est trop. *Hanna* est parfaite.

— Fais-moi entrer en toi.

Elle halète, sa main s'aventure entre nous. Je ne lui ai pas laissé beaucoup de place. Je suis couché sur elle, peau brûlante contre peau brûlante. Elle me prend dans sa main et me guide vers son vagin, puis sur son clitoris, son mont de Vénus.

— Je risque d'être brutal.

Elle soupire et souffle : « Bien, bien. »

Je m'appuie sur mes mains et la regarde jouer avec ma queue. Ses yeux se ferment, elle gémit :

— Cela fait… longtemps.

Je la dévisage, elle se lèche les lèvres, ses cils battent. Elle observe ma queue contre sa peau.

— Combien de temps ?

Elle cligne des yeux :

— Trois ans.

J'avale ma salive, je l'embrasse.

— Je me contiendrai alors un peu.

Elle rit en secouant la tête.

— Je ne veux pas que tu sois doux, ni lent.

J'admire ses seins, son ventre, son sexe.

— Je pourrai toujours te goûter, je murmure en la couvant du regard.

Je n'ai jamais fait l'amour sans préservatif, j'en ai envie avec elle. L'idée me fait bander encore plus fort.

— Je n'oublierai jamais ton goût.

Hanna frémit sous moi, me place à l'entrée de son sexe.

Son corps ondule, ses lèvres s'ouvrent. Il est bouleversant de la voir accepter ce que nous allons faire, j'observe chaque petit mouvement, chaque frisson qui montre qu'elle est *prête* à faire l'amour. Elle fixe mes lèvres et calme ses mouvements frénétiques. Elle caresse ma poitrine, m'enlace :

— Will…

La tendresse que je lis dans ses yeux me force à réaliser pour la première fois ce qui m'arrive : je suis en train de tomber amoureux.

— Hanna, fais-je en l'embrassant.

Le soulagement me submerge. Je l'embrasse plus profondément. A-t-elle compris à la manière dont je la caressais que je sais maintenant ce que je fais – l'amour – ou sent-elle simplement son goût dans ma bouche, sans comprendre que mon monde tout entier vient de sortir de son orbite ?

Je prends de la hauteur pour la contempler en la pénétrant, désireux de sentir la douceur de son corps blotti contre le mien. Je veux me perdre en elle.

Putain.

Bordel de meeeerde.

Elle me fixe quand je m'enfonce en elle, puis son regard se brouille. Ses yeux sont vitreux, bouleversés, elle gémit profondément. Un petit frisson de douleur passe sur son visage. Je l'ai pénétrée de seulement quelques centimètres. Son vagin est serré, c'est bon, putain.

Je m'entends lâcher de très loin :

— Ouvre-toi, Prune. Bouge avec moi.

Hanna se détend, relève les jambes. Je m'enfonce plus profondément, nous haletons tous les deux. Elle se cambre, je suis entièrement en elle. Je sens ses cuisses brûlantes contre mes hanches, je grogne très fort.

— Je n'arrive pas à croire ce que nous faisons, murmure-t-elle, immobile sous moi.

— Je sais.

Je l'embrasse, sa bouche, ses joues, le coin de ses lèvres.

— Ce sera bon, je te le promets.

Elle acquiesce, son corps frémit pour m'inciter à la prendre plus vite. Je vais et viens, d'abord lentement, puis plus rapidement, perdu dans la sensation. Je la mords dans le cou, je deviens plus avide, plein de désir. Je l'embrasse sauvagement dans le cou. Ses mains explorent mon dos, mes fesses, mes bras, mon visage.

— Tout va bien ? Tu n'as pas mal ?

— C'est parfait.

Je ralentis en replaçant une mèche mouillée sur son front.

— Tu es magnifique.

Je veux faire monter son désir, pour qu'elle jouisse follement avec moi. Elle tremble quand j'accélère ; gémit, frustrée, quand je ralentis. Elle me fait confiance, j'ai envie de lui montrer que le sexe peut être bon, même langoureux, que nous avons tout notre temps.

Je l'embrasse, je suce sa langue, je la dévore, je suis fou d'elle. J'aime entendre sa voix rauque, ses prières. J'aime sentir son corps souple et transpirant contre le mien. J'aime qu'elle soit si complaisante. Je la pénètre de plus en plus fort. Elle accompagne mes mouvements, se cambre sous moi, je sais qu'elle approche de l'orgasme cette fois, et je ne peux ni m'arrêter ni ralentir.

— C'est bon ? je lui demande, la bouche contre son cou.

Elle acquiesce, incapable de répondre, en malaxant mes fesses. Ses ongles s'enfoncent dans ma peau. Je remonte sa jambe, ramenant son genou contre son épaule avant de me laisser aller, la baisant le plus fort que je peux.

C'est fou, c'est irréel, je suis sur le point d'exploser. Son corps se tend, tous ses muscles frémissent, elle transpire et me supplie dans une langue imaginaire.

— C'est ça… lui dis-je en me retenant de jouir moi aussi. Putain, Prune, tu jouis, oh…

Ses yeux se ferment, sa bouche s'ouvre, son corps tressaute sur le lit. Elle crie son plaisir. Je la pénètre pour faire durer la jouissance au maximum. Ses bras retombent, lourds et épuisés. Je m'appuie sur mes mains pour l'observer, me voir bouger en elle. Elle m'observe.

— Will… soupire-t-elle. Mon *Dieu.*

— Putain, c'est tellement bon. Tu es trempée.

Elle se redresse, glisse un doigt dans ma bouche pour que je le lèche. Je caresse son clitoris, je sais qu'elle n'en pourra bientôt plus, mais je voudrais la faire jouir encore une fois.

Au bout de quelques minutes, elle se cambre, ses hanches bougent plus frénétiquement.

— Will… Je…

— Chut…

J'observe ma main et ma queue qui coulisse en elle.

— Encore un.

Je ferme les yeux, concentré. Ses cuisses tremblent, son vagin se contracte quand elle jouit encore avec un cri rauque et surpris. Je me laisse enfin aller, la prenant plus fort et plus profondément, pour que le plaisir dure encore pour elle, les doigts pressés contre son clitoris. La tête d'Hanna est renversée en arrière, elle agrippe mes fesses, m'enfonce en elle. Ses yeux sont fermés, ses lèvres ouvertes, ses cheveux emmêlés. Je n'ai jamais vu une femme aussi belle de toute ma vie.

Elle me griffe le dos, en me dévisageant, fascinée. La sensation est merveilleuse : ses mains, son corps sous moi, ses grands yeux ouverts.

— Dis-moi que c'est bon, murmure-t-elle, les lèvres brillantes et gonflées, les joues rouges, les cheveux trempés.

— Tellement bon… Je n'arrive plus… à penser.

Ses ongles s'enfoncent dans mon dos, je ne vais pas tenir longtemps. Ses griffures, la douleur et le plaisir d'être en elle. Le sang bat dans mes veines.

— Plus fort.

Elle se blottit contre moi, me mord les épaules, la poitrine.

— Jouis ! halète-t-elle en me griffant. Je veux te *sentir* jouir.

J'ai l'impression de vivre enfin. Chaque centimètre carré de ma peau est brûlant. Je la regarde : ses seins ballottent sous mes à-coups, sa peau en sueur brille, son cou est couvert de marques de morsure, comme ses épaules et ses joues. Je lève les yeux pour rencontrer les siens, et j'explose. Elle me fixe, c'est elle – *Hanna*, cette fille que je vois tous les matins et qui me rend plus amoureux d'elle chaque fois qu'elle ouvre la bouche.

C'est tellement intime et tellement réel. Je jouis en criant fort, envahi par une vague de plaisir si intense que j'oublie tout. Elle murmure :

— Reste en moi pour toujours.

— Continue à me dire ce que tu penses. N'arrête jamais de me demander ce que tu veux.

— Promis.

Je lui appartiens.

Chapitre 11

Quand je me réveille, je sens que Will s'est levé.

Une lumière bleu pâle filtre à travers la fenêtre, je cligne des yeux dans l'obscurité en essayant de détailler les formes autour de moi – la porte, l'armoire, sa silhouette qui disparaît dans la salle de bains.

J'entends l'eau couler, la porte de la douche s'ouvrir et se refermer. Je pense un instant à le rejoindre, mais je suis incapable de bouger : mes muscles sont en coton, mon corps lourd s'enfonce dans le matelas. Entre mes jambes, je ressens une douleur profonde et peu familière. Je m'étire, puis je serre les cuisses pour la sentir encore. Mémorable. Ma chambre sent le sexe et Will. Sa présence m'étourdit. Sa peau nue se trouve à quelques mètres de moi. Mes bras, mes jambes, mon ventre sont durs comme du granite. Que faire maintenant ? Reviendra-t-il au lit ? Le referons-nous ? C'est comme ça que ça se passe ?

Mes pensées glissent vers Kitty et Alexis, je ne peux m'empêcher de me demander si ce qui s'est passé cette nuit est un classique de ce qu'il fait avec d'autres femmes. S'il les prend de la même manière, s'il gémit pareil, s'il leur dit également que c'est bon. Quand les voit-il ? J'ai envie de le lui demander, pour en avoir le cœur net. Mais j'ai peur de sa réponse.

Je passe la main dans mes cheveux emmêlés, en repensant à la veille : Dylan et notre dîner désastreux, Will, ce que j'ai ressenti quand j'ai su qu'il était devant mon immeuble. Inquiet. Il m'attendait. Il m'attendait. Et puis notre nuit. Mes sentiments. Je ne pensais pas que le sexe pouvait être comme ça : doux et brutal, en alternance, pendant des heures. C'était renversant, à certains moments, je pensais que j'allais exploser s'il ne s'enfonçait pas plus profondément en moi.

J'entends le bruit familier du robinet que Will fait tourner. Je jette un coup d'œil vers la porte. Le filet d'eau diminue, plus aucun bruit ne vient de la salle de bains. Il sort de la douche, prend une serviette sur le radiateur, se sèche.

Il revient dans la chambre, nu, le corps nimbé par la lumière de la lune. Je m'assois sur le bord du lit. Il s'arrête devant moi, sa queue durcit sous mon regard.

Mon cœur bat si fort que j'en ai le tournis. Je rêve de le toucher, de le *goûter.*

— C'est vrai ce que tu m'as dit ? demande-t-il de sa voix grave.

Je plante mes yeux dans les siens.

— Tu n'as jamais sucé personne ?

— Pas vraiment. À peine.

Il se caresse la queue en s'approchant de moi.

— On dirait que tu en as envie.

J'acquiesce :

— Je voudrais savoir quel goût tu as.

Il effleure mes lèvres de son gland, une goutte de sperme s'y étale. Je sors ma langue pour la lécher, il gémit profondément. Sa main attrape la base de sa queue, je prends son gland dans la bouche.

— Ouais... C'est tellement... bon.

Je ne sais pas à quoi je m'attendais, mais certainement pas à être aussi excitée par la fellation en soi. Ni à ressentir ce sentiment de puissance. Je suis faite pour rendre cet homme fou. Il passe les mains dans mes cheveux, je ferme les yeux. Il respire fort, je l'avale de plus en plus profondément. Il halète.

— Stop… fait-il, essoufflé comme s'il venait de courir un marathon. J'adore te laisser jouer avec moi, Hanna, vraiment. Ta langue et tes lèvres, bordel…

Il effleure ma bouche.

— Mais je suis trop excité.

Je sais exactement ce qu'il ressent. Mon corps frémit, mon cœur bat follement. Je referme les cuisses, sentant un désir de plus en plus impatient s'y loger. Il se penche, m'embrasse et murmure :

— Allonge-toi sur le ventre, Prune. J'ai envie de te baiser comme ça.

J'acquiesce et je m'exécute. Mon esprit est trop embrumé pour réfléchir clairement. Le lit grince, je le sens derrière moi qui s'installe entre mes jambes écartées. Il me caresse les cuisses et les fesses. Il agrippe mes hanches, ses mains me brûlent la peau, et il pousse sur mes genoux pour que je m'allonge complètement. Ses doigts sont trempés par mon désir. Il les essuie sur mes jambes. Mon cœur bat dans ma poitrine, je me ferme à tout sauf à la sensation de sa peau, de ses lèvres, de ses cheveux dans mon dos.

J'ai toujours su pourquoi les femmes désiraient Will. Il n'est pas beau comme Bennett, il n'est pas tendre comme Max. Il est viril et imparfait, sombre et *il sait y faire.* Il lui suffit de regarder les femmes pour savoir ce qu'elles souhaitent.

Maintenant, je comprends pourquoi elles perdent la tête à cause de lui. Parce qu'il *sait vraiment* ce que veulent les femmes, ce que je veux. Il met la barre très haut avant même la première caresse. Il se penche derrière moi, m'embrasse l'oreille et demande : « Tu crois que tu crieras quand tu jouiras cette fois ? » Je *perds* alors complètement la raison.

Il tend le bras, attrape un préservatif. Je l'entends déchirer l'emballage et l'enfiler sur son sexe. Je me rappelle que le préservatif est ridiculement serré sur sa queue. Je veux qu'il se hâte. Je veux qu'il se hâte de me baiser, pour faire disparaître la douleur que je ressens tant il m'excite.

Ses mains sont glacées, il les pose dans le bas de mon dos, je retiens ma respiration. Il me scrute. Je tremble. Je vois ma main agripper les draps blancs dans l'obscurité. Je sens les muscles de ses jambes contre les miennes, son gland sur mes fesses. À chaque glissement de nos peaux l'une contre l'autre, je me cambre, je lève mes fesses pour modifier l'angle, en espérant qu'il me pénètre enfin.

Je sens sa bouche sur mon épaule, dans mon dos, sur mes côtes. Il est encore tôt, il fait froid dans ma chambre, je frissonne. Il m'embrasse, me goûte, me mordille.

Il me prend finalement, en murmurant dans le creux de mon oreille à quel point je suis merveilleuse sous cet angle, à quel point il me désire. Mon cœur va exploser.

Il est si épais, si dur. Il effleure ma peau et entre en moi. C'est si bon que j'en perds le souffle.

Oh! fais-je. Le gémissement vient du fond de ma gorge, c'est le seul mot que je suis capable d'articuler.

Oh! je ne savais pas que je ressentirais ça.

Oh! ça fait mal, mais c'est délicieux.

Oh! s'il te plaît, n'arrête jamais. Plus fort, plus fort.

Will acquiesce comme si j'avais formulé ces pensées à haute voix. Il bouge plus lentement, plus profondément. Nous venons de commencer, mais c'est déjà tellement bon, tellement parfait. Je sens sa queue en moi, et suis déjà si proche de l'orgasme.

— Tout va bien?

J'acquiesce, bouleversée. Il me pénètre, je m'enfonce dans le matelas, l'excitation me submerge.

— Putain, regarde-toi.

Sa main s'attarde sur mon épaule, dans mes cheveux. Il m'enlace et me place comme il le souhaite. De la chaleur monte dans mon ventre et entre mes jambes. L'idée qu'il utilise mon corps pour jouir m'excite. Je ne me suis jamais sentie aussi sexy de toute ma vie.

« Je savais que ce serait comme ça », lâche-t-il, mais je ne suis pas en état de comprendre ce qu'il vient de dire. Je suis sur le point de m'effondrer. Je me relève sur les coudes, le visage dans l'oreiller. Les draps sont froids contre ma joue, je ferme les yeux, m'humecte les lèvres en appréciant la sensation de son corps contre le mien. Nos respirations sont courtes. C'est tellement bon, j'étire les bras au-dessus de ma tête, je m'accroche à la tête de lit, mon corps se tend à se briser. Ce sera sûrement le cas quand je jouirai.

Ses cheveux sont trempés dans mon dos, j'imagine à quoi il ressemble : sur moi, appuyé sur les bras, allant et venant dans mon sexe, le lit pliant sous notre poids.

Je me rappelle quand je me cachais sous la couette pour imaginer l'acte, en me caressant, hésitante, jusqu'à jouir. Je ressens le même sentiment d'interdit, mais c'est tellement mieux maintenant, tellement plus agréable que tous mes fantasmes et mes rêves secrets réunis.

— Encore, je fais. *Plus fort.*

Il est si proche de l'orgasme que je sens la chaleur de chacune de ses respirations sur sa peau. Je sens frémir chacun de ses muscles, sa respiration change, il fait plus de bruit.

— Jouis pour moi, Hanna, crie-t-il en accélérant.

Je glisse la main entre le matelas et mon corps transpirant pour trouver mon clitoris gonflé. Il me faut seulement quelques secondes, quelques cercles de mes doigts pour arriver à l'orgasme. Je tremble de tous mes membres. Je suis engloutie par une vague de plaisir si violente que mes os en vibrent, je le jure.

Je n'entends plus rien, son corps se raidit contre le mien, ses muscles se tendent. Il gémit profondément contre mon cou.

Je suis épuisée : mes membres se relâchent, mes articulations sont douloureuses. Ma peau est brûlante, je suis si fatiguée que je pense ne plus jamais être capable d'ouvrir les yeux. Will attrape le préservatif et le retire avec précaution. Il descend du lit et retourne dans la salle de bains. Le bruit de l'eau, encore.

Quand je le sens revenir sur le matelas, je suis à peine consciente.

* * *

Une odeur de café me tire du sommeil. Le lave-vaisselle s'ouvre, la vaisselle s'entrechoque. Je cligne des yeux pour finir de me réveiller. Je n'ai pas rêvé.

Il est toujours là. Qu'allons-nous faire maintenant ?

Les événements de la nuit dernière se sont déroulés sans que j'y aie réfléchi une seconde : j'ai fait taire mon cerveau et j'ai écouté mes désirs. Ce que je voulais, c'était *lui*, et il me désirait aussi. Maintenant, le soleil s'est levé, le monde entier s'éveille, respire dehors. Je me demande ce qui m'attend. Les incertitudes abondent.

Mon corps est raide et douloureux. Comme si j'avais fait mille abdominaux. Mes cuisses et mes épaules me font mal. Mon dos est courbaturé. Mon entrejambe me lance, comme si Will m'avait pénétrée toute la nuit.

Tu parles.

Je descends du lit, me dirige sur la pointe des pieds dans la salle de bains en refermant la porte avec précaution. Je ne parviens pas à empêcher le verrou de se refermer bruyamment.

Je n'ai pas envie que la gêne s'installe entre nous, que nous nous sentions mal à l'aise l'un envers l'autre. Je ne sais pas ce que je ferais si je perdais son amitié.

Je me brosse les dents et me coiffe, j'enfile un caleçon d'homme, un débardeur et me dirige vers la cuisine pour lui dire que rien ne doit changer entre nous.

Je le trouve en face des plaques de cuisson dans son boxer, en pleine préparation de crêpes. Il me tourne le dos.

— Bonjour, dis-je en traversant la pièce pour me verser un café.

— Bonjour, répond-il en souriant.

Il attrape mon débardeur pour m'attirer à lui et m'embrasse rapidement sur les lèvres. J'ignore le mouvement de joie enfantine qui m'étreint et prends une tasse dans l'armoire.

Ma mère servait le petit déjeuner tous les dimanches dans cette cuisine, quand nous étions en vacances ici. Elle avait insisté pour que la cuisine puisse contenir sa famille en constante expansion. La pièce est deux fois plus grande que les autres. Des armoires couleur cerise et un carrelage aux teintes chaleureuses l'habillent. Les larges fenêtres donnant sur la 101e Rue occupent un mur entier, le comptoir en marbre est assez imposant pour qu'on y mange à sept ou huit. Il a toujours eu l'air démesuré par rapport au reste de l'appartement, et n'a pas grand sens depuis que j'y vis seule. Le souvenir de ma nuit tourne en boucle dans ma tête, ce torse parfait devant moi m'hypnotise, j'ai l'impression de me trouver dans une boîte à chaussures. Comme si les murs se resserraient et me poussaient dans la direction de cet homme parfait. J'ai besoin d'air.

— Tu es réveillé depuis longtemps ?

Il hausse les épaules, les muscles de ses épaules et de son dos se contractent. Je détaille ses tatouages.

— Un moment.

Je jette un coup d'œil à l'horloge, il est bien trop tôt pour être réveillé un dimanche matin, surtout après la nuit que nous avons passée.

— Tu n'arrivais pas à dormir?

Il retourne une autre crêpe, en place deux sur une assiette.

— Quelque chose comme ça.

Je me sers un café, les yeux fixés sur le liquide brun qui remplit la tasse et sur la fumée qui se dégage dans un rayon de soleil. La table est mise sur le comptoir, des napperons, deux assiettes, des verres de jus d'orange. J'imagine Will avec ses plans-cul. Leur prépare-t-il aussi le petit déjeuner? Avant de les laisser dans leur appartement vide, les jambes douloureuses et le sourire hagard?

Je secoue la tête en reposant la cafetière.

— Je suis contente que tu sois resté.

Il sourit, verse le reste de la pâte dans la poêle.

— Tant mieux.

Nous restons silencieux, je sors le sucre et la crème chantilly, avant de m'installer avec mon café de l'autre côté du comptoir.

— Je me serais sentie ridicule si tu étais parti. C'est plus facile comme ça.

Il retourne la dernière crêpe et lance:

— Plus facile?

— Moins bizarre.

Je voudrais que nos rapports restent cordiaux, que ça ne devienne pas toute une *affaire.* Je ne veux pas qu'il pense que je suis incapable de gérer l'amitié améliorée.

— Je ne suis pas sûr de comprendre, Hanna.

— Il est plus facile de dépasser le stade gênant du *je t'ai vu nu* maintenant que plus tard, lorsque l'on aura du mal à se rappeler comment on était avec des vêtements.

Il s'immobilise, les yeux fixés sur la poêle vide, l'air de ne pas comprendre. Il n'acquiesce pas, ne glousse pas, il ne me remercie pas d'avoir abordé le sujet avant lui. Maintenant, c'est moi qui ne comprends plus.

— Pour qui me prends-tu? lâche-t-il finalement en me faisant face.

— Je t'en prie. Tu sais bien qu'à mes yeux tu es capable de marcher sur l'eau, ou quelque chose dans le genre. Je ne veux pas que tu paniques ou que tu penses que je m'attends à ce que tu changes quoi que ce soit.

— Je ne panique pas.

— Je sais que notre nuit a des significations bien différentes pour tous les deux.

Il fronce les sourcils :

— Et c'était quoi pour toi ?

— Merveilleux. Une manière de me dire que même si ça n'a pas fonctionné avec Dylan, je peux avoir du plaisir avec un homme. Je peux me laisser aller et apprécier le moment. Je sais bien que ça ne changera pas qui tu es, mais ça m'a un peu changée. Donc, merci.

Will plisse les yeux.

— Et qui suis-je, selon toi ?

Je marche vers lui et me hausse sur la pointe des pieds pour l'embrasser sur le menton. Son téléphone vibre, le prénom « Kitty » apparaît sur l'écran. Ce qui répond à *sa* question. Je prends une grande inspiration et tourne la langue sept fois dans ma bouche pour trouver la bonne réponse.

Et puis j'éclate de rire en faisant un signe de tête vers le téléphone :

— Un homme à la hauteur de sa réputation.

Il fronce les sourcils, attrape son téléphone et le met en silencieux.

— Hanna, murmure-t-il, en m'attirant contre lui et en m'embrassant sur la tempe. Hier soir…

Je soupire. Nous nous emboîtons parfaitement, j'adore l'entendre dire mon prénom.

— Tu n'as rien à expliquer, Will. Je suis désolée d'avoir rendu ce moment gênant.

— Non, je…

Je place deux doigts sur sa bouche en grimaçant.

— Mon Dieu, tu dois détester la phase post-sexe, et je n'en ai pas besoin, je te le jure. Je peux gérer ça toute seule.

Il me dévisage. Que cherche-t-il dans mes yeux ? Il ne me croit pas ? Je l'embrasse doucement sur la joue, sentant son corps se détendre.

Ses mains se posent sur mes hanches.

— Je suis content que ça ne te pose pas de problème.

— Non, vraiment. Pas de gêne.

— Pas de gêne, répète-t-il.

CHAPITRE 12

Je ne rate jamais une occasion de courir, à moins d'être à l'article de la mort ou dans un avion. Donc lundi matin, quand j'éteins mon réveil pour rester au lit, je m'en veux terriblement. Je n'ai aucune envie de voir Hanna.

Je reconsidère cette réflexion: je n'ai pas envie de voir Ziggy rire et bavarder alors qu'elle m'a bouleversé il y a deux jours. Son corps, ses désirs... Si Ziggy arrive ce matin en faisant comme si la nuit de samedi n'avait jamais existé, j'en souffrirai énormément.

J'ai été élevé par ma mère, avec deux sœurs aînées qui m'ont obligé à comprendre, connaître, *aimer* les femmes. J'avais un jour expliqué à l'une des deux seules compagnes sérieuses de ma vie que mon aisance avec les femmes m'avait beaucoup aidé à la puberté, quand j'avais envie de coucher avec toutes celles qui passaient. Cette fille avait sous-entendu peu subtilement que je manipulais les femmes en faisant semblant de les écouter. Je ne lui avais pas donné l'occasion de le vérifier: nous avions rompu peu de temps après.

Mais mon aisance avec le sexe opposé ne m'aide pas spécialement avec Hanna. C'est une créature isolée, une *espèce* isolée. Elle met toute mon expérience en défaut.

Je me rendors et commence à rêver que je la baise sur un énorme tas d'équipement sportif. Une crosse de hockey s'enfonce dans mon dos, mais je n'en ai cure. Je la contemple. Elle ondule sur moi, les yeux plantés dans les miens, les mains sur ma poitrine.

Mon portable vibre sous mon dos, je me réveille en sursaut. Je regarde l'heure: j'ai beaucoup trop dormi, il est presque huit heures et demie. Je décroche sans prêter attention à la photo sur l'écran. Je suis sûr que Max s'inquiète de ne pas me voir au bureau.

— Ouais, mec. Je serai là dans une heure.

— Will?

Merde.

— Oh! salut.

Mon cœur se serre si fort dans ma poitrine que je dois étouffer un grognement.

— Tu dors encore? me demande Hanna, la respiration entrecoupée.

— Euh, ouais.

Elle se tait, j'entends le vent dans le combiné. Elle est dehors, le souffle court. Elle est allée courir sans moi.

— Désolée de t'avoir réveillé.

Je ferme les yeux en plaquant une main sur mon front.

— Pas de problème.

Elle reste silencieuse pendant de longues et douloureuses secondes, je fais défiler plusieurs conversations possibles dans ma tête. Dans l'une, elle me dit que je suis un connard. Dans l'autre, elle s'excuse d'avoir supposé que je la traiterais comme un plancul après la nuit que nous avons passée. Dans une autre encore, elle parle de tout et de rien, typique Ziggy. Ou alors dans une dernière, elle me demande de la rejoindre.

— Je suis allée courir. Je pensais que tu avais commencé sans moi et que je te croiserais sur la piste.

— Tu croyais que j'avais commencé sans toi? je fais en riant. Ce serait vraiment abominable.

Elle ne répond pas, je réalise trop tard que ne pas m'être déplacé, ne pas avoir pris la peine de lui téléphoner, est tout aussi abominable.

— Merde, Ziggs, je suis désolé.

Elle soupire :

— Donc je suis Ziggy aujourd'hui. Intéressant.

— Ouais, je marmonne en me détestant immédiatement. Non. *Putain,* je ne sais pas qui tu es ce matin.

Je sors de mes draps en priant mon cerveau hébété de se réveiller *maintenant.*

— Ça me perturbe de t'appeler Hanna.

J'ajoute en pensée : *Ça me donne l'impression que tu m'appartiens.*

Elle rit, commence à marcher, le vent fait encore plus de bruit dans l'appareil.

— Remets-toi, Will. Nous avons *couché ensemble.* Tu es censé connaître ça par cœur. Je ne te demande pas une clé de chez toi.

Elle se tait, mon corps se glace, je comprends que je n'aurais pas dû prendre mes distances. Elle pense que je la maintiens hors de mon existence. J'ouvre la bouche pour la détromper, mais elle me prend de court :

— Je ne te demande même pas de recommencer, sale con égocentrique.

Elle raccroche.

* * *

Je demande aux amis de déplacer notre déjeuner habituel du mardi au lundi parce que je viens de perdre la tête et les couilles. Personne ne trouve rien à redire. Je crois que j'ai atteint un niveau de désespoir où mes amis trouvent beaucoup moins drôle de me chambrer.

Nous nous retrouvons au Bernardin, nous commandons nos plats habituels. La vie semble se dérouler comme ces neuf derniers mois. Max embrasse Sara jusqu— 'à ce qu'elle le repousse, Bennett et Chloé font comme s'ils se détestaient pour raviver la flamme. Seule différence : je bois ma vodka en moins de cinq minutes, ce qui me vaut d'être regardé de travers par notre serveur habituel quand j'en commande une autre.

— Je pense que je suis devenu Kitty, dis-je une fois le serveur parti, profitant d'une pause dans la discussion animée de mes amis.

Ils sont heureux et futiles alors que je me décompose. Je précise :

— Avec Hanna, en scrutant leur visage pour voir s'ils comprennent. Je suis Kitty, putain ! Je proclame que le sexe sans attaches me convient alors que c'est faux. Je suis devenu du genre à dire que baiser le troisième mardi du mois me convient totalement, juste pour être avec elle. Elle répond des choses du genre « Oh ! on n'est pas obligés de se revoir ».

La main de Chloé s'approche dangereusement de mon visage.

— Une seconde, William. Tu la *baises* ?

Je me redresse, sur la défensive.

— Elle a vingt-quatre ans, pas treize, Chloé. Qu'est-ce que tu racontes, *bordel* ?

— Je m'en fous que tu la baises, ce qui est important, c'est que tu l'as baisée et qu'elle ne nous a pas immédiatement appelées. Quand ?

— Samedi. Il y a deux jours, calme-toi.

Elle se rassoit, apaisée.

Je me détends en attrapant mon nouveau verre au moment où le serveur le pose devant moi. Mais Max est plus rapide, il le met hors de ma portée.

— On a rendez-vous avec Albert Samuelson cet après-midi, hors de question que tu boives.

J'acquiesce en me frottant les yeux :

— Je vous déteste tous.

— Parce qu'on a eu raison ? demande Bennett à juste titre.

Je l'ignore. Sara demande doucement :

— Tu as mis les choses au clair avec Kitty et Alexis ?

Putain. Encore ça.

Je secoue la tête.

— Pourquoi ? Il ne se passe rien avec Hanna.

— À part que tu as des *sentiments* pour elle, insiste Sara, les sourcils froncés.

Je ne supporte pas de la voir désapprouver mes choix. Sara est la seule de mes amis qui me juge quand je le mérite.

— Je voulais juste éviter de provoquer un autre drame maintenant, je fais, pitoyable.

— Hanna a-t-elle dit qu'elle ne voulait rien de plus avec toi ? demande Chloé.

— C'est évident, vu son attitude dimanche matin.

Max acquiesce :

— Je déteste enfoncer des portes ouvertes, mec, mais pourquoi ne pas avoir eu la conversation « Will Sumner » avec elle ? Tu ne fais que démontrer la validité de ton argument selon lequel il vaut toujours mieux parler de tout plutôt que de laisser des questions en l'air.

— Parce qu'il est facile d'avoir ce genre de conversation quand tu sais ce que tu veux. C'est plus compliqué quand tu veux tout. Je n'ai jamais *dit* ça à personne. Je ne veux pas le faire avant d'en être sûr.

— Et alors, de quoi es-tu sûr ?

— Je suis sûr que je ne veux pas qu'elle baise ailleurs.

— Imaginons, commence Bennett, que tu découvres maintenant que Kitty couche avec quelqu'un d'autre.

Je hausse les épaules.

— J'imagine que c'est le cas. Tant qu'elle se protège, je m'en fous.

— Et si je te disais que je l'ai vue l'autre soir? Avec un mec?

Chloé grimace en me regardant, l'air gêné.

Une vague de soulagement me submerge:

— C'est vrai?

Elle secoue la tête.

— Non, mais ta réaction est claire.

* * *

Je me réveille à cinq heures et quart le lendemain, je sors en vitesse pour attendre Hanna devant son immeuble. Depuis qu'elle a pris goût à la course à pied, elle ne peut plus s'en passer.

Elle s'immobilise en me voyant, écarquille les yeux avant de retrouver sa contenance:

— Oh, salut Will.

— Bonjour.

Elle me dépasse en marchant, les yeux fixés devant elle. Elle passe à côté de moi, son épaule effleure la mienne, je vois à sa grimace que ce n'était pas intentionnel.

— Attends!

Elle s'arrête mais ne se retourne pas.

— Hanna...

Elle soupire:

— Aujourd'hui, c'est à nouveau Hanna.

Je marche vers elle pour lui faire face et pose les mains sur ses épaules. Elle frémit légèrement. Est-ce de la colère ou du désir que je ressens en la touchant?

— Ç'a toujours été Hanna.

— Pas hier, réplique-t-elle, l'air abattu.

— Hier j'ai déconné, d'accord? Je suis désolé de n'être pas venu courir, et je suis désolé d'avoir agi comme un enculé.

Elle me fixe, l'air ennuyé.

— Un sacré enculé.

— Je sais que je suis censé être celui qui sait ce qu'il fait, mais samedi soir, c'était différent pour moi.

Son regard s'adoucit, ses épaules se relâchent. Je continue d'une voix plus douce :

— C'était intense, d'accord ? Je sais que ça a l'air fou, mais j'ai été un peu étonné que tu le prennes aussi calmement le lendemain.

Je m'écarte un peu pour la laisser respirer. Elle me dévisage comme si je lui avais lancé un lézard en pleine figure.

— Comment étais-je *supposée* réagir ? Gênée ? Énervée ? Amoureuse ?

Elle secoue la tête :

— Je ne sais pas exactement où j'ai eu tort. Je pensais m'en être plutôt bien tirée. Je pensais avoir agi comme *tu* me l'aurais conseillé si j'avais été avec quelqu'un d'autre.

Elle rougit, je dois enfouir mes mains dans les poches de mon survêtement pour m'empêcher de la caresser.

Je prends une grande inspiration. C'est le moment où je pourrais lui dire : *J'ai des sentiments pour toi, comme je n'en ai jamais eu pour personne. Je lutte contre eux depuis le premier jour, il y a des semaines. Je ne sais pas ce que mes sentiments signifient, mais j'ai envie de le découvrir.*

Mais je ne suis pas prêt pour ça. Je fixe le ciel, déboussolé, sans savoir que faire. Après tout, il est normal de ressentir ça : je connais sa famille depuis toujours, j'éprouve une sorte de sentiment protecteur, le désir de ne pas déconner avec nos émotions. J'ai besoin de plus de temps.

— Je connais ta famille depuis si longtemps. Ce n'est pas comme si je couchais avec une inconnue, même si on ne se prend pas la tête. Tu es plus que quelqu'un avec qui j'ai envie de baiser.

J'aimerais me gifler. Je suis un couard. Tout ce que je viens de dire est vrai, mais ce ne sont que des demi-vérités. Je la connais depuis longtemps, certes. Mais je veux la connaître pendant de nombreuses années encore.

Elle ferme les yeux. Quand elle les ouvre, elle fixe l'horizon.

— OK, murmure-t-elle.

— OK?

Elle me scrute et sourit :

— Ouais.

Hanna hoche la tête pour me faire signe qu'on devrait commencer à courir. Nous adoptons une cadence tranquille et régulière.

Il fait très beau, pour la première fois depuis des mois. Même s'il fait encore froid, je sens que le printemps approche. Le ciel est clair, sans aucun nuage ni aucune ombre grise, juste de la lumière, du soleil et un air frais. Au bout de trois pâtés de maisons, j'ai trop chaud, je souris en retirant mon T-shirt thermique à manches longues pour le nouer autour de ma taille.

J'entends le pied d'Hanna buter sur le trottoir, elle s'étale, comme si une bourrasque de vent l'avait emportée.

— Bordel, ça va ? je lui demande en m'agenouillant à côté d'elle pour l'aider à s'asseoir.

Sa respiration est saccadée, elle a l'air de souffrir. Je ne supporte pas de la voir comme ça. Elle a trébuché dans une grosse lézarde sur le trottoir et elle est mal tombée. Son pantalon est déchiré au niveau du genou, elle se tient la cheville.

— Aïïïïe, grogne-t-elle, en basculant sur elle-même.

— Merde !

Je l'attrape derrière les genoux et par la taille pour la soulever.

— Je te ramène chez toi pour mettre de la glace sur ta cheville.

— Tout va bien, éructe-t-elle en se débattant.

— *Hanna.*

— Ne me porte pas, Will. Je suis trop lourde.

— Tu rigoles. Tu n'es pas lourde et nous ne sommes qu'à trois coins de rue de chez toi.

Elle abandonne, passe ses bras autour de mon cou.

— Que s'est-il passé ?

Hanna est silencieuse, je penche la tête pour rencontrer son regard. Elle rit :

— Tu as enlevé ton T-shirt.

Je murmure, étonné :

— C'est une blague ?

— Non, je veux dire, les tatouages.

Elle hausse les épaules.

— Il a fait froid. Je ne les ai vus que deux fois, je les ai surtout regardés samedi et j'ai pensé… je t'ai vu…

— Et tu es *tombée* ?

J'éclate de rire. Elle maugrée :

— Ouais. N'en rajoute pas.

— Eh bien, je te porte, tu auras tout le temps de les regarder. Et ne te gêne pas si tu veux mordiller mes lobes d'oreilles pendant qu'on marche. Tu sais que j'aime quand tu mets les dents.

Elle glousse. La tension est instantanément montée entre nous. Je descends le trottoir vers son immeuble, à chaque pas nous vibrons davantage l'un pour l'autre. C'est le non-dit, le *oh, c'est vrai,* l'allusion discrète à ce que j'aime au lit, à l'endroit où nous nous dirigeons – son appartement, où nous avons fait l'amour samedi toute la nuit.

Je réfléchis à ce que je peux dire, mais les seules pensées qui me viennent nous concernant sont des souvenirs de cette nuit, d'elle, de mon cerveau malmené. Arrivés devant l'ascenseur, je la pose pour appuyer sur le bouton. Les portes s'ouvrent, j'aide Hanna à entrer dans la cabine.

Les portes se referment, j'appuie sur le bouton du vingt-troisième étage, la cabine nous secoue légèrement. Hanna s'installe dans le même coin que la dernière fois où nous y étions tous les deux.

Je lui demande : « Ça va ? »

Elle acquiesce, le souvenir de notre conversation d'il y a deux jours remplit l'ascenseur, comme de la fumée qui sortirait du sol. *Tu me léchais. Jusqu'à ce que je jouisse.*

Je murmure précipitamment : « Tu peux bouger ta cheville ? » pour m'empêcher de m'approcher d'elle et de l'embrasser.

Elle acquiesce en me dévisageant.

— J'ai mal, mais c'est seulement une entorse.

— Il faut mettre de la glace dessus.

— D'accord.

Les roues de l'ascenseur grincent, il s'arrête avec un bruit sourd. *Tu m'allongeais sur le canapé, tu te branlais et tu éjaculais sur ma poitrine.*

Je m'humecte les lèvres, m'autorisant finalement à regarder sa bouche. Je repense à la sensation de ses lèvres contre les miennes. L'écho de ses paroles est si vivant dans ma tête qu'elle pourrait tout aussi bien les prononcer à haute voix maintenant : *Tu t'occupais de mon corps. Je te mordais, c'était si bon.*

Je m'approche d'elle. Se rappelle-t-elle ? *On baisait, et je faisais tout ce que tu voulais, ce n'était pas seulement bon pour moi, mais pour toi aussi.* Si c'est le cas, voit-elle dans mes yeux que ce moment était unique et que je rêve de m'agenouiller à ses pieds ?

Je sors de l'ascenseur pour calmer la tension. J'attrape un sac de haricots surgelés dans le congélateur et je la guide jusqu'à la salle de bains. Je la fais asseoir sur les toilettes pour chercher du désinfectant dans le placard. Je trouve du peroxyde d'hydrogène.

Son pantalon est déchiré sur un genou seulement, l'autre est éraflé. Elle s'est égratigné les deux genoux. Je remonte son pantalon sur ses jambes en ignorant sa réticence parce que ses mollets sont mal rasés.

— Je ne pensais pas que tu toucherais mes jambes aujourd'hui, rit-elle.

— Oh ! ça va.

Je nettoie ses plaies avec du coton, soulagé de voir qu'elles ne sont pas profondes. Elles saignent, mais elles cicatriseront en quelques jours, pas besoin de points de suture.

Elle baisse la tête, tend une jambe devant elle pendant que je désinfecte l'autre.

— On dirait que j'ai marché sur les genoux. C'est horrible.

J'attrape des morceaux de coton propres et je tamponne les coupures avec le peroxyde, en tentant sans succès de ravaler mon sourire. Elle se penche pour m'observer de plus près :

— Tu souris en observant mes genoux écorchés. Pervers, va !

— C'est toi qui es perverse, parce que tu sais pourquoi je souris.

— Tu aimes voir mes genoux égratignés ?

— Je suis désolé, dis-je en secouant la tête hypocritement. Mais *oui.*

Son sourire s'évanouit progressivement, elle passe un doigt sur la petite cicatrice de mon menton.

— Comment t'es-tu fait ça ?

— C'était à l'université. Une fille me taillait une pipe, elle a paniqué et m'a mordu la bite. Je me suis pris la tête de lit dans le menton.

Elle écarquille les yeux, horrifiée : je viens de lui raconter son pire cauchemar en matière de fellation.

— *Vraiment* ?

J'éclate de rire, incapable de garder mon sérieux.

— Non, pas vraiment. On m'a donné un coup de crosse pendant un match, en seconde.

Elle ferme les yeux, totalement zen, mais je vois qu'elle se retient de rire. Elle me regarde finalement :

— Will ?

— Oui ?

Je jette le dernier morceau de coton, referme le bouchon du peroxyde d'hydrogène et souffle sur les plaies. Elle n'a même pas besoin de bandage.

— J'ai compris ce que tu as dit. Je suis désolée d'avoir eu l'air trop légère.

Je lui souris en caressant distraitement son mollet. Elle se mord la lèvre inférieure, et murmure :

— Je n'arrive pas à cesser de penser à samedi soir.

Dehors, un klaxon retentit, les voitures dévalent la 101e Rue. Les gens se hâtent d'aller travailler. L'appartement d'Hanna est totalement silencieux. Nous nous fixons tous les deux. Ses yeux s'écarquillent, elle est de plus en plus mal à l'aise, parce que je ne lui ai toujours pas répondu.

J'ai du mal à respirer. Finalement, je lâche :

— Moi non plus.

— Je ne pensais pas que ce serait aussi intense.

J'hésite. Me croira-t-elle ?

— Moi non plus.

Elle approche la main de mon visage. Après une hésitation, elle passe les doigts dans mes cheveux, puis son corps s'incline vers moi. Elle m'embrasse. Je grogne. Mon cœur bat plus fort, ma queue se tend. Tout mon corps se raidit.

— Ça va ? demande-t-elle, inquiète.

Je la désire tellement que je ne pense pas pouvoir être délicat.

— Putain oui, ça va. Je pensais que je t'avais perdue.

Elle se lève sur ses jambes tremblantes, retire son T-shirt. Sa peau est couverte d'une fine couche de sueur, ses cheveux sont emmêlés, mais je ne désire rien d'autre que de m'enfoncer en elle et de la sentir contre moi pendant des heures.

— Tu vas être en retard au bureau.

Elle retire sa brassière.

— Toi aussi.

— Je m'en fous.

Elle retire son pantalon. Elle sautille sur un pied en tortillant les fesses pour entrer dans sa chambre.

Je me déshabille en avançant vers elle, les vêtements tombent en tas dans le couloir. Je la trouve sur son lit, allongée sur les couvertures.

— Tu as encore besoin de premiers soins ? je lui demande en montant sur le lit, et en embrassant son ventre et sa poitrine. Tu as mal quelque part ?

— Devine, souffle-t-elle.

J'attrape un préservatif dans le tiroir. J'en déchire l'emballage et je lui tends la capote.

— On ne devrait pas un peu attendre ?

Elle enfile déjà le préservatif.

— J'attends depuis dimanche matin, murmure-t-elle. Je n'ai pas besoin de préliminaires supplémentaires.

Elle a raison. Elle me place contre elle, attrape mes hanches pour m'enfoncer dans son vagin. Elle est déjà trempée. Elle s'agrippe à mes fesses pour m'inciter à accélérer, à la prendre plus fort.

— Tu es si belle… Je ne me lasserai jamais de toi. Comme ça, sous moi, contre moi.

— Will…

Elle me pousse en elle, caresse mes épaules.

Les draps se froissent, les gémissements fusent. Plus rien d'autre n'existe. Le reste du monde a disparu, ou a été mis en mode silencieux.

Elle est silencieuse, elle aussi. Elle regarde, fascinée, ma queue aller et venir en elle. Je glisse une main entre nous pour jouer avec son corps, elle se cambre, ses mains cherchent la tête de lit.

Putain.

Je me redresse en m'appuyant sur ma main libre, j'attrape ses poignets et je me laisse aller en elle. Je ne pense plus à rien, je me concentre sur la chaleur, le rythme de nos corps l'un contre l'autre, trempés de sueur. Je l'embrasse, je mords sa poitrine en gardant ses poignets dans ma main, en sentant l'orgasme monter en moi, entre mes hanches, dans ma colonne vertébrale. Je la pénètre plus vite et plus fort.

— Oh putain ! Prune…

Elle ouvre les yeux, ravie de me voir sur le point de jouir.

— Presque, j'y suis presque, murmure-t-elle.

Je caresse son clitoris plus fort, ses petits cris se font plus rauques, plus entrecoupés, ses joues virent à l'écarlate. Elle lutte pour libérer ses poignets et jouit en criant très fort. Ses hanches tremblent, son corps se contracte sous le mien.

Je me retire, déroule le préservatif et le jette sur le côté avant d'attraper ma queue pour me branler.

Les yeux d'Hanna brûlent d'excitation, elle se redresse sur les coudes, captivée par le mouvement de ma main sur ma queue. Son regard, sa propre excitation… son attitude me bouleversent.

Mon corps est brûlant : mes jambes, ma colonne vertébrale. Je me cambre brusquement. Je jouis très fort, un long cri s'échappe de ma bouche. L'image d'Hanna, les cuisses ouvertes sous moi, transpirante, étonnée de prendre tant de plaisir au sexe, m'obsède.

Je m'abandonne.

Ma main ralentit, j'ouvre les yeux, étourdi et le souffle court.

L'expression de son visage est toujours aussi bouleversée, elle passe les mains sur son ventre et contemple mon sperme sur sa peau.

— Will, murmure-t-elle avec langueur. Nous ne pouvons pas nous arrêter là.

Elle caresse sa poitrine, attrape ma queue encore en érection, me touche puis se touche. Elle glisse deux doigts sur son clitoris, se cambre sous sa main.

— Caresse-moi, dit-elle.

— Tu ne veux pas me laisser te regarder ? je lui réponds en souriant.

— J'ai envie de te regarder, toi.

Son sexe est encore chaud après nos frictions, sa peau est douce et trempée. Nous trouvons le rythme parfait, mes doigts à l'intérieur, ses doigts à l'extérieur – elle se caresse et je la pénètre –, c'est merveilleux. Elle est belle et libérée, elle fixe mon sperme sur son ventre et ma queue, qui bande à nouveau totalement.

Elle arrive au bord de l'orgasme en peu de temps, elle pousse sur ma main, ses jambes se contractent, ses lèvres s'ouvrent. Son corps est de plus en plus tendu, elle explose en criant de plaisir.

Elle est magnifique quand elle jouit – les cheveux en bataille, les joues roses, les pointes des seins dressées. Je lutine sa peau, je mordille ses seins en caressant tout son corps.

Elle nous observe : nous sommes couverts de sueur, son ventre est plein de sperme.

— Il est temps d'aller prendre une douche.

J'éclate de rire :

— Tu dois avoir raison.

* * *

Mais nous n'en faisons rien. Elle fait mine de se lever, je l'embrasse sur l'épaule ou elle mord la mienne, et nous retombons chaque fois sur le matelas, jusqu'à ce qu'il soit presque onze heures.

Nous avons tous les deux laissé tomber l'idée d'aller travailler.

Nous nous embrassons avec de plus en plus de fougue, je la prends penchée sur le côté du lit, m'effondrant sur elle. Elle roule sur le dos et me dévisage, jouant avec mes cheveux humides de sueur.

— Tu as faim ?

— Un peu.

Elle commence à se lever, mais je la fais retomber sur le lit en embrassant son ventre.

— Mais pas assez pour me lever.

Je vois un stylo sur sa table de nuit, je l'attrape sans réfléchir et murmure : « Ne bouge pas » en retirant le bouchon avec les dents et en appuyant la pointe sur sa peau.

Elle a laissé la fenêtre la plus proche de son lit ouverte, nous écoutons les bruits de la ville, je dessine sur sa hanche. Elle ne me demande pas ce que je fais, ne semble pas s'en inquiéter. Elle plonge les mains dans mes cheveux, sur mes épaules, mes joues. Elle passe un doigt sur mes lèvres, mes sourcils, mon nez. Elle me touche comme si elle était aveugle, comme si elle voulait m'apprendre par cœur.

Quand j'ai fini, je m'écarte pour admirer mon œuvre. J'ai écrit une citation de l'os de sa hanche jusqu'à son mont de Vénus.

Tout ce qui est rare aux êtres rares.

J'aime le contraste de l'encre noire avec sa peau. J'aime voir mon écriture sur sa peau.

— J'aimerais te le tatouer.

— Nietzsche, murmure-t-elle. Une bonne citation, je dois l'admettre.

— Tu dois l'admettre ? je répète, en caressant sa peau immaculée et en imaginant ce que je pourrais y inscrire.

— C'était un misogyne, mais il a produit quelques aphorismes décents.

Bordel de merde, cette femme est tellement intelligente.

Je lui souris :

— Tu aimes ton tatouage ?

Elle acquiesce et me sourit en caressant mes cheveux. Je me penche pour mieux dessiner une lettre, en foncer une autre, en fredonnant.

— Tu fredonnes la même chose depuis dix minutes.

— Ah bon ?

Je n'avais pas réalisé que je chantonnais. Je continue pour me rappeler ce que je chante : *She Talks to Angels*.

— Hum, une bonne vieille chanson.

Je souffle sur son nombril pour que l'encre sèche.

— Ton groupe la jouait.

Je la dévisage en essayant de comprendre :

— Pour un enregistrement ? Je ne m'en souviens pas.

— Mais non. Vous l'avez jouée en concert. J'étais venue voir Jensen à Baltimore le week-end où vous donniez un concert. Il m'a dit que vous jouiez une chanson différente chaque fois. J'étais là le jour où vous avez joué celle-là.

Elle dit cela avec un air étrange.

— Je ne savais pas que tu étais là.

— On t'a salué avant le concert. Tu étais sur la scène, tu ajustais ton ampli.

Elle sourit en se léchant les lèvres.

— J'avais dix-sept ans, c'était après l'été que tu avais passé à la maison. Vacances de la Toussaint.

— Oh, fais-je en me demandant ce qu'Hanna avait pensé de ce concert à dix-sept ans.

Je m'en souviens, presque huit ans plus tard. Nous avions bien joué ce soir-là, le public était génial. Probablement l'un de nos meilleurs concerts.

— Tu jouais de la basse, se rappelle-t-elle en me caressant les épaules. Mais tu as chanté celle-là. Jensen m'a dit que tu ne chantais pas souvent.

— Non, en effet.

Je n'ai jamais beaucoup chanté, mais cette chanson avait une signification spéciale pour moi. Il s'agissait de faire passer l'émotion.

— Je t'ai vu flirter avec une gothique devant la scène. C'était amusant, j'ai été jalouse comme jamais. Comme tu avais vécu avec nous, j'avais l'impression que tu m'appartenais un peu, dit-elle en me souriant. Mon Dieu, je rêvais d'être à sa place.

Je l'observe se remémorant la scène, en attendant qu'elle me raconte comment la nuit s'était terminée pour elle. Et pour moi. Je ne me souviens pas d'avoir vu Hanna quand je vivais à Baltimore, mais j'ai vécu des milliers de nuits comme ça, dans un bar avec le groupe, une gothique, une petite mignonne ou une hippie devant la scène, et plus tard dans la nuit, sur ou sous moi.

Elle se lèche les lèvres.

— J'ai demandé à Jensen si on te retrouverait plus tard, Jensen a rigolé.

Je soupire en secouant la tête et en remontant la main sur sa cuisse.

— Je ne me souviens plus de ce qui s'est passé à la fin du concert.

Je réalise trop tard que je viens de parler comme un connard, mais si je veux être avec Hanna, je dois être sincère sur mes aventures.

— C'était le genre de filles qui te plaisait ? Les yeux trop maquillés, habillée tout en noir ?

Je soupire en me plaçant sur elle, pour planter mes yeux dans les siens :

— J'ai aimé beaucoup de filles différentes. Je pense que tu le sais.

J'ai essayé de mettre l'accent sur le verbe au passé, je réalise que j'ai échoué quand elle murmure : « Tu es un playboy. » *Un joueur.*

Elle le dit avec un sourire, mais je ne m'en sens pas moins mal à l'aise. Je n'aime pas entendre sa voix se casser, même légèrement. Elle me voit exactement comme ça : un mec qui baise tout ce qui bouge, et maintenant *elle*. Un corps, une bouche, du plaisir.

Je ne peux m'en défendre : ç'a été vrai pendant si longtemps. Elle s'approche de moi, caresse ma queue à moitié bandée, me branle.

— C'est quoi ton genre de filles, maintenant ?

Elle m'offre une porte de sortie. Elle n'a pas envie d'avoir raison. Je l'embrasse sur la joue.

— Mon genre, c'est une bombe sexuelle type scandinave prénommée Prune.

— Pourquoi as-tu mal pris que je dise que tu étais un playboy ?

Je maugrée en m'éloignant un peu :

— Je suis sérieux.

Je place mon bras sur mes yeux, en essayant d'y réfléchir. Je lance finalement :

— Et si je n'étais plus le même ? Cela fait douze ans. Je suis toujours clair avec les femmes sur ce que je veux. Je ne *joue* plus.

Elle me dévisage avec un sourire amusé.

— Tu ne m'as pas dit ce que tu voulais.

J'hésite, mon cœur part au galop. C'est vrai, parce qu'être avec elle ne ressemble à rien de ce que je connais. Avec Hanna, ce n'est pas seulement du plaisir physique. Je me sens calme, heureux, en terrain *connu*. Nous n'avons pas parlé de notre relation, parce que je ne veux pas lui imposer de limites.

Je prends une grande inspiration et murmure :

— Parce qu'avec toi, je ne suis pas sûr de savoir ce que je veux.

Elle se rassoit. Les draps glissent sur son corps, elle prend un T-shirt de l'autre côté du lit.

— OK. C'est… bizarre.

Oh, bordel. Elle ne m'a pas compris.

— Non, dis-je en m'asseyant derrière elle pour l'embrasser sur l'épaule.

J'attrape son T-shirt pour le balancer par terre. Je lèche son dos, la prends par la taille et place la main sur son cœur.

— Je voudrais te dire que je ne veux être qu'avec toi. *Seulement avec toi.* J'ai des sentiments pour toi, qui dépassent de loin le sexe.

Elle s'immobilise :

— Non.

— Quoi ?

Je fixe son dos raide, mon rythme cardiaque s'accélère, je suis plus irrité qu'angoissé.

— Que veux-tu dire par non ?

Elle se lève, s'enroule dans le drap. Mon corps se glace. Je m'assois sur le lit.

— Tu… tu fais quoi ?

— Je suis désolée. J'ai des choses à faire.

Elle marche jusqu'à son armoire, prend des vêtements.

— Je dois aller travailler.

— Maintenant ?

— Oui.

— Je t'avoue que j'ai des sentiments pour toi et tu me fous dehors ?

Elle se tourne vers moi :

— Je panique, d'accord ? Je dois y réfléchir.

— Je vois.

Elle sort de la chambre. Je me sens humilié et furieux. Je suis terrifié : et si ça s'arrêtait là ? Qui aurait cru que je foutrais en l'air mes relations avec une fille parce que je suis amoureux d'elle ? Je voudrais sortir d'ici, sortir du lit, m'enfuir. Nous avons peut-être tous les deux besoin de réfléchir.

Chapitre 13

Je ferme la porte derrière moi en prenant une grande inspiration. J'ai besoin d'un peu d'air. D'une minute pour comprendre ce qui m'arrive. Ce matin, je pensais que je n'étais qu'une conquête parmi d'autres pour Will. Maintenant il a des sentiments pour moi ?

Putain !

Pourquoi complique-t-il tout ? J'aime l'honnêteté de Will en matière de relations. On est tout de suite fixé. Fin de l'histoire. Tout est beaucoup plus facile quand on sait que cela n'ira jamais plus loin.

Il est le bad boy, le type sexy avec qui ma sœur a fait des bêtises dans la cabane du jardin. J'ai fantasmé sur lui toute mon adolescence. Mais seulement fantasmé. Penser à lui tout en sachant que je n'avais aucune chance rendait les choses plus simples.

Et maintenant ? Je le touche, il me touche, je l'entends dire qu'il en veut davantage alors que c'est impossible… Cela complique tout.

Will Sumner ne connaît pas la signification de *davantage.* N'a-t-il pas admis qu'il n'a jamais eu une relation longue et exclusive de toute sa vie ? Qu'il n'a jamais trouvé personne qui ne l'ait pas lassé ? Et moi dans l'histoire ? Non merci.

J'adore passer du temps avec lui, et je m'amuse beaucoup en prétendant apprendre sa philosophie de vie. Mais je ne serai jamais comme lui, je le sais. Si je tombe amoureuse de lui, je suis *perdue*.

Il faut que je parte travailler, je fais couler l'eau, je regarde la vapeur envahir la salle de bains. Je gémis en entrant sous la douche. L'eau noie les pensées qui agitent mon esprit. J'ouvre les yeux et observe mon corps trempé, l'encre noire qui se dilue sur ma peau.

Tout ce qui est rare aux êtres rares.

Les mots qu'il a dessinés avec soin sur ma hanche se dissolvent. Je distingue des marques de doigts, à cause de l'encre qui a coulé sur ses mains et de ses phalanges qu'il a appuyées sur mon corps, de mon ventre à ma poitrine, en me caressant. Un nuage d'empreintes.

J'admire son écriture, en me rappelant l'expression de son visage quand il me « tatouait ». Il fronçait les sourcils, son regard était attentif, ses cheveux lui tombaient devant les yeux. J'étais surprise qu'il ne les ramène pas en arrière – il le fait toujours –, il était si concentré sur ce qu'il faisait qu'il avait préféré continuer méticuleusement. Et puis il a tout gâché en disant une énormité. J'ai paniqué.

J'attrape l'éponge végétale, je la recouvre de gel douche. Je frotte les marques, déjà à moitié effacées par le jet d'eau brûlant. Le reste se dissout en traînées noires.

Les dernières traces de Will et de son encre sont lavées sur ma peau, l'eau se rafraîchit. Je sors de la douche, frémis à cause de l'air frais et m'habille rapidement.

J'ouvre la porte. Il fait les cent pas dans la chambre, rhabillé avec ses affaires pour courir, son bonnet sur la tête. Il a l'air d'avoir beaucoup hésité avant de rester.

Il retire son bonnet et se tourne pour me regarder en face.

— Tu as mis le temps, lâche-t-il.

— Pardon ? je fais, énervée.

— Je ne vois pas pourquoi tu t'énerves.

J'ouvre la bouche :

— Je… tu… quoi ?

Il éructe :

— Tu es partie !

— Dans la salle de bains !

— C'était quand même salaud, *Hanna.*

— J'avais besoin d'air, *Will.*

Je sors de la chambre pour illustrer mon propos. Il me suit.

— Tu continues. Règle essentielle : on ne panique pas et on n'évite pas quelqu'un *chez soi.* Tu sais à quel point c'est dur pour moi ?

Je m'arrête dans la cuisine :

— *Toi ?* Tu sais que tu viens de lâcher une bombe ? J'ai besoin de réfléchir !

— Tu ne pouvais pas réfléchir ici ?

— Tu étais nu.

Il secoue la tête :

— Quoi ?

— Je ne peux pas réfléchir quand tu es nu. C'est trop !

Je fais un geste vers son corps, mauvaise idée.

— J'ai juste paniqué, OK ?

— Et comment crois-tu que je me sente ?

Il me lance un regard noir, sa mâchoire se contracte. Je ne réponds pas, il secoue la tête et scrute le sol, en mettant ses mains dans ses poches. C'était une mauvaise idée. Son pantalon descend légèrement, son T-shirt se relève et *oh !* voir ses tablettes de chocolat ne m'aide pas du tout.

Je me force à me concentrer.

— Tu viens de me dire que tu ne sais pas ce que tu veux. Et puis tu me dis que tu as des sentiments pour moi. Pour être honnête, tu n'as pas l'air de savoir où tu as mal. On a baisé, tu ne m'as pas prise au sérieux. Comme ma sœur.

Il cligne des yeux.

— Liv ?

— Je n'ai qu'une sœur. À moins que tu n'aies baisé la sœur de quelqu'un que je connais ?

Il lève les mains au ciel :

— De quoi parles-tu ?

Je sens ma tension artérielle augmenter.

— Comment as-tu pu ! Il lui a fallu des mois pour s'en remettre. Des mois !

— Primo, je n'ai pas couché avec ta sœur. Deuxio, je t'ai prise au sérieux. Je t'ai dit que ton attitude m'avait perturbé…

— Will, je fais d'une voix ferme. Cela fait douze ans que j'entends des histoires sur mon frère et toi. Je t'ai vu filer avec des demoiselles d'honneur ou disparaître avec des filles pendant des réunions de famille. *Rien* n'a changé. Tu as passé toute ta vie d'adulte à agir comme un adolescent, et maintenant tu penses que tu en veux davantage ? Tu ne sais même pas ce que ce mot signifie !

— Et *toi* ? Tu connais tout sur tout maintenant ? Pourquoi as-tu imaginé que le flirt avec Liv était si important ? Tout le monde ne parle pas de ses sentiments et de sa sexualité aussi ouvertement que toi. Je n'ai jamais rencontré quelqu'un comme toi.

— Eh bien, si l'on en croit les statistiques, c'est parlant.

Je ne sais même pas pourquoi j'ai dit ça. À l'instant où les mots s'échappent de ma bouche, je sais que je suis allée trop loin.

Tout à coup, il baisse les armes. Ses épaules s'affaissent, l'air quitte ses poumons. Il me fixe pendant un long moment, ses yeux perdent leur intensité jusqu'à devenir… vides.

Il s'en va.

* * *

J'ai tant marché sur le vieux tapis de la salle à manger que je dois y avoir laissé les marques de plusieurs trajectoires. Je suis totalement perdue, mon cœur bat si fort que j'en ai le tournis. Je ne comprends pas ce qui vient d'arriver. Tout mon corps est tendu, j'ai peur. Peur d'avoir fait fuir mon meilleur ami et le plus fabuleux des amants.

J'ai besoin de me raccrocher à une certitude. J'ai besoin de ma famille.

Liv décroche à la quatrième sonnerie.

— Ziggy ! s'exclame ma sœur. Comment va le rat de laboratoire ?

Je souris.

— Très bien. Et celle qui fabrique des bébés ? Je ne parle pas de ton vagin.

— Très classe. Tu n'as toujours pas appris à tourner ta langue dans ta bouche avant de parler, à ce que je vois. Tu vas finir par perturber sacrément quelqu'un un de ces jours, tu sais ça ?

Elle ne sait pas qu'elle vient de taper dans le mille.

— Comment vas-tu ?

Je préfère déplacer la conversation vers des eaux plus tranquilles.

Liv est mariée, enceinte du premier petit-enfant Bergstrom dont la naissance a été annoncée dans le monde entier. Je suis surprise que ma mère la laisse tranquille pendant plus de dix minutes d'affilée.

Liv soupire, je l'imagine assise dans sa cuisine jaune, son énorme labrador allongé à ses pieds.

— Tout va bien. Je suis épuisée, mais tout va bien.

— Et le bébé ?

— Ça va.

Je la vois sourire.

— Ce bébé va être parfait. Attends de voir !

— Bien sûr ! Avec la tante qu'il a !

Elle rit :

— Tu m'enlèves les mots de la bouche.

— Vous avez choisi un prénom ?

Liv ne veut absolument pas savoir le sexe de leur bébé avant la naissance. Cela rend plus difficile la tâche d'acheter des cadeaux pour gâter mon futur neveu.

— Ça commence à se préciser.

— Et ? je lui demande, intriguée.

La liste de prénoms ni masculins ni féminins de son mari en devient presque comique.

— Non, je ne dirai rien.

— Quoi ? Pourquoi ?

— Parce que tu leur trouveras toujours un défaut.

— C'est ridicule ! lui dis-je, même si elle a raison – jusqu'ici, tous les prénoms qu'elle a choisis sont terribles.

— Donc, quoi de neuf ? Ta vie s'est-elle améliorée depuis le savon que t'a passé le boss le mois dernier ?

Je ris, sachant qu'elle parle de Jensen et pas de mon père.

— J'ai fait des joggings, je suis sortie. Nous sommes arrivés à une sorte de… compromis.

Rien n'échappe à Liv.

— Un compromis, avec Jensen ?

Ces dernières semaines, j'ai parlé à Liv plusieurs fois, mais je n'ai pas abordé mon amitié, ma relation, ou je ne sais quoi d'autre, avec Will. Pour des raisons évidentes. Maintenant, j'ai besoin d'avoir l'avis de ma sœur. Mon estomac se noue.

— Eh bien, tu sais, il m'a incitée à sortir davantage.

Je fais une pause avant de décider de tout lâcher.

— Il m'a conseillé d'appeler Will.

— Will ?

Un long silence envahit la ligne, je me demande si elle se souvient du même type grand et sexy que moi.

— Attends… Will *Sumner* ?

— Lui-même.

— Waouh. Je ne m'y attendais pas.
— Moi non plus.
— Et donc tu l'as fait ?
— Quoi ? je lui demande, en regrettant d'avoir l'air si affectée.
— Tu l'as *appelé* ? rit-elle.
— Ouais. C'est plus ou moins pour ça que je t'appelle.
— Ça semble délicieusement menaçant.
Je ne sais pas comment le lui dire, donc je commence par le détail le plus simple :
— Eh bien, il vit à New York.
— Je le savais. Et alors ? Je ne l'ai pas vu depuis des lustres, je rêve de savoir ce qu'il devient. Il est comment ?
— Oh, il est… bien, dis-je en essayant d'être aussi neutre que possible. Nous sommes sortis ensemble.
Nouvelle pause à l'autre bout du fil, je vois distinctement les sourcils de Liv se froncer, ses yeux se plisser en cherchant le sens caché de ma phrase.
— Sortis ? répète-t-elle.
Je grogne en me frottant les yeux.
— Oh mon Dieu, Ziggy ! Tu couches avec *Will* ?
Je maugrée en l'entendant éclater de rire. Je jette un coup d'œil à mon téléphone dans ma main.
— Ce n'est pas drôle, Liv.
Je l'entends soupirer :
— Si.
— C'était ton… copain.
— Oh non ! Pas même un peu. On a dû s'embrasser pendant dix minutes.
— Mais… code de filles !
— Oui, mais il y a une limite dans le temps. Ou dans les faits. On a à peine franchi le premier stade, même si j'étais prête à le laisser sauter des étapes, si tu vois ce que je veux dire…

J'éclate de rire :

— Je pensais qu'il t'avait brisé le cœur.

À son tour de rire aux éclats.

— Du calme, Ziggy. D'abord, on n'a jamais été ensemble. On a joué à touche-pipi derrière la boîte à outils de jardinage de maman. Mon Dieu, je m'en souviens à peine.

— Mais tu étais si triste, tu n'es même pas revenue à la maison l'été où il travaillait avec papa.

— Je ne suis pas rentrée parce que j'avais déconné pendant l'année scolaire et que je devais valider des matières pendant l'été. Je ne l'ai pas dit pour éviter que maman et papa deviennent fous.

— Je suis tellement stupide !

— Mais non.

Son ton se fait plus inquiet.

— Raconte-moi, que se passe-t-il ?

— On s'est beaucoup vus ces derniers temps. Je l'aime vraiment beaucoup, Liv. c'est mon meilleur ami ici. On a couché ensemble et il était bizarre le lendemain. Et puis il s'est mis à parler de sentiments, j'ai eu l'impression qu'il m'utilisait pour se livrer à une expérience bizarre pour tester ses émotions. Il n'a pas la meilleure réputation auprès des filles Bergstrom !

— Tu l'as envoyé paître à cause d'un souvenir vieux de douze ans ? Parce que c'était l'homme de mes rêves et qu'il m'avait brisé le cœur ?

Je soupire :

— En partie.

— Mais encore ?

— C'est un homme à femmes ! Il ne serait pas capable de citer les prénoms de toutes les filles avec lesquelles il a couché et moins de vingt-quatre heures après m'avoir snobée, il m'annonce vouloir plus que du sexe ?

— OK. C'est le cas ? Et de ton côté ?

Je soupire :

— Je n'en sais rien, Liv. Mais même si c'est le cas, pour lui ou pour moi, comment lui faire confiance ?

— Je ne veux pas que tu te sentes stupide, donc je vais te raconter une histoire. Tu es prête ?

— Oh non !

Elle continue sans m'écouter :

— Avant que je rencontre Rob, il baisait tout ce qui bougeait. Je te jure, il fourrait sa bite partout. Et maintenant ? C'est un homme différent. Je bénis le ciel.

— Oui, mais il voulait se marier. Tu ne te contentais pas de coucher avec lui.

— Au début, on ne faisait que baiser. Écoute, Hanna, les gens changent énormément entre dix-sept et trente et un ans. Tout change.

— Je veux bien te croire, je marmonne en imaginant la voix de Will, plus grave encore qu'auparavant, ses doigts si habiles, sa poitrine large et solide.

— Je ne parle pas seulement du développement du corps masculin, ajoute-t-elle. Maintenant que j'y pense, je serais curieuse de voir… Envoie-moi une photo récente de Will.

— Liv !

— C'était une plaisanterie ! crie-t-elle dans le téléphone. Non, je suis sérieuse, en fait. Envoie-moi une photo. Mais vraiment, je ne voudrais pas que tu le rejettes seulement parce qu'il a été un adolescent très porté sur la chose. Tu n'as pas l'impression d'avoir beaucoup changé depuis tes dix-neuf ans, toi aussi ?

Je me mords la lèvre au lieu de répondre.

— C'était il y a seulement cinq ans pour toi. Réfléchis à la manière dont il se sent maintenant. Il a trente et un ans. Il a dû évoluer.

— Merde, tu dois avoir raison.

— J'imagine que ton cerveau très logique a utilisé tout ça comme un champ de forces contre le charme de Sumner ? ironise-t-elle.

— Pas de manière très efficace, apparemment.

— Mon Dieu, c'est génial. Je suis ravie que tu aies appelé aujourd'hui ! Je suis énorme et enceinte, rien de ce qui me concerne n'est très intéressant. C'est top.

— Tu ne trouves pas ça gênant vis-à-vis de toi ?

Elle réfléchit :

— En un sens, ça pourrait l'être mais franchement, Will et moi... c'était le premier garçon dont j'ai vraiment eu envie, mais c'est tout. Je suis passée à autre chose en deux secondes avec le piercing de Brandon Henley.

Je me cache les yeux :

— Oh ! c'est *affreux*.

— Ouais, je ne t'ai pas raconté pour celui-là parce que je ne voulais pas que tu sois dégoûtée. Et que tu gâches *mon* plaisir en me demandant comment le piercing affectait la capacité du muscle de la langue à se contracter ou quelque chose dans le genre.

— Cette conversation est vraiment effarante. On peut raccrocher maintenant ?

— Ça va !

— Mon Dieu, j'ai vraiment déconné. Liv, j'ai agi comme une garce avec lui.

— Maintenant, il ne te reste plus qu'à te jeter à ses pieds. Ça lui plaît, non ?

— Oh mon Dieu ! Je raccroche.

— OK, OK. Bon, Zig. Arrête de réfléchir comme si tu avais douze ans. Écoute-le. Essaie de te souvenir que Will a une bite et que ça le rend idiot. Mais un idiot très mignon. Tu ne peux pas lui enlever ça.

— Arrête d'avoir raison.

— Jamais. Maintenant, mets ta culotte de grande fille et arrange les choses.

* * *

Pendant le trajet qui me sépare de l'appartement de Will, je dissèque, en marchant, tous les souvenirs de ce Noël en essayant de les faire coïncider avec ce que Liv vient de me raconter.

J'avais douze ans et il me fascinait. L'idée que ma sœur soit avec lui m'enchantait. Depuis que je connais la version de Liv et la suite des événements, je me demande si je n'ai pas tout imaginé, moi et mon esprit qui a tendance à tout dramatiser. L'idée que je n'aie rien compris à l'époque est étrange et perturbante. Mais Liv a raison. Ces souvenirs m'ont forcée à ranger Will dans la catégorie homme à femmes, et m'ont empêchée de l'en faire sortir. Serait-il possible qu'il souhaite avoir une vraie relation avec moi? En est-il capable? Et moi?

Je maugrée. Je vais devoir m'excuser.

Il ne répond pas quand je cogne à sa porte et ignore mes textos.

En dernier recours, je lui envoie une blague salace: Quelle est la différence entre une bite et une carte de crédit? Pas de réponse, je continue: Une femme ne refusera jamais de prendre la carte.

Rien.

Quelle est la différence entre une marée noire et une minijupe? Toujours aucune réponse. Aucune. Dans tous les cas, la moule est en danger.

Je décide d'en essayer une dernière. Qu'est-ce qui vient après le soixante-neuf?

J'utilise son nombre préféré, en espérant que ça suffise à le faire sortir de sa torpeur.

Je laisse presque tomber mon téléphone quand le mot Quoi ? apparaît sur l'écran.

Du rince-bouche.

Pour l'amour de Dieu Hanna, elle était vraiment nulle. Viens avant de nous faire honte à tous les deux.

Je sprinte vers l'ascenseur.

Sa porte est ouverte, j'entre et le vois en train de préparer à dîner, devant des casseroles et des poêles. Le comptoir est encombré de sacs de provisions. J'entre, il ne me jette pas un coup d'œil et reste concentré sur sa planche à découper.

Je suis soudain pleine d'appréhension. Je me place dans son dos, colle mon menton à son épaule.

— Je ne sais pas comment tu fais pour me supporter.

Je le respire avec avidité. Je veux me rappeler son odeur. Et si j'avais vraiment déconné? Et s'il en avait marre de cette imbécile de Ziggy, de ses questions idiotes et de ses conclusions hâtives? Je me serais personnellement botté le cul depuis longtemps.

Mais il me surprend en posant son couteau et en se tournant pour me faire face. Il a l'air triste. Je suis désolée de l'avoir blessé.

— Tu as peut-être eu tort pour Liv, mais ça ne signifie pas que tu avais tort en général. J'ai eu beaucoup de femmes. Je ne me souviens pas de toutes celles avec qui j'ai couché.

Sa voix est sincère, je cligne des yeux sous l'intensité de son regard.

— J'ai fait des choses dont je ne suis pas fier. Maintenant, tout me revient en pleine figure.

— C'est pour ça que l'idée que tu me voies autrement que comme une femme de plus m'a terrifiée. Tu as eu tant d'histoires par le passé, et tu n'as aucune idée du nombre de cœurs que tu as brisés. Tu ne sais sûrement même pas comment ne pas les briser, Will, et je suis trop intelligente pour en faire partie.

— Je sais. Ça fait partie de ton charme. Tu es trop intelligente pour succomber comme les autres filles. Tu m'obliges à travailler pour te séduire. Tu m'obliges à creuser, à te montrer qui je suis vraiment. Tout avec toi est nouveau, ça me plaît. Je marche sur un fil. Tu n'as rien d'ennuyeux, Hanna Bergstrom.

— Ou de facile.

— Ça aussi, dit-il avant d'hésiter. Et il est possible que j'aie été un peu maladroit. Je ne savais pas où j'en étais et… j'avais besoin de ralentir. C'était le bonheur de l'après, je me suis laissé emporter.

— OK, je fais en l'embrassant sur la joue.

— Si tu veux qu'on reste amis, ça me va. Si tu veux qu'on soit des amis qui baisent, c'est encore mieux. C'est un bon départ.

J'essaie de déchiffrer son expression et de comprendre pourquoi il semble peser chaque mot avant de le prononcer. Me dit-il la vérité ? Ou craint-il ma réaction ?

— Je suis désolée d'avoir dit ce que j'ai dit. J'ai agi comme une imbécile et je t'ai blessé parce que j'étais paniquée.

— Nous avons été bêtes tous les deux. J'ai vraiment très envie de t'embrasser.

J'acquiesce et me hausse sur la pointe des pieds pour approcher ma bouche de la sienne. Ce n'est pas vraiment un baiser, je ne sais pas comment l'appeler autrement. Ses lèvres effleurent les miennes, chaque fois avec plus d'intensité que la fois précédente. Je sens sa langue glisser sur ma langue, avant de s'enfoncer dans ma bouche. Ses doigts passent sous mon T-shirt.

Tout à coup, mon esprit est rempli d'images. Ce que je veux lui faire. Je veux le dévorer. Je veux mémoriser chaque ligne, chaque muscle, pour pouvoir y repenser à loisir.

— J'ai envie de te sucer, je fais et il s'écarte pour jauger mon expression.

— Ah oui ?

J'acquiesce en caressant sa joue.

— Tu me montres comment faire ?

— Mon Dieu, Hanna.

Je le sens dur contre mes hanches, je prends son sexe dans ma main.

— D'accord ?

Il m'attrape par le bras, l'air apaisé, et m'amène jusqu'au canapé. Il hésite avant de s'asseoir.

— Je ne vais pas pouvoir me contenir si tu continues à me regarder comme ça.

— N'est-ce pas le but ?

Je m'agenouille entre ses jambes sans attendre ses instructions.

— Dis-moi comment faire.

Son expression est lourde de désir. Il m'aide à ouvrir sa ceinture et à baisser son pantalon sur ses hanches. Je le libère de son boxer.

Il jauge mon expression un instant, il me juge, tout entière, avant de prendre sa queue à la base.

— Lèche-la de la base au gland. Lentement.

Je le caresse avec la langue sur toute la longueur, sur sa veine épaisse, lentement, sur son gland tendu. Je l'embrasse, je le suçote. Il gémit :

— Encore. Commence par le bas. Et suce le gland.

J'embrasse sa queue en murmurant :

— Tu sais ce que tu veux.

Je lui souris, mais il semble incapable de me sourire en retour. Ses yeux bleus sont devenus ténébreux.

— Tu m'as demandé de t'apprendre. Tu exécutes étape par étape ce dont je rêve depuis des semaines.

Je recommence, heureuse de lui donner du plaisir. Il a l'air impitoyable ; ses poings se referment comme s'il était en colère. Je veux qu'il se laisse aller, qu'il enfonce ses mains dans mes cheveux, qu'il pénètre ma bouche.

— Suce.

Il hoche la tête, je l'avale le plus loin que je peux.

— Suce *plus fort.* Oh putain ! comme ça, gémit-il quand je joins le geste à la parole. Ne prends pas de gants... Mords-moi le gland.

Je lève les yeux pour évaluer l'effet que je lui fais en passant les dents sur sa queue. Il halète, ses hanches vont à la rencontre de ma bouche, sa queue s'enfonce profondément dans ma gorge.

— C'est ça. Mon Dieu. Tout ce que tu fais est tellement *bon.*

C'est tout ce dont j'ai besoin pour me laisser aller, me déchaîner et le sucer plus fort.

— Oui, oh...

Les mouvements de ses hanches deviennent frénétiques. Il tire mes cheveux comme je le souhaitais.

— Montre-moi que tu aimes ça.

Je ferme les yeux, en le suçant comme j'en ai rêvé. Je gémis en m'exécutant, tant l'acte en soi me porte aux sens. Je ne pense plus que *oui, jouis.*

— Je viens, Hanna, je viens !

Ses abdominaux se contractent, ses quadriceps se dessinent sur ses cuisses. Je fais un dernier va-et-vient avant de me retirer, de prendre sa queue dans mes mains pour le branler vite et fort, comme il aime.

— Oh putain, m'avertit-il, en gémissant longuement avant de jouir dans ma main.

Je continue à le caresser doucement jusqu'à ce qu'il me fasse signe d'arrêter. Il m'attire contre lui.

— Tu apprends vite, bordel, dit-il en m'embrassant sur le front, sur les joues, sur les coins de la bouche.

— J'ai un excellent professeur.

Il rit contre moi.

— Je dois t'avouer que je manque d'entraînement.

Il me dévisage en souriant.

— Tu restes dîner avec moi ?

Je me blottis contre lui en acquiesçant. Je ne souhaite rien d'autre.

CHAPITRE 14

Cela faisait longtemps que je n'avais pas câliné une femme sur mon canapé. J'avais oublié à quel point on pouvait apprécier une bière, un match de basket et une belle jeune femme au corps avantageux. Je finis ma bière avant de regarder Hanna qui a les yeux légèrement vitreux, comme si elle était sur le point de sombrer dans un profond sommeil.

J'ai honte d'avoir fait machine arrière ce matin. Mais j'apprends vite, je ferais n'importe quoi pour elle. Si elle veut attendre pour mettre une étiquette sur notre relation, ça me va. Si elle veut que nous ne vivions qu'une amitié améliorée, je prendrai patience, je lui donnerai du temps. Je veux être avec elle, c'est tout ce qui m'importe. Aussi pathétique que cela puisse sembler, je prendrai tout ce qu'elle me donnera. Sans rien demander en retour.

Pour l'instant, je veux bien être Kitty.

Je murmure « ça va ? » en l'embrassant sur le front. Elle acquiesce en s'agrippant à sa bière. Elle n'a quasiment rien bu. À l'heure qu'il est, la bière doit être chaude. J'apprécie quand même qu'elle en ait pris une.

— Tu n'aimes pas la bière ?

— Elle a un goût de pignons de pin.

Je ris en la décalant sur le canapé pour reposer ma bière vide sur la table basse.

— C'est le houblon.

— C'est avec ça qu'on fait de la marijuana, non?

J'éclate de rire.

— Non, c'est avec des plans de cannabis. Bon sang, Hanna. Tu es géniale.

Elle me sourit: elle se moquait de moi. Elle me donne une petite tape sur la joue, je m'écarte pour éviter sa main.

— Je me demande comment j'ai pu oublier, même une seule minute, que tu avais probablement mémorisé le nom de toutes les plantes de la Terre.

Hanna s'étire, ses bras tremblent légèrement, elle soupire d'aise. J'en profite pour admirer sa poitrine.

— Tu évalues la marchandise? dit-elle en ouvrant un œil.

Je secoue la tête.

— Oui.

— Tu as toujours aimé les grosses poitrines?

J'ignore la question implicite à propos des autres femmes, en décidant que je ne dirai plus un mot sur ce sujet tabou... pour l'instant. Elle reste silencieuse, se demande probablement si cette conversation est terminée.

Nous sommes sauvés par le gong ou, plus exactement, mon téléphone qui vibre sur la table basse. Message de Max: Je vais chez Maddie pour boire des pintes. Tu viens?

Je montre le message à Hanna, pour qu'elle sache que ce n'est pas une femme qui m'envoie un texto un mardi soir. Acceptera-t-elle de m'accompagner? Je relève les sourcils dans une question silencieuse.

— Qui est Maddie?

— Maddie est une amie de Max, propriétaire du Maddie's, un bar de Harlem. Il est toujours désert, la bière est excellente. Max l'adore parce qu'ils servent de la nourriture british dégoûtante.

— Qui vient?

Je hausse les épaules :
— Max, probablement Sara.
Je réfléchis un instant. Nous sommes mardi, Sara et Chloé me testent peut-être pour savoir si je suis avec Kitty. C'est une ruse pour prendre de mes nouvelles.
— Je suis sûr que Bennett et Chloé y seront aussi.
Hanna hoche la tête.
— Vous sortez souvent en semaine ? C'est étrange pour des gens qui travaillent autant que vous.
Je soupire en me levant, avant de l'aider à faire de même.
— Ce doit être une tentative cachée pour connaître les nouveautés de ma vie sexuelle.
Si elle sait que je vois Alexis les samedis soir, elle doit savoir que les mardis sont réservés à Kitty. Autant la prévenir de la tendance de mes amis à s'interposer.
Son expression est indéchiffrable, je ne sais pas si elle est énervée, jalouse, nerveuse ou neutre. Je voudrais savoir ce qui se passe dans sa tête, mais je n'ai pas envie d'avoir à nouveau cette conversation. Et si elle paniquait ? Je suis parfaitement capable d'accepter qu'une femme m'offre du sexe, sans aucun autre engagement. Surtout si cette femme est Hanna.
Je me penche pour ramasser les bouteilles de bière.
— Ce ne serait pas gênant que je vienne ? Ils sont au courant pour nous ?
— Oui, ils savent. Et non, ce ne sera pas gênant.
Elle me dévisage, l'air sceptique. Je pose les mains sur ses épaules :
— Nouvelle règle : les choses sont gênantes seulement si tu le décides.
Elle acquiesce, déterminée, attrape son sac et se dirige vers la porte d'entrée.

* * *

Le bar se trouve à une quinzaine de pâtés de maisons de mon immeuble, nous décidons de marcher. La fin mars à New York est grise et froide ou bleue et froide. Avec un peu de chance, la neige disparaîtra bientôt pour laisser la place à un printemps décent. J'ouvre la porte du Maddie's pour Hanna, en lui faisant signe d'entrer.

Mes amis, assis à une table près de la petite piste de danse, nous remarquent à l'instant où nous entrons. Chloé, en face de la porte, ouvre la bouche, étonnée, avant de retrouver une expression neutre. Bennett et Sara se retournent sur leurs sièges, masquant adroitement leur réaction. Mais cet enfoiré de Max arbore un grand sourire.

— Eh bien, eh bien, dit-il en se levant pour enlacer Hanna. Regardez qui voilà.

Hanna sourit en saluant tout le monde avec de petits câlins et des signes de la main, avant de s'asseoir en bout de table. J'oblige Max à changer de place pour m'installer à côté d'elle. Il glousse :

— Oh les amoureux !

Maddie s'approche de notre table, place d'autres dessous de verre devant nous avant de prendre nos commandes. Elle répète la liste des bières, et comme je sais qu'Hanna ne les aimera pas, j'ajoute :

— Ils ont aussi des boissons normales et des sodas.

Max la réprimande :

— Les sodas sont interdits. Si tu n'aimes pas la bière, tu as droit au whisky.

Hanna éclate de rire en grimaçant.

— Ça te dit, une vodka seven-up ? demande-t-elle conformément à son habitude de commander une boisson pour que je la boive.

Je secoue la tête en me penchant vers elle, jusqu'à ce que mon front touche le sien.

— Je ne crois pas, non.

Elle réfléchit encore quelques instants :

— Whisky Coca ?

— D'accord. Whisky Coca pour la demoiselle et une Green Flash pour moi, dis-je à Maddie.

Une fois qu'elle est partie, je m'éloigne un peu d'Hanna en jetant un coup d'œil autour de la table. Quatre visages très intéressés nous fixent.

— Comme vous êtes mignons, lâche Max.

Hanna fait un signe de main et s'explique :

— C'est notre système. Je bois quelques gorgées et il termine mon verre. Je suis encore dans la phase d'exploration de ses goûts.

Sara pousse un petit cri. Chloé nous sourit comme si nous étions des bébés koalas. Je leur jette un regard d'avertissement. Hanna se lève pour aller aux toilettes, j'en profite pour les fusiller du regard.

— Nous ne sommes pas ensemble, les gars. Nous n'avons pas encore décidé. Ayez l'air naturel.

— D'accord, réplique Sara en plissant les yeux. Mais vous êtes très mignons tous les deux et elle a eu le courage de venir ce soir…

— Je sais, je fais en levant ma bière quand Maddie la pose devant moi.

J'en avale une gorgée. La saveur acre du houblon laisse place à un puissant goût malté. Je ferme les yeux, appréciant le moment, pendant que les autres papotent.

— Will ? lance Sara, d'une voix douce.

Elle jette un coup d'œil derrière elle avant de continuer :

— Je t'en prie, ne fais pas ça avec Hanna si tu ne sais toujours pas ce que tu veux.

— J'apprécie que tu t'en mêles, mais arrête de t'en mêler, Sara.

Son visage se ferme, je réalise mon erreur. Hanna était à peine plus vieille que Sara quand elle a commencé à sortir avec cet enfoiré de député à Chicago. J'ai le même âge que lui à l'époque : trente et un ans.

— Pardon, Sara… Je comprends que tu t'en mêles. Mais… c'est différent. Tu le sais, n'est-ce pas ?

— C'est toujours différent au début. La passion… tu es prêt à promettre n'importe quoi.

Ce n'est pas comme si je n'avais jamais vécu de passion auparavant. Mais je me suis toujours contrôlé, je me suis toujours laissé aller physiquement en freinant sur les émotions, voire en les mettant de côté. Hanna me donne envie de laisser tomber ce schéma et de prendre des risques, d'aimer et d'avoir peur.

Hanna revient et me sourit avant de s'asseoir pour siroter son verre. Elle tousse, l'air affolé, comme si sa gorge était en feu.

— J'avais oublié, dis-je en riant. Maddie a tendance à charger les verres. J'aurais dû te prévenir.

— Continue à boire, lui conseille Bennett. Ça passe mieux la deuxième fois.

— Vieux cochon, lance Chloé.

Max éclate de rire, je plisse les yeux en priant pour qu'Hanna reste en dehors de la plaisanterie.

Elle n'a pas l'air d'avoir entendu. Elle boit une nouvelle gorgée et commente :

— Ça va, ça va. Putain, on dirait que vous regardez quelqu'un boire son premier verre. Je vous assure, je bois parfois, mais…

— Mais ce n'est pas ton truc.

Je termine sa phrase. Sous la table, la main d'Hanna se pose sur mon genou et remonte sur ma cuisse. Je la serre entre mes doigts.

— Je me rappelle la première fois où j'ai bu de l'alcool, commence Sara. J'avais quatorze ans, j'étais devant le buffet du mariage de mon cousin. J'ai commandé un Coca-Cola, la fille d'à côté a commandé un Whisky-Coca. Je me suis trompée de verre et je suis revenue à ma table. Je ne comprenais pas pourquoi mon Coca avait un goût si bizarre. C'est la première fois que j'ai fait du break-dancing en public.

Nous rions tous en imaginant la jolie Sara faire le robot ou tourner sur elle-même, ivre. Une fois calmés, nous pensons tous à la même chose. Nous nous tournons vers Chloé pour demander, presque à l'unisson :

— Alors, la préparation du mariage ?

— C'est drôle, Will... C'est la première fois que tu me poses une question sur le mariage.

— J'ai passé quatre jours à Vegas avec ces pauvres types, je fais en désignant Bennett et Max de la tête. Ce n'est pas comme si je n'étais pas au courant. Tu veux que je fasse des nœuds sur des bouquets de fleurs ou quelque chose dans le genre ?

— Non. Tout se passe comme sur des roulettes...

— À peu près, murmure Bennett.

— À peu près, admet Chloé.

Ils se regardent dans les yeux, elle éclate de rire, le visage dans son cou.

— Que voulez-vous dire ? demande Sara. C'est encore le traiteur ?

— Non, répond Bennett en buvant sa bière. La question du traiteur est réglée.

— Dieu merci, le coupe Chloé.

Bennett continue :

— C'est incroyable à quel point les familles peuvent s'immiscer dans l'organisation d'un mariage. Les drames que ça suscite. Je le jure devant Dieu, si nous nous en sortons sans tuer personne, nous mériterons une médaille.

Je serre plus fort la main d'Hanna.

Au bout d'un moment, elle enroule ses doigts dans les miens et m'observe. Ses yeux se plongent dans les miens, elle sourit. Je pense à nous deux. Je pense à sa famille, devenue ces douze dernières années ma famille de substitution, sur la côte Est. J'imagine soudain la suite des événements.

Je lâche sa main, mon cœur bat la chamade. *Mon Dieu, mais que m'arrive-t-il?* En quelques mois, tout a changé.

Enfin, pas tout. Mes amis sont toujours les mêmes, je gagne toujours pas mal d'argent. Je cours toujours (presque) tous les jours, je regarde le basket à la télé à chaque occasion. Mais…

Je suis tombé amoureux. Comment aurais-je pu le prévoir? Je ne sais pas pourquoi je pense que c'est bien plus bouleversant pour moi que pour les autres.

— Ça va? demande-t-elle.

— Ouais, ça va. Je…

Je n'arrive pas à continuer. Nous sommes d'accord pour être amis. Je lui ai dit que c'est aussi ce que je voulais.

— C'est fou de voir des gens si proches sur le point de se marier. Je n'arrive pas à y croire.

Les autres scrutent le moindre regard qui passe entre Hanna et moi. Je les toise et je me lève. Ma chaise grince sur le sol, mon malaise est évident. Je veux bien être le centre de l'attention, je les taquine assez pour ça. Mais, aujourd'hui, ça me semble différent. Je veux bien rire aux blagues sur mes plans-cul réguliers ou sur mon passé avec les femmes, mais je me sens tellement vulnérable avec Hanna…

J'essuie mes mains humides sur mon jean.

— Allons… je ne sais pas…

Je parcours la salle des yeux, désespéré. On aurait dû rester sur mon canapé, baiser dans le salon. On aurait dû rester immobiles jusqu'à ce que les choses se mettent en place toutes seules.

Hanna me fixe, amusée :

— Allons… ?

— Danser.

Je la tire par la main jusqu'à la piste de danse quasi déserte, en réalisant que c'est encore pire. Je nous ai attirés hors de la sécurité de notre table, sur une *scène.* Elle s'approche de moi, pose mes mains sur sa taille, me caresse les cheveux.

— Respire, Will.

Je ferme les yeux en prenant une grande inspiration. Je ne me suis jamais senti aussi bizarre de toute ma vie. Quand j'y repense, je ne me suis jamais senti comme ça auparavant.

— Tu as l'air bouleversé, murmure-t-elle en riant dans mon oreille quand je l'attire contre moi. Je ne t'ai jamais vu aussi décontenancé. Je dois admettre que tu es très mignon comme ça.

— C'est une journée vraiment étrange.

Nous dansons sur une sorte de slow rock, un morceau instrumental. C'est doux, presque mélancolique, le bon rythme pour la danse que j'imaginais avec Hanna. Le genre de danse qui n'est qu'un prétexte pour la tenir dans mes bras.

En me retournant, je remarque que mes amis se sont désintéressés de nous et sont revenus à leur conversation. Chloé discute de manière animée, se frappe le front : je suis presque sûr qu'elle revit un fiasco lié au mariage. Maintenant que la phase gênante d'observation de Will est passée, je suis déchiré entre rester immobile, ici avec Hanna, et revenir vers la table pour être informé du nombre croissant de ruses que Chloé et Bennett doivent mettre en place pour s'en sortir. J'imagine que c'est un effort permanent.

— J'aime passer du temps avec toi, dit Hanna, en me tirant de mes pensées.

C'est peut-être les lumières du bar, ou son humeur : ses yeux sont plus bleus qu'à l'ordinaire. Comme si le printemps faisait irruption en plein New York. Je voudrais que le froid de l'hiver se dissipe. Et que les éléments entrent dans leur phase de transition, pour ne pas être le seul à passer par là.

Elle s'immobilise, les yeux fixés sur mes lèvres :

— Je suis désolée pour tout à l'heure.

Je ris puis chuchote :

— Tu l'as déjà dit. Tu t'es excusée avec des mots puis avec ta bouche sur ma queue.

Elle glousse, enfonce son visage dans mon cou. J'imagine que nous sommes seuls et que nous dansons dans mon salon ou dans ma chambre. Mais si nous y étions, nous ne danserions pas. Je serre les dents, en tentant de me contrôler : son corps contre le mien ne m'aide pas à oublier qu'elle m'a fait la pipe de ma vie un peu plus tôt et que je parviendrai peut-être à la convaincre de rentrer chez moi plus tard. Même si elle a seulement envie de dormir dans mes bras. Je suis totalement partant. Après les événements de la journée, je ne veux pas la laisser rentrer chez elle.

— Je ne sais pas quoi faire. Je sais que nous avons parlé tout à l'heure, mais notre relation reste quand même étrange.

Je soupire.

— Pourquoi est-ce si compliqué ?

Les lumières de la piste de danse jettent des ombres sur son visage, elle est si belle que je suis à deux doigts de perdre la tête. Une question me brûle la gorge :

— Est-ce que ce n'est pas bon ?

Je souris pour qu'elle réalise que j'y prends plaisir, qu'elle n'a même pas besoin de me retourner la question.

— C'est fou à quel point c'est bon, chuchote-t-elle. J'ai l'impression que je ne connaissais rien de toi, même si je pensais le contraire. Tu es ce scientifique brillant avec ses tatouages magnifiques pleins de signification. Tu cours des triathlons et tu es proche de ta mère et de tes sœurs.

Ses ongles effleurent mon cou.

— Je sais que tu as toujours été attiré par le sexe, *vraiment.* Je le savais quand je t'ai rencontré à dix-neuf ans, et maintenant, dix ans plus tard. J'aime passer du temps avec toi pour cette raison, parce que tu m'apprends des choses sur mon corps dont je ne me doutais même pas. Notre relation est vraiment parfaite.

Je rêve de l'embrasser, de caresser son ventre et son dos. Je voudrais l'allonger par terre et la sentir sous moi. Mais nous sommes dans un bar. Tu es un imbécile, Will. Mes yeux tombent sur mes amis derrière elle. Tous les quatre nous observent. Bennett et Sara ont fait pivoter leurs chaises pour nous espionner sans attraper un torticolis.

Quand je les prends sur le fait, ils font mine de regarder ailleurs : Max vers le bar, Sara au plafond, Bennett sa montre. Seule Chloé continue à nous fixer, le sourire aux lèvres.

— Venir ici était une mauvaise idée.

Hanna hausse les épaules :

— Je ne crois pas. Ça nous a fait du bien de sortir de chez toi et de discuter.

— C'est ce que nous faisons ? Parler de ce dont nous ne devons pas parler ?

Elle se lèche les lèvres.

— Bien sûr. Mais le mieux serait de rentrer chez toi et de *faire* des choses tout en parlant.

* * *

Je sors mes clés de ma poche en les faisant défiler pour choisir la bonne.

— Rassure-moi, tu ne viens pas pour prendre une tasse de thé et rentrer ensuite ?

Elle hoche la tête.

— Non. Mais je dois aller au labo demain. Je ne crois pas avoir loupé un seul jour depuis que j'y travaille.

Je déverrouille la porte d'entrée, l'ouvre et m'efface pour la laisser passer. Elle se dirige vers la cuisine.

— Mauvaise direction !

— Je ne partirai pas après le thé. Mais j'en ai besoin. L'alcool me donne envie de dormir.

— Tu en as bu *deux gorgées.*

Son verre à moitié plein a été abandonné sur la table.

— Soit l'équivalent de sept shots.

Je m'approche de la gazinière, remplis la bouilloire d'eau.

— Alors tu n'es pas amusante quand tu es ivre. Si j'avais bu sept shots, j'aurais fait un strip-tease sur la table.

Elle éclate de rire en ouvrant mon frigidaire. Elle hésite, avant d'en sortir une carotte. Même si sa présence est toute récente, j'ai l'impression qu'elle vient ici depuis toujours.

Ses cheveux s'échappent de son chignon, de petites boucles entourent son visage, tombent dans son cou. La chaleur du bar ou les deux gorgées de son verre ont fait rougir ses joues. Ses yeux brillent. Je souris.

— Tu es belle, fais-je en m'appuyant sur le comptoir.

Elle croque la carotte.

— Merci.

— Dans quelques minutes, je te baiserai jusqu'à te faire perdre la raison.

Elle hausse les épaules, affichant un faux air nonchalant :

— OK.

Mais elle m'attrape avec les jambes et m'attire contre elle, entre ses cuisses.

— Même si je vais travailler au labo demain, tu as des arguments pour me maintenir éveillée toute la nuit.

J'ouvre le premier bouton de sa chemise qui laisse apparaître la bretelle d'un soutien-gorge qu'elle a dû trouver lors de son shopping chez Aubade, avec les filles.

— Que veux-tu que je te fasse ce soir ?

— N'importe quoi.

Je lève un sourcil :

— N'importe quoi ?

— Tout.

— C'est le type de sexe que je préfère, dis-je en effleurant son cou du bout de mon nez. Découvrir tout ce que tu aimes. Ce qui te fait gémir, ce qui te fait crier.

— Je ne sais pas…

Elle s'éloigne un peu, la carotte à la main.

— N'est-ce pas génial de coucher avec quelqu'un avec qui tu es depuis longtemps ? Elle est dans le lit, endormie, tu arrives et elle se colle à toi, instinctivement, tu vois ? Ton visage dans son cou chaud, tes mains qui caressent son dos, puis tu lui enlèves son pantalon et tu la prends avec son T-shirt. Tu sais ce qu'il y a dessous. Tu ne peux pas attendre. Tu n'as plus à respecter un ordre.

Je la fixe tandis qu'elle grignote sa carotte. Elle imagine très clairement la scène. Je ne dirais pas que le sexe routinier est le meilleur. C'est agréable, bien sûr. Mais la manière dont elle le décrit… Sa voix qui chuchote presque, ses yeux fermés… Oui, ça a l'air d'être une des choses les plus exquises qui soit. J'imagine ce type de vie avec Hanna, un lit qui nous appartiendrait à tous les deux, une cuisine, un compte commun, des disputes. Je l'imagine s'énerver contre moi, puis venir s'excuser parce que je connais tous ses secrets. Et le fait qu'Hanna ne puisse garder aucune pensée ni aucun désir pour elle.

Putain. Elle n'est pas sexy comme les autres. Elle est sexy parce qu'elle se fiche que je la regarde manger une carotte, ou que son chignon soit à moitié défait. Elle est si bien dans sa peau, elle ne craint pas d'être observée – je n'ai jamais connu une femme comme elle. Elle ne pense pas que je la dévisage ou que je la juge. Elle sait que je la regarde parce que je l'écoute.

C'est le cas. Je pourrais l'écouter éternellement babiller à propos de routine sexuelle, de sodomie ou de films porno.

— Tu me regardes comme si j'étais de la nourriture.

Elle sourit et me montre sa carotte, d'un air coquin :

— Tu en veux ?

Je secoue la tête.

— C'est toi que je veux.

Elle commence à déboutonner sa chemise, la fait glisser sur ses épaules.

La bouilloire siffle dans la cuisine silencieuse, je m'écarte pour attraper une tasse et verser de l'eau brûlante sur un sachet de thé. Elle se penche sur le comptoir pour attraper le pot de miel et en verser une cuillerée dans son thé. Je perds la tête.

Je lui prends la cuillère des mains, essuie des doigts une coulure de miel sur le pot avant de les passer sur sa poitrine. Elle me dévisage, oubliant manifestement son thé.

— Lèche-moi, murmure-t-elle.

Elle détache son soutien-gorge, je passe la langue sur sa poitrine. Je souffle délicatement sur ses seins avant de les mordiller. Elle halète :

— Fais-moi mouiller.

Je me penche pour m'exécuter, j'embrasse et je lape ses seins, jusqu'à ce qu'ils brillent de salive.

— Je les baiserai bientôt.

— Les dents, chuchote-t-elle. Mords-moi.

Je gémis, ferme les yeux et mords ses seins, léchant les dernières gouttes de miel qui se trouvent sur sa peau. Ma main glisse plus bas, vers son jean, je l'ouvre pour qu'elle le retire.

Elle s'appuie sur mes épaules, écarte les jambes.

— Will ?

— Mmmm ?

J'embrasse ses côtes en prenant sa poitrine à pleines mains. Je connais cette voix, je sais ce qu'elle va me demander de faire.

— S'il te plaît.

— S'il te plaît, quoi ? je lui demande en mordant la pointe d'un sein. S'il te plaît, donne-moi mon thé ?

— Caresse-moi.

— Je ne fais que ça.

Elle grogne :

— Entre les jambes.

J'enfonce mon index dans le pot de miel avant de le presser sur son clitoris, tout en continuant à embrasser sa poitrine. Elle gémit, sa tête tombe en arrière.

Je m'accroupis pour la lécher, incapable de seulement la titiller. Le miel sur son sexe a un goût divin.

— Mon Dieu, je fais en lutinant son clitoris.

Elle plonge les mains dans mes cheveux, tire dessus pour me relever, pour m'embrasser. Sa langue aussi a le goût du miel. Je sais que j'associerai toujours ce goût à Hanna.

Elle halète entre deux baisers, plus fort quand je passe les doigts sur sa peau, en jouant là où elle est chaude et glissante. Le comptoir est un peu plus haut que mes hanches, mais ça fera l'affaire si elle veut que je la baise dans la cuisine.

— Laisse-moi aller chercher un préservatif.

— D'accord, dit-elle en relâchant sa pression sur mes cheveux.

Je marche pieds nus dans le couloir, enlève mon T-shirt sans m'arrêter, déboutonne mon jean. Je sors quelques préservatifs de la boîte qui se trouve dans mon tiroir avant de me diriger vers la cuisine, mais Hanna se tient devant la porte de ma chambre.

Elle est totalement nue. Elle marche jusqu'à mon lit sans un mot, et monte dessus. Elle s'assoit en tailleur. Elle m'attend.

— Je préfère ici.

— OK, fais-je en retirant mon jean.

— Dans ton lit.

Je pense : *Oui, j'ai compris. Il est évident que tu veux qu'on baise dans mon lit, tu es nue et j'ai une capote à la main.* Puis je réalise qu'elle me demande quelque chose. Elle se demande si mon lit n'est pas hors de nos limites, si je suis une espèce de playboy qui ne ramène jamais de filles chez lui, dans le sanctuaire sacré de sa chambre.

Sera-t-elle toujours comme ça ? Des questions silencieuses, ce manque d'assurance alors que ce que je lui donne est nouveau et spécial ? N'est-ce pas assez que je lui offre l'opportunité de me briser le cœur ?

Je la rejoins dans le lit, déchire l'emballage du préservatif avec les dents. Elle l'attrape.

Je marmonne : « Putain. » Elle se penche pour titiller ma queue du bout de la langue.

— Bordel, ce que j'aime ta bouche.

Elle embrasse mon gland, sa langue descend sur la longueur de mon sexe. Elle m'avale.

— J'aime te regarder.

Je suis si tendu, la voir dans cette posture... Je ne suis pas sûr de tenir la distance.

— J'ai l'impression que je vais jouir tout de suite.

— Je te suce à peine, murmure-t-elle, fière de son ascendant sur moi.

— Je sais. C'est... déjà beaucoup.

Elle enfile le préservatif sur ma queue, puis s'allonge dans le lit :

— Tu es prêt ?

Je me place sur elle, en admirant nos corps avant de me positionner pour la prendre. Elle est si chaude, si glissante, je voudrais que ce moment dure une éternité. Je retiens mes hanches, tapote son clitoris du bout de la queue.

— Will... gémit-elle en relevant le bassin.

— Tu sais que tu es trempée ?

Elle passe la main entre nous, se caresse :

— Oh ! mon Dieu.

— Est-ce de ma faute ? Prune, je ne sais pas si j'ai déjà autant bandé de ma vie.

Je sens mon pouls battre dans ma verge. Elle m'agrippe les épaules, respire profondément et murmure :

— S'il te plaît.

— S'il te plaît quoi ?

Elle écarquille les yeux.

— S'il te plaît... prends-moi.

Je souris.

— Ta chatte ne te fait pas mal ?

— *Will !*

Elle bouge sous moi, me cherche des mains et des hanches. Je prends ses doigts dans ma bouche, pour avoir son goût sucré sur les lèvres. J'effleure l'entrée de son vagin.

— Je t'ai demandé si tu n'avais pas mal ici.

— Si...

Elle gigote, tente de faire entrer mes doigts en elle, mais je me dérobe. J'effleure son clitoris, elle gémit. Mes doigts s'enfoncent enfin dans son vagin incroyablement trempé.

— Tu as mal entre les cuisses ? Ces boutons de rose ici... dis-je en suçant et en mordillant la pointe de son sein droit. Sont-ils tendus et douloureux ?

Mon Dieu, cette poitrine. Si douce, si chaude. Je murmure, désespéré :

— Prune... Je vais te donner tant de plaisir ce soir que tu n'en reviendras pas.

Elle se cambre sur le lit, les mains dans mes cheveux, avant de me caresser le cou et le dos.

Je caresse son sexe, mes doigts descendent vers son anus.

— Je parie que je peux te faire tout ce que je veux maintenant. Je pourrais te baiser là.

— Tout ce que tu veux, avoue-t-elle. Juste... s'il te plaît.

— Tu me supplies ?

Elle acquiesce, les yeux écarquillés, pleins d'excitation. Son cœur bat fort.

— Oui, Will…

— Tu sais, les actrices des films porno que tu apprécies tant…

Je souris en glissant ma queue sur son clitoris. Nous gémissons à l'unisson.

— Celles qui supplient. Elles disent *je veux ta queue…*

Je hoche la tête, la mâchoire serrée pour résister au désir de m'enfoncer en elle et de la clouer sur le lit.

— Serais-tu prête à le répéter ?

Elle halète, les ongles plantés dans mes pectoraux, et me griffe si profondément qu'elle laisse une traînée de feu et de marques rouges de mon sternum à mon nombril.

— Je ferai tout ce que tu veux ce soir. Tout ce que je te demande, c'est de me faire jouir.

Incapable de résister une seconde de plus, je lâche :

— Enfonce-la en toi.

Elle attrape ma queue, effleure son sexe avant de me glisser à l'intérieur, en relevant les hanches pour m'engloutir totalement. Ma peau est brûlante, je bouge en rythme avec elle, ouvrant ses jambes pour m'enfoncer en elle et peser sur son clitoris.

Je referme les poings sur les draps, j'attrape ses épaules, en luttant pour me contrôler. Elle est un vrai marécage. Elle est bouillante. Je ferme les yeux, en allant et venant toujours plus fort. Mon sang cogne dans mes veines.

Ses gémissements discrets – c'est bon, *tellement bon* – me donnent envie de la prendre plus fort, de la faire jouir encore et encore pour qu'elle oublie tous les autres. Elle sait que je continuerai toute la nuit, que ce n'est pas seulement parce que c'est la première nuit. Je le ferai *toujours.* Avec Hanna, je ne peux pas ralentir.

Elle est parfaite, magnifique et ouverte d'esprit. Les mains sur mon visage, son pouce dans ma bouche, elle me supplie de la baiser plus fort, les yeux brillants.

Ses yeux se ferment, je m'arrête en maugréant :

— Regarde-moi.

Elle les rouvre, scrute mon visage – et non ma queue –, témoin de toutes les émotions qui passent dans mes yeux. Ce n'est pas assez au début, j'en veux plus, j'en suis presque brutal avec elle ; le moment où ça devient parfait, *si parfait* que je retiens un gémissement, en regardant sa poitrine rougir et le premier orgasme l'envahir. Je suis pris de frénésie, je voudrais ralentir, apprécier de sentir ma queue en elle, cette sensation si parfaite de chaleur. Caresser sa poitrine en sueur, ralentir assez pour qu'elle me supplie de ne rien en faire.

Elle s'agrippe à mes épaules : *plus vite.*

Je murmure : « Quelle exigence ! » en me retirant pour la retourner, embrasser son dos, mordre ses fesses et ses cuisses. Je laisse des marques rouges sur sa peau.

Je l'attire sur le bord du lit, me penche sur le matelas, en m'enfonçant en elle et nous crions tous les deux. Je ferme les yeux pour me calmer. Avant elle, je regardais toujours. J'avais besoin de stimulation visuelle pour jouir. Hanna me bouleverse. Je lui appartiens. Je n'ai pas besoin de la regarder quand je suis sur le point de jouir. Son dos se cambre, elle m'observe par-dessus son épaule, pleine d'espoir, d'une affection qui me donne des papillons dans le ventre.

Elle se resserre autour de moi, elle mouille encore plus. Ses gémissements deviennent des halètements brefs. Je tente de me retenir, de ne pas penser à nos deux corps, à l'image que nous donnons. J'attrape sa hanche et son épaule pour l'attirer à moi à chaque mouvement jusqu'à être si près de l'orgasme que mon corps tremble tout entier.

Elle gémit mon nom, fait un mouvement pour m'enfoncer encore plus profondément en elle. J'ai l'impression de sombrer dans les ténèbres. J'ouvre les yeux, je m'accroche à elle en jouissant. Je continue à la pénétrer, à la baiser alors qu'elle jouit elle aussi, la tête lourde, les jambes en feu. Mon corps est en caoutchouc, je lutte pour ne pas rouler sur le lit, sans connaissance.

Je me retire pour enlever le préservatif. Elle glisse sur le matelas. Elle est si belle dans mon lit, les cheveux en bataille, la peau transpirante et rouge, une goutte de miel ici et là, sur sa peau. Je monte sur le lit et m'effondre, en me blottissant contre elle. C'est si naturel. C'est la première fois qu'elle dort dans mon lit et c'est comme si elle y avait toujours été.

Chapitre 15

Je me réveille le lendemain matin avec la sensation peu familière des draps de Will, et son odeur partout sur ma peau. Le lit est sens dessus dessous. Les draps housses ne tiennent plus sur le matelas, ils sont enroulés autour de mon corps, les oreillers traînent par terre. Je serais incapable de dire où sont mes vêtements.

Coup d'œil à l'horloge : il est à peine cinq heures du matin. Je roule dans le lit, en écartant mes cheveux emmêlés de mon visage et en plissant les yeux dans l'obscurité. De l'autre côté du lit, il ne reste que la forme du corps de Will dans les draps. J'entends des bruits de pas, il marche vers moi, torse nu, le sourire aux lèvres, et deux tasses à la main.

— Bonjour, marmotte, lance-t-il en posant les cafés sur la table de nuit.

Il s'assoit à côté de moi, le matelas s'enfonce légèrement.

— Tu te sens bien ? Tu n'as pas trop de courbatures ?

Son expression est tendre, il sourit. Je me demande si je parviendrai un jour à m'habituer à l'idée d'être si intime avec lui.

— Je ne t'ai pas épargnée…

Je fais un inventaire mental rapide : mes jambes sont faibles, mes abdominaux me font mal comme si j'avais fait une séance intensive de fitness, je ressens encore dans mon entrejambe l'écho de ses va-et-vient.

— J'ai mal partout.

Il se gratte le menton, scrutant mon visage avant de lorgner ma poitrine.

— C'est la chose la plus agréable que tu m'aies jamais dite. Tu pourras me la renvoyer par texto plus tard. Si tu te sens d'humeur généreuse, tu pourras y joindre une photo de tes seins.

J'éclate de rire, il me tend une tasse.

— J'en connais une qui a oublié son thé hier soir.

— Hum. Cette personne devait être distraite.

Je secoue la tête en lui faisant signe de reposer la tasse. Je veux conserver mes mains libres. Will est toujours irrésistible, mais le matin, on devrait lui interdire d'exister.

Il sourit, me caresse les cheveux, les lisse dans mon dos. Je frissonne : le geste est si intime. La simple sensation de ses doigts m'envoie des décharges électriques entre les jambes. J'aimerais savoir ce qu'il ressent exactement : de l'amitié, de la tendresse, quelque chose de plus ? Je me retiens de lui poser la question. Il ne me dirait probablement pas la vérité, de toute façon.

Le ciel que j'aperçois par la fenêtre est toujours violet et brumeux. Chaque ligne d'encre sur sa peau semble plus foncée, chaque tatouage est mis en évidence. L'oiseau bleu est presque noir, les mots dessinés sur ses côtes semblent être gravés directement dans l'os. Je tends la main pour les toucher, glisse sur ses pectoraux, puis son ventre, et plus bas encore. Je passe un doigt sous la ceinture de son caleçon, il halète.

— J'ai envie de dessiner sur toi, dis-je, en clignant des yeux pour jauger sa réaction.

Il a l'air surpris, mais au-delà de ça, il a l'air *excité.* Ses yeux bleus sont plus foncés, dans la pénombre. Il doit être d'accord, puisqu'il se penche vers la table de nuit et me tend un marqueur noir. Je me concentre pour conserver un air neutre quand il passe sur moi pour s'allonger sur le dos au milieu du lit.

Je m'assois, le drap me déshabille. L'air froid me rappelle que je suis complètement nue. Je ne repense pas deux fois à ce que je désire faire, je le chevauche, les cuisses écartées au niveau de ses hanches.

L'atmosphère dans la pièce s'alourdit, Will avale sa salive, les yeux écarquillés. Je retire le bouchon du marqueur. Je sens sa queue durcir contre mes fesses. Je ravale un gémissement quand il plie les cuisses et remue les hanches pour se frotter contre moi.

J'admire son grand corps sculptural, sans savoir par où commencer.

— J'aime tes clavicules.

— Mes clavicules ? demande-t-il d'une voix rauque et chaude.

Mes doigts descendent sur sa poitrine, je retiens un sourire triomphant : sa respiration s'entrecoupe, son excitation est visible.

— J'adore ta poitrine.

Il rit et murmure :

— De même.

Son torse est parfait. Dessiné mais pas bodybuildé, avec une peau d'une douceur incomparable. Ses épaules musclées et ses pectoraux me font fantasmer. Je les caresse distraitement. Il ne se rase ni ne s'épile comme tant de mecs torse nu l'été. Je n'ai jamais bien compris pourquoi ils ressentaient ce besoin. Will est un *homme,* avec ses poils noirs sur la poitrine, un ventre imberbe, une piste de poils qui mène de son nombril à…

Je me penche pour lécher l'heureuse ligne.

— C'est bon, lâche-t-il, en remuant sous moi. Mon Dieu, oui !

— J'aime cet endroit, dis-je en écartant ma bouche de ses hanches.

Je descends son caleçon d'un centimètre, et dessine un H sous sa hanche, et un B dessous. Je m'assois pour examiner mon travail, le sourire aux lèvres.

— Ça me plaît.

Il lève la tête pour voir mes initiales dessinées sur sa peau et cligne des yeux.

— Moi aussi.

Je me rappelle les mots et les dessins que j'ai effacés de mon corps l'autre jour. J'appuie sur le marqueur jusqu'à ce que l'encre monte dans la pointe. Je presse mon pouce sur sa peau, si fort qu'il halète. Je retire ma main. J'ai laissé mon empreinte sur lui.

Je m'assois pour admirer le résultat.

— Bordel, c'est probablement la chose la plus sexy du monde, Hanna, gémit-il, les yeux fixés sur cette marque noire.

Ses paroles vibrent en moi et font remonter la pensée qu'il y en a eu d'autres : d'autres filles qui ont fait des choses sexy, qui lui ont donné du plaisir.

Je détourne les yeux pour éviter son regard, pour qu'il ne puisse pas déchiffrer les pensées qui envahissent mon esprit – ces pensées qui concernent toutes ses relations antérieures. Will est parfait. Je me sens sexy et drôle avec lui, je me sens *désirée.* Je ne veux pas tout gâcher en parlant de ce qui est arrivé avant moi, ou, inévitablement, de ce qui arrivera ensuite. Ou, ciel, de ce qui s'est passé pendant les quelques jours où nous n'avons pas été ensemble... Il ne m'a jamais dit qu'il avait rompu avec les autres filles. Je le vois beaucoup dans la semaine, mais pas *tous* les soirs. Connaissant Will, varier les plaisirs ne lui fait pas peur. Il est assez pragmatique pour avoir toujours un plan B.

De la distance, je me raisonne. *Agent secret. Aller et venir, sans y laisser des plumes.*

Will se rassoit sous moi, m'embrasse dans le cou, puis dans l'oreille.

— J'ai envie de te baiser.

Ma tête se renverse en arrière.

— Tu ne l'as pas déjà fait toute la nuit ?

— C'était il y a des *heures*.

Mon corps se couvre de chair de poule, j'oublie une nouvelle fois ma boisson chaude.

* * *

Il fait toujours froid dehors, mais on sent que le printemps approche. Les arbres ont retrouvé leurs feuilles, ils bourgeonnent. Les oiseaux chantent, le ciel bleu annonce que le mauvais temps tire à sa fin. Au printemps, Central Park est toujours sublime : il est impressionnant de se retrouver, au cœur même d'une ville aussi gigantesque que New York, dans une telle oasis de couleur, d'eau et d'oiseaux.

Je voudrais penser à ce que je dois faire aujourd'hui, ou le week-end de Pâques, mais je suis courbaturée, fatiguée. Courir avec Will me distrait de plus en plus.

Le rythme de ses pieds sur le goudron, sa respiration… je n'arrive pas à penser à autre chose qu'au sexe. Je sens ses muscles sous mes mains, sa voix excitante qui me demande de le mordre, comme s'il le faisait à la seule fin de me contenter, comme si j'avais besoin de déchirer quelque chose en lui, de trouver une vérité sous sa peau. Je me souviens de sa respiration dans mon oreille au milieu de la nuit, en rythme, quand il s'est retenu pendant une éternité, quand il m'a fait jouir, encore et encore.

Il soulève son T-shirt pour s'essuyer le front en continuant à courir. Mon esprit vogue tout de suite vers la sueur sur son estomac, son sperme sur ma hanche, pendant la fête.

Il laisse retomber son T-shirt, mais je ne quitte pas son ventre des yeux.

— Hanna ?

— Oui ? je fais en posant finalement les yeux sur la piste devant nous.

— Qu'y a-t-il ? Tu as l'air bizarre.

Je prends une grande inspiration, ferme les yeux un instant.

— Non, ce n'est rien.

Il s'arrête et l'image de son sexe allant et venant en moi s'évapore. Mais la chaleur entre mes jambes ne disparaît pas.

— Arrête.

J'inspire, les mots s'échappent :

— Je pensais à toi.

Il me dévisage de ses yeux bleus, puis détaille mon corps : les pointes dressées de mes seins sous mon T-shirt trop grand, mon ventre contracté, mes jambes sur le point de s'effondrer et mes muscles si durs que ça en devient douloureux.

Il sourit faiblement.

— Tu penses à moi comment ?

Cette fois, je ferme les yeux. Il a toujours dit que mon honnêteté était ma force. J'aime qu'il apprécie cette qualité chez moi.

— Personne ne m'a jamais occupé l'esprit comme toi.

Il se tait, trop longtemps à mon goût. J'ouvre les yeux, il m'observe. J'aimerais qu'il réponde quelque chose, qu'il se moque ou qu'il me taquine, qu'il dise quelque chose de cochon et nous ramène à la conversation classique d'Hanna et Will.

— C'est-à-dire ? murmure-t-il finalement.

— Je n'ai jamais eu de problème pour me concentrer avant toi. Mais… je pense à toi…

Je m'arrête abruptement.

— Je pense au sexe avec toi tout le temps.

Je n'ai jamais senti mon cœur battre aussi fort. Grâce à lui, je me souviens que c'est un muscle et que mon corps est fait pour baiser.

— Et?

Bien.

— Ça me fait peur.

Il grimace légèrement:

— Pourquoi?

— Parce que tu es mon ami… tu es devenu mon meilleur ami.

Son expression s'adoucit.

— Est-ce mal?

— Je n'ai pas beaucoup d'amis, je n'ai pas envie de tout foutre en l'air. C'est important.

Il sourit, replace une mèche de cheveux derrière mon oreille.

— Tu as raison.

— J'ai peur que notre arrangement d'amis qui baisent foire – comme l'a prédit Max.

Il rit.

— Toi non?

— Pas pour les mêmes raisons que toi.

Que veut-il dire par là? J'admire la capacité de Will à rester sous contrôle, mais j'ai vraiment envie de l'étrangler.

— N'est-ce pas bizarre? Alors que tu es mon meilleur ami, je ne peux pas m'empêcher de t'imaginer nu. Moi nue. Tous les deux, nus. Les sensations que j'ai quand je suis nue avec toi. Les sensations que tu as toi aussi, j'espère. J'y pense beaucoup.

Il s'approche d'un pas, pose une main sur ma hanche, l'autre sur ma joue.

— Ce n'est pas bizarre. Hé, Hanna?

Il prend mon pouls dans mon cou, je sais qu'il essaie de me dire qu'il sait à quel point j'ai peur. J'avale ma salive et murmure:

— Ouais?

— Tu sais que je suis quelqu'un de direct.

J'acquiesce.

— Mais est-ce le bon moment pour parler de ça? On peut, bien sûr, mais…

Il me prend par la taille.

— Nous ne sommes pas obligés.

Une bouffée de panique m'envahit. Nous avons déjà eu cette conversation et elle ne s'est pas bien passée. J'ai paniqué et il s'est rétracté. Je ne sais pas si ce sera différent cette fois. Que dirai-je s'il m'explique qu'il me désire, mais pas seulement moi? Je sais ce que je répondrai. Je lui dirai que ça ne peut pas fonctionner pour moi. Que finalement… je m'éloignerai.

Je souris en secouant la tête:

— Attendons un peu.

Il hoche la tête, m'embrasse dans l'oreille.

— Très bien. Alors, laisse-moi te dire une chose: *personne* ne me fait l'effet que tu me fais.

Il détache les syllabes pour que je comprenne bien, pour être clair.

— Et je pense beaucoup à toi nue. Très souvent.

Qu'il pense au sexe avec moi ne me surprend pas vraiment, c'est assez clair. Mais il me donne l'impression d'avoir envie d'être avec moi d'une manière plus officielle qu'avec ses amies habituelles, puisqu'il ne met pas tout sur la table. Seulement, je ne sais pas jusqu'à quel point Will veut s'engager… Après tout, personne ne me fait ressentir ce que je ressens avec lui, ça vaut le coup de se battre.

— Tu as sûrement prévu quelque chose… ce week-end, dis-je, et ses sourcils se froncent, frustration ou confusion, je ne saurais dire.

— J'aimerais que tu viennes passer le week-end de Pâques chez moi.

Il sursaute.

— Quoi ?

— J'aimerais que tu viennes chez mes parents. Ma mère prépare toujours un brunch de Pâques magnifique. On peut partir samedi et rentrer dimanche après-midi. Tu avais déjà quelque chose en tête ?

— Euh… non, bredouille-t-il. Rien du tout. Tu es sérieuse ?

— Ça te gênerait ?

— Non, ce serait super de voir Jensen et la famille.

Ses yeux brillent de malice.

— J'imagine que nous ne leur parlerons pas de nos aventures, mais pourrai-je voir tes seins quand on sera là-bas ?

— En privé ? Peut-être.

Il se tapote le menton, en réfléchissant.

— Hum… Tu va me trouver hyper angoissant mais… dans ta chambre ?

— Ma chambre de *petite fille ?* Tu es pervers. Mais peut-être.

— Alors je suis d'accord.

— Juste pour mes seins ? Tu es vraiment facile à convaincre.

Il se penche, m'embrasse sur la bouche :

— Avec toi ? Oui.

* * *

Will arrive chez moi le samedi matin. Il gare sa vieille Subaru Outback verte devant mon immeuble. Il me regarde, mes yeux vont de lui à la voiture et inversement. Il lance les clés en l'air.

Je siffle : « Joli ! » en lui tendant mon sac.

Il l'attrape, m'embrasse sur la joue en souriant largement.

— N'est-ce pas ? Je la garde pour les grandes occasions. Cette voiture me manque.

— Quand l'as-tu conduite pour la dernière fois ?

Il hausse les épaules.

— Ça fait un moment.

J'essaye de ne pas penser à notre destination. Inviter Will m'a semblé une super idée il y a une semaine et, maintenant, je me demande quelle sera la réaction de ma famille. Pourrai-je garder mon sourire stupide pour moi-même et mes mains hors de son pantalon ? En regardant ses fesses, je me dis que j'ai vraiment peu de chances d'y parvenir.

Il est vraiment magnifique dans son jean préféré, son pull gris anthracite et ses baskets vertes. Il a l'air aussi détendu que je suis nerveuse.

Nous n'avons pas discuté de ce que nous ferions une fois arrivés. Ma famille sait que nous nous voyons – c'était leur idée, après tout. La suite des événements ne faisait certainement pas partie de leur plan. Si Jensen apprend ce que Will fait à sa petite sœur, le week-end risque de tourner au pugilat. Il est facile de se cacher la vérité à New York. À la maison, je serai face au fait que Jensen est le meilleur ami de Will. Je ne pourrai pas agir comme si… comme s'il m'appartenait.

Will place mon sac dans le coffre, ouvre ma portière et m'embrasse longuement avant de me laisser entrer dans la voiture.

— Tu es prête ?

— Ouais.

J'aime penser que Will m'appartient. Il me dévisage et me sourit, jusqu'à ce que nous réalisions qu'il ne nous reste plus que quelques heures de voiture à être insouciants, à vivre dans cette intimité confortable.

Il m'embrasse encore une fois, me mordille la lèvre et glisse la langue dans ma bouche avant de s'éloigner. Il fait le tour de la voiture, s'affale sur le siège conducteur et propose :

— Tu sais qu'on pourrait prendre quelques minutes sur la banquette arrière… Je baisserais le siège et… je sais que tu aimes écarter les jambes.

Je lève les yeux au ciel en souriant. Will hausse les épaules et met le contact. La voiture vrombit, Will déboîte, me fait un clin d'œil avant de mettre les gaz.

La voiture fait une embardée et cale brutalement à un stop. Il fronce les sourcils, remet le moteur en marche et parvient à s'insérer dans le flot de la circulation. J'attrape son téléphone pour parcourir sa musique. Il fait la moue, boudeur, et se concentre sur la route.

— Britney Spears ? fais-je en éclatant de rire.

Il tente de m'arracher le téléphone des mains.

— Ma sœur… marmonne-t-il.

— *Bien sûr.*

Nous arrivons à Broadway, la voiture cale encore. Will tousse, mais ne se décourage pas. Il jure quand elle refuse de démarrer quelques minutes plus tard.

— Tu es sûr que tu sais faire marcher l'engin ? je lui demande en souriant. Tu es devenu tellement new-yorkais que tu ne sais plus conduire ?

Il me lance un regard glacial.

— Ce serait bien plus facile si on avait commencé par baiser. Aide-moi à m'éclaircir les idées.

Je jette un coup d'œil au pare-brise, je lui souris et plonge vers sa braguette :

— Qui a dit qu'on devait utiliser la banquette arrière ?

CHAPITRE 16

Je coupe le contact, le silence envahit la voiture. Nous sommes garés devant la maison des Bergstrom. Dans mon champ de vision se trouve un large porche blanc entouré de briques rouges. Les fenêtres sont encadrées par de grands volets bleus; à l'intérieur, on aperçoit de lourds rideaux crème. La maison est grande, belle, et contient tant de souvenirs pour moi que j'ai du mal à imaginer l'effet qu'elle a sur Hanna.

Je ne suis pas venu ici depuis plusieurs années. La dernière fois, j'y étais passé avec Jensen, en plein été. Seuls ses parents étaient présents. C'était tranquille, l'ambiance était détendue. On avait passé la majeure partie du week-end dans la véranda à siroter des gin-tonics en lisant. Maintenant, me voilà garé devant la maison, assis à côté de la sœur de mon meilleur ami, qui m'a fait la pipe de ma vie – encore – il n'y a pas deux heures.

Elle a un don naturel pour la fellation.

À New York, pris dans nos routines quotidiennes, il est facile d'oublier que ce qui nous relie, c'est Jensen, c'est sa famille. Qu'ils nous tueraient s'ils savaient. Elle m'a médusé en me reparlant de Liv, une histoire tellement ancienne. Ce week-end, tout me reviendra en pleine figure: mon bref flirt avec Liv, mon amitié avec Jensen, mon stage avec Johan. Je vais devoir affronter tout ça en cachant ma relation avec Hanna.

Je pose une main sur son épaule pour la secouer légèrement : « Hanna… »

Elle sursaute, ouvre brusquement les yeux. Elle somnole encore, elle n'a pas toute sa conscience. Elle me sourit comme si j'étais ce qu'elle aimait le plus au monde. Elle murmure :

— Salut, toi.

Mon cœur explose de bonheur.

— Salut, Prune.

Elle sourit, l'air timide, tourne la tête pour jeter un coup d'œil par la vitre en s'étirant. Elle réalise que nous sommes garés et sursaute encore légèrement, se redresse et regarde autour d'elle :

— Oh ! Nous sommes arrivés.

— Nous sommes arrivés.

Une lueur de panique pétille dans ses yeux.

— Ça va être gênant, non ? Je ne vais pas pouvoir m'empêcher de lorgner ta braguette et Jensen le remarquera. Quand tu contempleras mes seins, quelqu'un le remarquera aussi. Et si je te touche ! Ou…

Elle écarquille les yeux.

— Et si je t'*embrasse* ?

Sa crise d'angoisse m'aide à me calmer. On ne peut pas paniquer tous les deux. Je secoue la tête.

— Ça va bien se passer. Nous sommes ici en amis. Nous venons voir ta famille, pas en tant que couple, mais seulement en *amis.* Il n'y aura pas de coups d'œil à ma bite ni à tes seins. Je mettrai un long T-shirt. Ça te va ?

— Oui. En amis, répète-t-elle.

— Parce que nous le sommes.

Ma poitrine se serre. Pourtant, c'est la vérité.

Elle tend la main vers la poignée en gazouillant :

— Des amis ! Des amis qui vont passer Pâques en famille ! On va voir ton vieil ami, mon grand frère ! Merci de m'avoir conduite ici depuis New York, ami Will mon ami !

Elle éclate de rire en sortant de la voiture, et la contourne pour récupérer son sac dans le coffre.

— Calme-toi, Hanna, je fais en posant une main sur ses épaules.

Mes yeux tombent dans son décolleté.

— Ne fais pas la folle.

— Lève les yeux, William. Autant commencer maintenant.

Je glousse :

— Je ferai de mon mieux.

— Moi aussi.

Elle me fait un clin d'œil et ajoute :

— N'oublie pas de m'appeler Ziggy.

* * *

Helena Bergstrom est du genre à vous enlacer jusqu'à vous étouffer. Elle pourrait venir de l'Oregon. Seul son accent chantant et les traits européens de son visage révèlent ses origines norvégiennes. Elle m'invite à entrer et me prend dans ses bras, à peine passé la porte. Comme Hanna, elle est grande. Elle prend de l'âge avec grâce. Je l'embrasse sur la joue, puis je lui tends les fleurs que nous lui avons achetées sur la route.

— Tu es toujours aussi attentionné, dit-elle en les prenant. Johan est encore au travail. Éric ne pourra pas venir. Liv et Rob sont déjà là, mais nous attendons toujours Jensen et Niels.

Elle regarde derrière moi et fronce les sourcils.

— Il va pleuvoir, j'espère qu'ils arriveront pour le dîner.

Elle parle de ses enfants aussi naturellement qu'elle respire. À quoi a ressemblé sa vie avec une telle progéniture ? Maintenant, ils se marient les uns après les autres, ils font des enfants à leur tour. Sa maison n'arrêtera pas de se remplir.

Je ressens le désir peu familier d'en faire partie, mais je le chasse en clignant des yeux. Ce week-end contient potentiellement tous les ingrédients pour devenir gênant, surtout si mes propres émotions s'en mêlent.

À l'intérieur, la maison est la même qu'il y a des années, même si la décoration a changé. Elle est toujours chaleureuse, mais le bleu et le gris dont je me souvenais ont laissé place à du marron et du rouge, avec des canapés cossus et des murs de couleur crème. Dans l'entrée, le long du couloir, il y a comme dans le reste de la maison toute une série de citations positives sur les murs. Je constate qu'Helena embrasse toujours avec le même enthousiasme le mode de vie américain!

Dans le hall d'entrée: *Vivre, Rire, Aimer!*

Dans la cuisine: *Un régime sain ne se passe pas de cookies.*

Dans le salon: *Nos enfants: nous les aimons pour qu'ils s'envolent!*

Hanna me surprend en train de lire la phrase la plus proche de la porte d'entrée: *Tous les chemins mènent à la maison,* et me fait un clin d'œil.

J'entends des pas dans l'escalier en bois, je rencontre les yeux verts brillants de Liv. Mon ventre se serre.

Il n'y a aucune raison que je ressente une gêne avec Liv, je l'ai vue plusieurs fois depuis que nous sommes sortis ensemble; la dernière fois, c'était au mariage de Jensen il y a quelques années. Nous avions discuté de son travail dans une petite entreprise commerciale à Hanover. Son fiancé – maintenant, son mari – m'avait paru très sympathique. Je ne m'étais plus jamais posé de questions sur notre relation.

Mais c'était seulement parce que je pensais que notre flirt rapide ne signifiait rien pour elle, je ne savais pas qu'elle avait eu le cœur brisé quand j'étais retourné à Yale après Noël, il y a tant d'années. Comme si un énorme chapitre de mon histoire avec les Bergstrom avait été réécrit. J'étais le coureur de jupons, le briseur de cœurs. Maintenant que je me trouve ici, je réalise que je ne m'y suis pas préparé psychologiquement.

Je reste immobile, elle s'approche et me prend dans ses bras.

— Salut Will !

Je sens son ventre de femme très enceinte contre le mien, elle rit en murmurant :

— Détends-toi, bon Dieu !

Je me laisse aller et l'entoure de mes bras.

— Salut toi ! J'imagine que je dois te féliciter.

Elle fait un pas en arrière, caresse son ventre, rayonnante.

— Merci.

Ses yeux pétillent d'amusement, je me rappelle que Hanna l'a appelée après notre dispute. Liv doit savoir *exactement* ce qu'il y a entre sa petite sœur et moi. Mon estomac est noué, mais je fais un effort, pour ne pas ressentir de malaise ce week-end.

— Est-ce un garçon ou une fille ?

— Surprise ! Rob voulait savoir, mais moi non. Bien sûr, j'ai gagné.

Elle éclate de rire et s'écarte pour laisser son mari me serrer la main.

Nous profitons d'un moment de calme avant la tempête Bergstrom pour déposer nos sacs à l'étage.

— Installe Will dans la chambre jaune, lance Helena.

— C'était ma chambre avant ? je demande en suivant Hanna dans l'escalier, j'en profite pour admirer son cul parfait.

Elle a toujours été mince, mais depuis qu'elle court, elle a un corps sublime.

— Non, tu étais dans la chambre blanche, l'autre, me rappelle-t-elle avant de se retourner pour me sourire. Mais ne crois pas que je me souvienne de tous les détails de cet été-là.

Je ris en entrant derrière elle dans la chambre qui sera la mienne pour la nuit.

— Où est ta chambre ?

La question m'échappe avant que j'aie le temps de réfléchir. Ou de m'assurer qu'il n'y a personne alentour.

Elle ferme la porte derrière elle après avoir vérifié que personne ne traîne dans le couloir.

— À deux portes d'ici.

L'espace semble rétrécir. Nous nous tenons debout, en nous dévorant des yeux.

— Will… murmure-t-elle.

C'est la première fois depuis notre départ de New York que je réalise que ce voyage est une affreuse idée. Je suis amoureux d'Hanna. Comment pourrai-je m'empêcher de la regarder avec amour?

— Hanna.

Elle secoue la tête et murmure:

— Tout va bien?

— Ouais, je réponds en me grattant le cou. J'ai envie de t'embrasser, c'est tout.

Elle s'approche de moi, passe les mains sous mon T-shirt. Je me penche pour l'embrasser rapidement sur les lèvres.

— Mais je ne devrais pas… dis-je contre ses lèvres.

Elle me rend mon baiser.

— Sûrement pas.

Elle m'embrasse sur la bouche, sur la joue, me lèche et me mordille, enfonce ses ongles dans ma poitrine, titille mes tétons. Je bande en quelques secondes, je deviens fiévreux.

— T'embrasser ne me suffira jamais.

— Nous avons le temps, tout le monde n'est pas arrivé.

Elle s'écarte assez pour déboutonner mon jean.

— On pourrait…

Je lui attrape les mains.

— Hanna. C'est hors de question!

— Je ne ferai aucun bruit.

— On ne peut pas *baiser* dans la maison de tes parents en plein jour! On vient d'en discuter, non?

— Je sais… Mais si c'est le seul moment que nous avons à nous ? J'espère que nous serons encore amis dans un quart d'heure. J'espère que ce sera la première des nombreuses fois où tu me baiseras dans cette maison.

Elle a perdu la tête.

— Hanna !

Je ferme les yeux, m'efforce d'étouffer un grognement quand elle descend mon jean et mon boxer sur mes hanches, et prend ma queue dans sa main chaude.

— Nous ne devrions pas.

Elle me fait taire :

— Nous devrons être rapides. Pour une fois.

J'ouvre les yeux pour ne pas en perdre une miette. Je n'aime pas me presser, surtout pas avec Hanna. J'aime prendre mon temps. Mais elle s'offre, et nous n'avons que cinq minutes, et je peux le faire en cinq minutes. Le reste de la famille n'est pas encore arrivé, ça passera sûrement. Je me souviens soudain :

— Je n'ai pas de préservatifs. Je n'en ai pris aucun. Pour des *raisons évidentes.*

Elle jure en grimaçant :

— Moi non plus.

Nous nous observons, l'air interrogateur. Son regard est suppliant.

— Non.

— Mais je prends la pilule depuis des années !

Je ferme les yeux et serre la mâchoire. J'ai toujours eu peur que les filles avec qui je suis tombent enceintes. Même dans mes années les plus folles, je n'ai jamais fait l'amour sans préservatif. Ces dernières années, je me suis fait tester tous les trois mois.

— *Hanna…*

— Non, tu as raison, murmure-t-elle en caressant ma queue. Il ne s'agit pas seulement d'éviter que je tombe enceinte, mais de nous protéger…

— Je n'ai jamais baisé sans préservatif.

Les mots m'ont échappé. Elle s'immobilise.

— Jamais ?

— Je ne me suis jamais même frotté contre une fille sans. Je suis trop parano.

Elle écarquille les yeux.

— Juste un petit coup ? Je pensais que tous les mecs faisaient ça.

— Je suis parano, je prends toujours mes précautions. Je sais qu'il suffit d'une fois.

Je lui souris, sachant qu'elle comprendra l'allusion. Je suis le fruit d'une erreur de mes parents.

Ses yeux s'assombrissent, elle fixe ma bouche.

— Will ?

Bordel. Quand elle me regarde comme ça, quand j'écoute sa voix rauque et douce, je perds tout contrôle sur moi-même. Ce n'est pas seulement de l'attraction physique. Bien sûr, j'ai été attiré par des femmes. Mais il y a quelque chose de plus avec Hanna, une réelle alchimie entre nous, quelque chose qui étincelle, qui me donne envie d'en obtenir toujours plus. Elle m'offre son amitié, je désire son corps. Elle m'offre son corps, je désire son esprit. Elle m'offre son esprit, je désire son cœur.

Et là voilà qui me supplie de la prendre, et il m'est impossible de dire non. Mais j'essaie.

— Je pense que c'est une très mauvaise idée. Nous devrions y réfléchir à deux fois.

J'évite d'ajouter : *Et particulièrement si tu envisages que d'autres hommes fassent partie de ton « expérience ».*

— J'ai envie de te sentir en moi. Je n'ai jamais baisé sans préservatif, moi non plus. En moi. Juste une seconde.

Elle sourit et monte sur la pointe des pieds pour m'embrasser.

Je murmure :

— Juste un petit coup ?

Elle fait un pas en arrière, s'assoit sur le matelas et remonte sa jupe sur ses hanches. Elle fait glisser sa culotte. Elle écarte les cuisses, s'allonge sur ses coudes. Je n'ai qu'un pas à faire pour la pénétrer. Peau contre peau.

— Je sais que c'est une folie, que c'est stupide. Mais, mon Dieu, c'est comme ça que je me sens avec toi.

Elle se lèche les lèvres.

— Je te promets de ne pas faire de bruit.

Je ferme les yeux. Ses paroles m'ont décidé. La grande question est plutôt de savoir si *je* pourrai m'empêcher de faire du bruit. Je fais tomber mon pantalon et avance d'un pas entre ses jambes, je me penche vers le lit en tenant ma queue.

— Putain. Que faisons-nous ?

— Juste un aperçu.

Mon cœur bat dans ma gorge, dans ma poitrine, dans chaque centimètre carré de ma peau. C'est la dernière frontière sexuelle. J'ai tout fait, sauf ça. C'est tellement simple, tellement innocent. Je n'ai jamais désiré sentir quelqu'un peau contre peau comme elle. Je suis fiévreux, ma raison s'envole, je sais qu'il sera tellement bon de m'enfoncer en elle, même une seule seconde, pour la sentir, et que cela suffira. Elle pourra aller dans sa chambre, défaire sa valise, se rafraîchir, et je me branlerai comme je ne me suis jamais branlé.

Voilà le plan parfait.

— Viens… murmure-t-elle en tendant les mains vers mon visage.

Je me penche et je l'embrasse. Je masse sa langue avec amour. Je sens la peau mouillée de sa chatte contre ma queue, mais ce n'est pas là que j'ai envie de la sentir. J'ai envie d'être nu contre elle. De la sentir contre moi.

— Ça va ?

Je caresse son clitoris.

— Je peux commencer par te faire jouir. Je ne peux pas te laisser comme ça.

— Pénètre-moi.

— Hanna... Qu'est-il arrivé de ta résolution? Juste un petit coup?

— Tu ne veux pas sentir ce que ça fait?

Ses mains glissent sur mes fesses, ses hanches se balancent contre les miennes.

— Tu ne veux pas me sentir?

Je marmonne dans son cou:

— Tu es une très vilaine fille.

Elle repousse mes doigts et attrape mon sexe, me branle. J'étouffe mes gémissements dans son cou.

Elle m'oriente vers son vagin et attend que je fasse le dernier pas. Je bascule d'avant en arrière, sentant le frémissement subtil de son corps chaque fois que ma queue la frôle. Puis je la pénètre légèrement, juste le temps de la sentir se contracter sur ma queue. Je m'arrête.

— Rapide. Et silencieux.

— Je le promets, murmure-t-elle.

Je m'attends à ce qu'elle soit chaude, mais je ne suis pas prêt à ce qu'elle soit si brûlante, si douce, si trempée. Je ne pensais pas ressentir un tel vertige en étant en elle, en sentant les pulsations de son corps contre moi. Ses muscles se contractent, ses gémissements dans mon oreille me disent à quel point c'est différent pour elle.

— Putain, je fais, incapable d'arrêter de la pénétrer. Je ne... Je ne peux pas baiser comme ça, maintenant. C'est trop bon. Je vais jouir.

Elle retient son souffle, m'agrippe les bras si fort que c'en est douloureux.

— Ne te retiens pas, elle halète. Tu te retiens toujours si longtemps. Je veux que ce soit si bon que tu ne puisses pas te retenir.

— Tu es diabolique.

Elle rit, tourne la tête pour m'embrasser.

Nous sommes allongés sur le bord du lit, à moitié vêtus, mon jean est coincé sur mes chevilles. Nous sommes montés pour déposer nos affaires, nous rafraîchir, prendre nos marques. Ce que nous faisons est très mal, mais comme nous parvenons à ne faire aucun bruit, je me convaincs qu'avec un petit effort, je parviendrai à la baiser sans faire craquer le lit. Et puis je réalise que je suis en elle, sans préservatif, dans la maison de ses parents. C'est tellement sexy, je me retiens de jouir tout de suite.

Je me retire presque entièrement – je suis trempé – et m'enfonce à nouveau en elle, encore et encore. *Putain,* c'en est fini pour moi. Je ne pourrai jamais baiser avec quelqu'un d'autre, je ne pourrai jamais remettre de préservatif avec elle.

— Nouvelle règle, gémit-elle, la voix rauque. Oublie les joggings. On fera ça cinq fois par jour.

Sa voix est si faible que je dois presser mon oreille contre sa bouche pour entendre ce qu'elle dit. Mais seules des bribes me parviennent : *Plus fort, reste en moi après avoir joui.*

Ces dernières paroles déclenchent quelque chose en moi. Je vais jouir en elle, je l'embrasse jusqu'à ce qu'elle soit brûlante de désir, proche de l'orgasme. Je la sens se contracter sur mon sexe ; je peux la baiser, rester là, la baiser encore avant de m'endormir contre elle.

Je la pénètre plus fort, en maintenant sa hanche en l'air, trouvant le rythme parfait qui permet de ne pas faire craquer le cadre ni la tête de lit. Le rythme où elle se laissera aller, où je ferai monter son plaisir tout en me retenant… mais c'est peine perdue. Je ne tiendrai que quelques minutes.

— Merde, Prune. Je suis désolé. Tellement désolé.

Je rejette la tête en arrière, en sentant que je vais jouir, trop vite. Je me retire en me branlant, elle se caresse de son côté.

Des pas résonnent dans le couloir, je jette un coup d'œil rapide à Hanna pour savoir si je n'ai pas rêvé. Une seconde plus tard, on frappe à la porte.

Ma vision se trouble, l'orgasme me submerge.

Putain. Putaaaaaain.

C'est Jensen :

— Will ! Salut, je suis arrivé ! Tu es aux toilettes ?

Hanna se rassoit brusquement sur le lit, les yeux écarquillés, l'air totalement désolée, mais il est déjà trop tard. Je ferme les yeux. Je jouis dans ma main, sur la couette et sur sa cuisse nue.

— Une minute, je fais en fixant le sperme dans ma main.

Je m'appuie sur le lit. Je regarde Hanna, dont l'attention est figée sur mon foutre sur sa peau.

— Je me change. J'arrive ! je parviens à articuler.

Mon cœur bat si fort que j'ai l'impression qu'il va sortir de ma poitrine. Le flot d'adrénaline dans mon sang est si puissant que j'en ai le tournis.

— OK, on se retrouve en bas.

J'attrape mes vêtements, les mains tremblantes, Hanna ne bouge toujours pas.

— Will… chuchote Hanna.

Ses yeux sont encore pleins de désir.

— *Putain !* Nous sommes passés à côté de la catastrophe. La porte n'était même pas verrouillée. Je…

Elle s'allonge sur le lit et m'attire sur elle. Elle a l'air de ne pas réaliser l'ampleur du risque que nous avons pris. Son frère aurait pu rentrer et nous surprendre. Mais il est parti, n'est-ce pas ?

Mon Dieu, cette fille me rend fou.

Mon cœur bat toujours la chamade, je me penche, enfonce deux doigts en elle et lèche son sexe. Elle ferme les yeux, attrape mes cheveux à pleines mains, ses hanches dansent contre ma bouche. En quelques secondes, elle jouit, les lèvres ouvertes dans un cri silencieux. Elle tremble sous mes doigts, se cambre sur le lit et tire sur mes cheveux.

— Oh mon Dieu… souffle-t-elle.

Elle caresse sa poitrine.

— Tu me rends folle.

Je retire mes doigts et j'embrasse le dos de sa main, en me repaissant de l'odeur de sa peau.

— Je sais.

Hanna reste immobile sur le lit pendant une minute avant d'ouvrir les yeux, de tout juste retrouver ses esprits.

— Waouh. On a failli se faire prendre.

Je ris :

— Oui ! On devrait vite se changer et descendre.

Elle s'assoit, je remets mon pantalon. Elle m'embrasse le ventre sur mon T-shirt. Je l'enlace, pour la tenir contre moi le plus longtemps possible.

J'aime cette fille.

Un nuage masque le soleil dehors, la lumière pâlit dans la chambre. Elle me demande timidement :

— Tu as déjà été amoureux ?

Je m'immobilise, me demandant si j'ai pensé à haute voix. Je la regarde, elle a l'air simplement curieuse. Si une autre femme m'avait demandé ça après une partie de jambes en l'air, je me serais affolé, j'aurais eu envie de fuir tout de suite.

Mais la question posée par Hanna ne me choque pas, surtout après notre hardiesse. Je fais toujours attention au moment et au lieu où je couche avec des femmes et, à part au mariage de Jensen, je me mets rarement dans des situations qui pourraient être gênantes. Mais ces derniers temps, j'ai toujours peur que ce soit la dernière fois avec Hanna. L'idée de la perdre me rend malade.

Je n'ai ressenti ce sentiment, au-delà de la tendresse, qu'avec deux filles auparavant, mais je n'ai jamais dit à aucune que je l'aimais. C'est étrange, je ne m'en étais jamais préoccupé jusqu'ici.

Je me rends compte que les commentaires blasés sur l'amour et l'engagement que je sers à Max et à Bennett sont ridicules. Ce n'est pas que je n'y croie pas. Je n'ai juste jamais été en mesure de comprendre leur situation. L'amour est quelque chose que j'imaginais dans le futur, quand je serais plus installé, moins aventureux. L'image de playboy qui me poursuit fonctionne comme un dépôt minéral sur du verre. Je ne m'en suis pas inquiété jusqu'à ce qu'il me soit impossible de m'en débarrasser.

— J'imagine que la réponse est non, murmure-t-elle, en souriant.

Je secoue la tête.

— Je n'ai jamais dit je t'aime, si c'est ce que tu me demandes.

Hanna ne peut pas savoir que je l'ai pensé très fort en la caressant, pendant qu'on faisait l'amour.

— Mais tu l'as déjà ressenti ?

Je souris :

— Et toi ?

Elle hausse les épaules, fait un signe de tête vers la salle de bains qui doit aussi donner dans la chambre d'Éric.

— Je vais faire un brin de toilette.

J'acquiesce en fermant les yeux, je m'effondre sur le lit. Je remercie tous les saints d'avoir empêché Jensen d'entrer. Ça aurait été un désastre. À moins que nous souhaitions à tout prix que sa famille soit au courant – et vu la proposition d'amitié améliorée d'Hanna, j'en doute –, nous devrons être bien plus prudents.

* * *

Je regarde mes mails, j'envoie quelques textos et je me débarbouille dans la salle de bains à grand renfort de savon. Un peu plus tard, Hanna me rejoint dans le salon, au rez-de-chaussée, le sourire radieux.

Elle me chuchote :

— Je suis désolée, je ne sais pas ce qui m'a pris.

Elle me fait un clin d'œil et pose une main sur ma bouche pour retenir la plaisanterie qui me brûle les lèvres.

— Chut.

J'éclate de rire et lorgne dans la direction de la cuisine pour m'assurer que personne ne peut nous entendre.

— C'était merveilleux. Mais bordel, ça aurait pu mal tourner.

Elle a l'air embarrassé, je lui souris en faisant une grimace. Du coin de l'œil, je distingue une statuette de Jésus au bout de la table. Je l'attrape et la maintiens entre les seins d'Hanna :

— Regarde ! J'ai réussi à trouver Jésus dans ton décolleté, après tout !

Elle examine la statuette, sourit et se dandine comme s'il avait enfin trouvé la bonne place :

— Jésus dans mon décolleté ! Jésus dans mon décolleté !

— Salut les gars !

C'est la deuxième fois que la voix de Jensen me surprend aujourd'hui, mon bras s'éloigne instinctivement de la poitrine d'Hanna. Je repose la statuette de Jésus aussi vite que je peux, mais je réalise mon erreur quand elle tombe sur le sol et explose en mille morceaux.

— Oh merde ! je fais en regardant le massacre.

Je m'agenouille pour ramasser les morceaux. C'est peine perdue, la statuette est irréparable.

Hanna se penche, morte de rire :

— Will ! Tu as cassé Jésus !

— Mais que faites-vous ? demande Jensen en s'agenouillant.

Hanna part chercher un balai, me laissant seul avec la personne qui a été témoin de mes mauvaises habitudes d'adolescent. Je hausse les épaules, en essayant d'avoir l'air innocent du type qui n'a pas joué avec les seins de sa petite sœur.

— J'étais juste en train d'admirer… la statuette. Pour voir ce que c'était. J'admirais la forme… enfin, Jésus.

Je passe une main sur mon visage en sueur.

— Je ne sais pas, Jens. Tu m'as fait sursauter.

— Pourquoi es-tu si nerveux?

— J'ai beaucoup conduit. Ça fait un bout de temps que je n'avais pas pris le volant.

Je fuis son regard. Il me tape dans le dos:

— Tu as besoin d'une bière.

Hanna revient et nous demande de nous écarter pour nettoyer, avec un air de conspiratrice.

— J'ai dit à maman que tu l'avais cassé, elle ne se rappelait plus laquelle de ses tantes le lui avait offert. Ce n'était pas un objet de valeur, tu peux être rassuré.

Je peste en la suivant dans la cuisine pour m'excuser auprès d'Helena en l'embrassant sur la joue. Elle me tend une bière et m'enjoint de me détendre.

Entre le moment où je baisais Hanna à l'étage et celui où je tentais d'effacer toute trace d'elle sur ma bite et mon visage, son père est arrivé. *Mon Dieu.* Je réalise à quel point nous avons été imprudents. À quoi pensions-nous?

Johan me salue avec chaleur et timidité, après avoir récupéré une bière dans le frigo. Il a toujours été maladroit avec les mots. Il passe son temps à fixer les gens en cherchant quelque chose à dire.

— Salut, dis-je en lui serrant la main et en l'attirant vers moi pour lui donner une accolade. Désolé pour Jésus.

Il fait un pas en arrière, sourit et lâche:

— Ah…

Il se tait, pensif, et ajoute:

— Tu es devenu croyant?

C'est alors qu'Helena appelle «Johan!», brisant le malaise entre nous. Pour un peu, je l'embrasserais.

— Chéri, tu peux surveiller le rôti? Pour les haricots et le pain, c'est bon.

Johan s'approche du four, sort un thermomètre du tiroir. Hanna se tient derrière moi, elle tend son verre d'eau pour trinquer avec ma bière.

— À la tienne, dit-elle, souriante. Tu as faim ?

— Je suis affamé.

— N'enfonce pas seulement le bout, Johan, crie Helena. Vas-y franco !

Je tousse, sentant la bière me monter au nez. Je plaque la main devant ma bouche, et enjoins à ma trachée de me permettre d'avaler ma gorgée de bière. Jensen me tape dans le dos, souriant comme s'il avait compris. Liv et Rob sont déjà installés à table dans la cuisine, ils rient en silence.

— La soirée sera longue, marmonne Hanna.

* * *

Nous papotons autour de la table, en petits groupes, puis nous nous joignons tous à la conversation générale. Niels arrive au milieu du repas. Jensen, l'excentrique, est l'un de mes plus vieux amis. Éric, qui a deux ans de plus qu'Hanna, est le plus jeune fils de la famille. Niels, le garçon du milieu, est le frère tranquille, celui que je ne connais pas du tout. C'est un ingénieur de vingt-huit ans, qui travaille dans le domaine de l'énergie, presque la copie conforme de son père, le sourire en moins.

Mais ce soir, il me surprend en embrassant Hanna sur la joue avant de s'asseoir et de lancer :

— Tu es superbe, Ziggs !

— C'est vrai, ça, ajoute Jensen en pointant sa fourchette vers elle. Qu'est-ce qui a changé ?

Je l'étudie de l'autre côté de la table, en me concentrant pour essayer de voir ce qu'ils voient, mystérieusement irrité par cette remarque. Pour moi, elle n'a pas changé d'un iota :

elle est bien dans sa peau, de bonne humeur. Elle n'est ni trop habillée, ni trop maquillée, ni trop coiffée. Elle n'en a pas *besoin.* Elle est belle au réveil. Elle est radieuse après un jogging. Elle est parfaite, transpirant sous moi après avoir joui.

— Hum, fait-elle en haussant les épaules et en enfournant un haricot vert. Je ne sais pas.

— Tu es plus mince, remarque Liv.

Helena mâche puis ajoute :

— Non, ce sont ses cheveux.

J'interviens, en découpant un morceau de rôti dans mon assiette :

— Hanna est peut-être simplement *heureuse.*

Tout le monde se tait, je lève les yeux, nerveux sous les regards qui me fixent.

— Quoi ?

Je réalise alors que je l'ai appelée par son prénom. Hanna, pas Ziggy.

Elle tente de faire diversion :

— Je cours tous les jours donc oui, j'ai minci. Je me suis coupé les cheveux. Mais au-delà de ça, mon job me plaît. Will a raison. Je *suis* heureuse.

Chacun marmonne une variation autour du mot « bien » avant de continuer à dîner, plus calmement maintenant. Liv me sourit largement, elle me fait un clin d'œil.

Putain.

— C'est délicieux, dis-je à Helena.

— Merci, Will.

Le silence se fait, je me sens *observé.* J'ai été pris sur le fait. Ziggy est un surnom aussi ancré dans la famille que les horaires de travail fous de Johan ou la tendance de Jensen à être surprotecteur. Je ne savais même pas comment Hanna s'appelait la première fois que j'ai couru avec elle il y a deux mois. Merde. Je ne peux pas m'en empêcher. Je dois le répéter.

— Vous saviez qu'un article d'Hanna allait être publié dans *Cell?*

Je n'ai pas été particulièrement discret. J'ai dit son nom plus fort que le reste de ma phrase, mais j'ai tenu le coup.

Johan relève la tête, les yeux écarquillés. Il se tourne vers Hanna et demande:

— C'est vrai, ma chérie?

Hanna acquiesce.

— À propos de mon projet de cartographie des épidotes. Je t'en avais parlé. Au départ, c'était très vague mais ça a pris forme.

Ce détail permet à la conversation de reprendre un cours normal. Je soupire de soulagement. *Tout cacher à la famille* est encore plus angoissant que *rencontrer les parents.* Jensen me dévisage avec un petit sourire, que je lui rends.

Circulez, il n'y a rien à voir.

Hanna me fixe, au moment où la conversation s'essouffle. Elle articule: «Toi!»

Je réponds de la même manière: «Quoi?»

Elle secoue la tête, se concentre de nouveau sur son assiette. Je voudrais la toucher du pied sous la table pour qu'elle me regarde à nouveau, mais j'ai bien trop peur de rencontrer une jambe étrangère pour m'y aventurer. La conversation reprend.

* * *

Après le dîner, nous nous portons volontaires pour faire la vaisselle pendant que le reste de la famille se repose dans le salon autour d'un digestif.

Elle me fouette avec un torchon, je lui lance du liquide vaisselle au visage. Je suis à deux doigts de l'embrasser dans le cou, mais Niels arrive pour prendre une autre bière et nous observe comme si nous étions des extraterrestres.

— Vous faites quoi ? demande-t-il, suspicieux.

— Rien, répondons-nous en chœur.

Grave erreur. Hanna répète :

— Rien. La vaisselle.

Il hésite quelques secondes avant de jeter la capsule de sa bière dans la poubelle et de retourner avec les autres.

— C'est la troisième fois que nous nous faisons prendre aujourd'hui. Je ne risque pas de me glisser dans ta chambre ce soir.

Je suis sur le point de protester quand je remarque son sourire malicieux.

— Tu es un démon, tu sais ça ? je murmure en passant un doigt sur sa poitrine.

Elle halète, donne une tape sur ma main et regarde derrière elle. Nous sommes seuls dans la cuisine, nous entendons des voix au loin. Je rêve de l'embrasser.

— Non.

Elle a l'air soudain sérieux.

— Je ne serai pas capable de m'arrêter à un baiser, ajoute-t-elle d'une voix tremblante.

* * *

Je passe plusieurs heures à rattraper le temps perdu avec Jensen, puis je vais au lit. Je fixe le plafond pendant une heure avant de me lasser d'attendre qu'elle me rejoigne. Ses pas légers sur le sol et le craquement de la porte qui s'ouvre ne me réveillent pas.

Je me laisse aller au sommeil, je ne l'entends pas entrer dans ma chambre, se déshabiller et se glisser sous les couvertures, nue avec moi. Je me réveille en sentant sa peau douce contre la mienne. Elle me caresse la poitrine en m'embrassant dans le cou, sur la joue, sur les lèvres. Je bande, je suis prêt à la baiser avant même d'être pleinement réveillé. Je maugrée quelque chose, Hanna plaque une main contre ma bouche :

— Chuuut… me rappelle-t-elle.

— Quelle heure est-il ?

Je sens ses cheveux.

— Deux heures et quelque.

— Tu es sûre que personne ne t'a entendue ?

— Les seuls qui auraient pu m'entendre sont Jensen et Liv. Le ventilateur de Jensen est allumé, ce qui signifie qu'il dort. Il s'endort toujours en quelques minutes après l'avoir allumé.

Je glousse, elle a raison. J'ai partagé une chambre avec lui pendant des années et j'ai toujours détesté son ventilateur.

— Et Rob ronfle, murmure-t-elle en m'embrassant. Liv doit s'endormir avant lui, sinon elle n'y arrive pas du tout.

Je suis satisfait qu'elle ait réussi à se faufiler jusqu'à ma chambre et que personne ne soit en mesure de frapper à la porte pendant que nous ferons l'amour. Je roule sur le côté en l'attirant contre moi.

Elle est là pour baiser, bien sûr, mais je sens que ce n'est pas l'unique raison. Autre chose fait surface dans l'intimité. Je le vois à la manière dont elle garde les yeux ouverts dans l'obscurité ou dont elle m'embrasse avec tant de passion, en me caressant, hésitante, comme si elle n'osait pas vraiment prendre les devants. Je le sens à la manière dont elle me prend la main et la pose sur son corps : son cou, ses seins, son cœur. Qui *bat la chamade.* Sa chambre est à quelques mètres de la mienne, elle ne peut pas être essoufflée parce qu'elle a couru un marathon. Elle est perturbée par quelque chose. Elle ouvre et referme la bouche plusieurs fois, comme si elle voulait parler.

— Quelque chose ne va pas ? je lui demande, la bouche contre son oreille.

— Tu couches toujours avec d'autres filles ?

Je m'écarte d'elle et la fixe, désorienté. *D'autres filles ?* J'ai voulu aborder le sujet cent fois, mais elle a été si évasive que je n'en ai plus ressenti l'utilité. *Elle* veut fréquenter d'autres garçons, elle ne me fait pas confiance et ne pense pas que nous ayons une relation exclusive. Ai-je mal compris ? Pour *moi,* à part elle, il n'y a personne.

— Je pensais que c'était ce que tu voulais.

Elle m'embrasse. Sa bouche m'est si familière, elle s'accorde parfaitement à la mienne. Le rythme de nos baisers s'intensifie. Comment peut-elle imaginer que je la partage avec quelqu'un ?

Elle m'attire sur elle, caresse ma queue.

— Y a-t-il une règle à propos du sexe sans préservatif deux fois dans la même journée ?

Je l'embrasse sous l'oreille et murmure :

— Je pense que la règle devrait être qu'il n'y ait personne d'autre.

— Et on enfreint les règles ? demande-t-elle en relevant les hanches.

Putain.

J'ouvre la bouche pour protester, prendre mon courage à deux mains et lui dire que je suis fatigué d'avoir cette non-discussion, mais elle halète et se cambre de manière à ce que je la pénètre d'un coup. Je me mords les lèvres pour ne pas gémir. C'est merveilleux. J'ai baisé des milliers de fois, mais je n'ai jamais ressenti ça.

Un goût de sang envahit ma bouche, ma peau est en feu partout où elle me touche. Elle bouge et gémit sous moi, les mots se dissolvent dans mon esprit.

Je ne suis qu'un homme, pour l'amour de Dieu. Je ne suis pas un surhomme. Je ne peux pas m'empêcher de baiser Hanna. Je réfléchirai ensuite.

J'ai l'impression qu'elle triche : elle ne veut pas me donner son cœur, mais elle me donne son corps. Si je lui offre du plaisir, encore et encore, je pourrai peut-être prétendre que c'est plus que du sexe.

Même si je risque de le regretter plus tard.

Chapitre 17

Je n'ai jamais ressenti ça. Jamais. Faire l'amour langoureusement. Si langoureusement que je ne me préoccupe pas de jouir ou de le faire jouir. Nos lèvres sont à quelques millimètres, nous partageons nos soupirs et nos gémissements. *Tu sens ça ? C'est bon ?*

Je *sentais* ça. Je sentais chacun des battements de son cœur contre ma main, chaque frisson, chaque respiration. Je sentais les mots qu'il n'osait pas dire se former sur ses lèvres. Peut-être essayait-il de dire la même chose que moi, quand j'étais entrée dans sa chambre, en pleine nuit. Ou avant.

Il ne semble pas comprendre ce que je lui demande.

Je n'ai jamais pensé qu'il serait si compliqué d'aborder le sujet. Nous avons fait l'amour – au sens propre, un peu plus tôt. Sa peau, ma peau, rien d'autre. Il m'a appelée Hanna pendant le dîner… Je ne pense pas avoir déjà entendu mon prénom chez moi. Et même si Jensen, son meilleur ami, était au salon, Will m'a aidée à faire la vaisselle. Il m'a lancé un regard plein de signification quand je suis allée me coucher, m'a envoyé un message pour me dire bonne nuit : Si tu te poses la question, la porte de ma chambre ne sera pas verrouillée.

C'est comme s'il m'appartenait, alors que nous étions dans une pièce remplie de monde. Mais ici, depuis que nous sommes seuls, tout se brouille.

Tu couches toujours avec d'autres filles ?

Je pensais que c'était ce que tu voulais.

Je pense que la règle devrait être qu'il n'y ait personne d'autre.

Et on enfreint les règles ?

Silence.

À quoi m'attendais-je ? Je ferme les yeux et je me blottis entre ses bras. Il se retire presque complètement et me reprend encore, s'enfonce centimètre par centimètre, en gémissant dans mon oreille.

— Tellement bon, Prune.

J'aime l'entendre haleter et gémir. Cela m'aide à me détendre : il ne m'a pas donné la réponse que j'attendais ce soir. *Il n'y a personne d'autre désormais.* Je voulais l'entendre dire : *Maintenant que nous ne nous protégeons plus, nous n'enfreindrons jamais cette règle.*

Mais il a abordé le sujet en sachant que j'éviterais la conversation. Souhaite-t-il vraiment dépasser le stade « amis qui baisent » ? Pourquoi ne m'en parle-t-il pas pour de bon ? Pourquoi en suis-je moi-même incapable ? Ma peur de tout gâcher avec lui m'ôte toute capacité à m'exprimer.

Il rejette la tête en arrière, gémit en allant et venant en moi, si lentement que c'en est insoutenable. Je ferme les yeux en m'immobilisant, je le mords dans le cou. Je lui donne autant de plaisir que je peux. Je veux qu'il me désire tant que mon inexpérience ou mon manque d'assurance n'ait plus aucune importance. Je veux effacer le souvenir de toutes les femmes qu'il a connues avant moi. Je veux sentir – *savoir* – qu'il m'appartient.

Je me demande douloureusement combien de femmes avant moi ont pensé la même chose.

— Je voudrais sentir que tu m'appartiens, dis-je en poussant si fort sur sa poitrine qu'il roule sur le côté.

Je monte sur lui. Je n'ai jamais fait l'amour avec Will en étant au-dessus de lui, je me sens soudain intimidée, je place ses mains sur mes hanches.

— Même si tu ne m'appartiens que pendant quelques instants.

Il agrippe sa queue d'une main et la dirige vers mon vagin, en gémissant quand je m'empale sur lui.

— Trouve ton plaisir, murmure-t-il.

Je ferme les yeux et tâtonne en luttant pour ne pas repenser à ce que je viens d'avouer. Je sens la morsure de la passion dans mon ventre. Je l'aime. Suis-je plus maladroite ? Moins sexy qu'à l'ordinaire ? Est-ce agréable pour lui ?

— Montre-moi. J'ai l'impression d'avoir tout faux.

— Tu rigoles, tu es parfaite. Je voudrais que ça dure toujours.

Je transpire, parce que je fais un effort, mais surtout parce que je suis bouleversée. Le lit est vieux, il craque : nous ne pouvons pas bouger comme nous en avons l'habitude – pendant des heures, en utilisant tout le matelas, la tête de lit, les oreillers. Avant que je réalise ce qui m'arrive, Will me soulève, me dépose par terre et s'allonge pour que je puisse revenir sur lui. C'est tellement plus profond comme ça, il bande très fort. Il m'embrasse la poitrine et mordille mes seins.

— Baise-moi. Par terre, nous n'avons pas à nous inquiéter du bruit que nous faisons.

Il se figure que les grincements m'inquiètent. Je ferme les yeux en le chevauchant, consciente de mes mouvements. Au moment où je pense m'arrêter, lui dire que la position ne me plaît pas, que je suis pleine de questions en suspens, il m'embrasse sur la joue et sur les lèvres en murmurant :

— Arrête de réfléchir. Tout va bien.

Je m'immobilise sur lui et appuie mon front contre son épaule.

— Je n'y arrive pas.

— Tu penses à quoi ?

— Je ne me sens pas bien, tout à coup. Le fait de savoir que tu ne m'appartiens que pour de courts moments… Je ne m'attendais pas à ce que ça me dérange autant.

Il me caresse le menton et m'oblige à le regarder. Il m'embrasse légèrement avant de dire :

— Je t'appartiendrai pour toujours si c'est ce que tu désires. Dis-moi, Prune.

— Ne me fais pas de mal, d'accord ?

Je m'immobilise, j'ouvre les yeux pour le regarder. Sa poitrine est blottie contre la mienne, il m'entoure de ses bras.

— Tu as déjà dit ça. Pourquoi imagines-tu que je pourrais te faire du mal ? Penses-tu que j'en serais *capable* ?

Sa voix est si douloureuse qu'elle me bouleverse.

— Oui. Même si tu ne le souhaites pas, je pense que tu en serais capable. Maintenant.

Il soupire.

— Pourquoi ne me donnes-tu pas ce que je veux ?

— Et tu veux quoi ?

Je me décale pour rendre la position plus confortable, et coulisse sur sa queue. Il me stoppe, les mains sur mes hanches.

— Je n'arrive pas à réfléchir quand tu fais ça.

Il prend une grande inspiration.

— Je ne veux que *toi.*

— Donc… je murmure en caressant son cou. Tu vois d'autres femmes ?

— C'est à *toi* de *me* dire ça, Hanna.

Je ferme les yeux. Cela me conviendrait-il ? Mais je ne veux pas que Will prenne cette décision en fonction de moi. S'il me désire vraiment, s'il veut n'être qu'avec moi, ça ne doit pas être négociable : il doit tout arrêter avec les autres. Cette décision ne doit pas être prise à la légère – peut-être, peut-être pas, ou comme tu veux.

Il m'embrasse, me donne le baiser le plus doux et le plus amoureux possible.

— Je t'ai dit que j'avais envie d'essayer, murmure-t-il. Tu as répliqué que ça ne marcherait pas. Tu me connais, tu *sais* que je veux être différent avec toi.

— Moi aussi.

Il m'embrasse, je recommence à bouger sur lui. Nous respirons ensemble, il me mordille délicieusement les lèvres.

Je ne me suis jamais sentie aussi proche de quelqu'un. Ses mains sont partout : sur mes seins, mon visage, mes hanches, mes cuisses, entre mes jambes. Sa voix résonne dans ma tête, il me chuchote que c'est bon, qu'il va jouir, qu'il aime tellement me faire l'amour qu'il serait capable de tout pour moi. Il m'avoue qu'il n'est bien qu'avec moi. Il me dit qu'être avec moi, c'est être chez lui.

Je m'effondre, je me fiche de savoir si c'est étrange, si j'exagère, si je suis naïve ou sans expérience. Tant que ses lèvres sont dans mon cou et que ses bras m'enlacent, je ne peux pas être plus proche de lui.

* * *

— Tu es prête ? me demande Will dimanche après-midi.

Il entre dans ma chambre et m'embrasse sur la joue. Nous avons passé la matinée à nous embrasser et à nous peloter en cachette dans les couloirs et dans la cuisine.

— Presque. Je récupère les affaires que ma mère a laissées pour moi.

Il me prend par la taille, je me laisse aller contre lui. Je n'avais pas remarqué que Will me touchait tout le temps avant qu'il ne puisse plus le faire librement. Il a toujours été tactile – ses doigts sur ma joue, sa main sur ma hanche, son épaule qui frôle la mienne –, mais je m'y suis habituée. Je n'y fais presque plus attention. Ce week-end, tous ces petits moments m'ont manqué, je n'en avais jamais assez. Dans combien de kilomètres pourrai-je lui demander de s'arrêter pour me prendre sur la banquette arrière comme il me l'a proposé à l'aller?

Il écarte ma queue de cheval pour m'embrasser dans le cou, en s'arrêtant sous mon oreille. J'entends le tintement de ses clés dans sa main et sens le métal froid contre mon ventre, là où mon T-shirt s'est relevé.

— Nous ne devrions pas faire ça, murmure-t-il. Jensen essaye de me coincer depuis le brunch, je n'ai pas envie de risquer la peine de mort.

Cette dernière phrase me glace, je m'écarte pour attraper un T-shirt sur le lit.

— Jensen tout craché, fais-je en haussant les épaules.

Mon frère serait troublé de savoir ce qu'il y a entre nous – et je ne parle pas du reste de la famille! Pourtant je me suis repassé le film de la nuit dernière dans la chambre d'amis. J'ai envie de lui demander à la lumière du jour: *Le pensais-tu vraiment quand tu as dit que tu ne voulais que moi?* Parce que je suis prête à tenter le coup.

Je referme mon sac et le soulève. Il me le prend des mains.

— Je prends ton sac?

Je sens son corps chaud, le parfum mêlé de son savon et de son dentifrice. Il se relève mais ne s'écarte pas, il reste tout près de moi. Je ferme les yeux, étourdie par sa présence. Il me caresse le menton et effleure mes lèvres.

Il sourit.

— J'apporte tout ça dans la voiture et on y va, d'accord?

— D'accord.

Il passe le pouce sur ma lèvre inférieure.

— Nous serons bientôt à la maison, murmure-t-il. Je ne rentre pas chez moi.

— D'accord.

Il sourit, prend le sac. Les jambes tremblantes, je le regarde quitter la chambre.

En descendant, je trouve ma sœur dans la cuisine. Elle fait le tour du comptoir pour m'enlacer :

— Vous partez ?

Je me laisse aller contre elle en acquiesçant.

— Will est sorti ?

Je jette un coup d'œil par la fenêtre de la cuisine, mais je ne le vois pas. J'ai hâte d'être sur la route pour enfin tout lui dire.

— Il est allé dire au revoir à Jens, je crois, répond-elle en revenant à son bol de mûres. Vous êtes mignons tous les deux.

— Quoi ? Non.

Des cookies refroidissent sur le comptoir, j'en prends quelques-uns que je glisse dans un sac en papier.

— Je te l'ai dit, ça n'a rien à voir avec ça, Liv.

— Tu peux me raconter tout ce que tu veux, Hanna. Il est amoureux. Franchement, je serais étonnée d'être la seule à l'avoir remarqué.

Je sens une bouffée de chaleur m'envahir et je secoue la tête. Je sors deux thermos du tiroir que je remplis de café en ajoutant du sucre et de la crème au mien, et seulement de la crème dans celui de Will.

— La grossesse brouille ton entendement. Ça n'a rien à voir.

Ma sœur n'est pas bête, elle sait comme moi que je mens.

— Peut-être pas pour toi, lance-t-elle en haussant les épaules. Même si je ne te crois pas tout à fait, d'ailleurs.

Je sais où j'en suis avec Will… enfin, je crois. Les choses ont beaucoup évolué ces derniers jours et j'ai hâte de mettre des mots sur notre relation. J'ai eu tellement peur de lui imposer des limites – je pensais qu'il avait besoin d'espace pour respirer, et moi d'espace pour mettre mon cœur en cage. Mais ça ne sert à rien. Maintenant, j'ai besoin que nous en discutions – vraiment. Comme hier soir.

Je mettrai mon cœur à nu. Je prendrai un risque. Il est temps.

J'entends une porte claquer et je sursaute en arrêtant de verser le café. Liv me touche l'épaule.

— Je vais jouer à la grande sœur pendant une minute. Attention, d'accord ? Nous parlons de Will Sumner, le briseur de cœurs.

Et voilà la raison numéro un qui me terrifie. Et si je faisais une terrible erreur ?

* * *

Je fais la tournée des au revoir, cafés et snacks en mains. La famille est éparpillée aux quatre coins de la maison. Je ne parviens pourtant pas à mettre la main sur mon frère ni sur mon chauffeur.

Je sors pour vérifier s'ils ne sont pas à côté de la voiture. Mes pieds crissent sur le gravier. Je m'approche du garage et m'immobilise en entendant des voix dans l'air frais, qui couvrent le chant des oiseaux et le bruit du vent dans les arbres.

— Je me demande seulement ce qu'il y a entre vous, lâche mon frère.

— Rien, réplique Will. On sort, c'est tout. En suivant tes conseils, si je puis me permettre.

Je marque un temps en me rappelant qu'il ne faut jamais écouter aux portes, parce qu'on n'est jamais sûr de ce qu'on peut y entendre.

— Seulement sortir ? Tu es très tactile avec elle.

Will commence à parler puis se tait, je fais un pas en arrière pour m'assurer que mon ombre ne me trahit pas.

— Je vois des filles, commence Will.

Je l'imagine se gratter le menton.

— Mais non, Ziggy n'en fait pas partie. C'est seulement une amie.

Cette dernière phrase me glace. Ma peau se hérisse et, même si je sais qu'il ne fait que suivre une fois de plus les règles que nous avons édictées ensemble, mon ventre se serre.

Will continue :

— En fait j'ai envie... d'aller plus loin avec l'une des femmes que je vois.

Mon cœur bat plus fort, je suis tentée de faire un pas en avant pour l'empêcher d'en dire davantage. Il ajoute :

— Je pense que je devrai quitter les autres. J'ai envie d'exclusivité pour la première fois... Mais elle est méfiante, il est difficile de sortir de notre routine, tu comprends ?

Mes bras sont mous comme de la guimauve, je m'appuie contre le mur derrière moi pour ne pas m'effondrer. Mon frère ajoute quelque chose, mais je n'entends plus rien.

* * *

Dire que l'atmosphère est tendue dans la voiture serait un euphémisme. Nous roulons depuis une heure et j'ai à peine prononcé plus de deux mots.

Tu as faim ?

Non.

Tu as chaud ? Froid ?

Tout va bien.

Tu peux allumer le GPS ?

Bien sûr.

Ça te dérange qu'on fasse une pause toilettes ?

Non.

Le pire, c'est que je suis persuadée d'être injuste avec lui. Will n'a fait que suivre les règles que j'ai moi-même établies. Jusqu'à hier soir, je ne m'étais jamais attendue à ce qu'on ait une relation exclusive.

Ouvre la bouche, Hanna. Dis-lui ce que tu veux.

— Ça va, toi ? Tu ne réponds que par monosyllabes, lance-t-il en me cherchant des yeux.

Je me tourne pour le regarder de profil pendant qu'il conduit. Sa barbe mal rasée, son sourire parce qu'il sait que je le fixe. Il me lance quelques coups d'œil, attrape ma main et la serre dans la sienne. Notre relation va tellement au-delà du sexe. Il est mon meilleur ami. J'aimerais dire qu'il est mon *petit ami.*

L'idée qu'il a été avec d'autres femmes pendant tout ce temps me rend nauséeuse. Je suis sûre qu'après ce week-end il ne les verra plus puisque nous sommes tombés d'accord là-dessus hier soir et, *mon Dieu*, nous avons fait l'amour sans préservatif. Si ça ne vaut pas une discussion sérieuse, je ne sais pas ce qu'il lui faut.

Mais une part de moi veut savoir s'il est sorti avec elles en même temps qu'avec moi, s'il courait avec moi le mardi matin et couchait avec une autre le soir même. S'il les léchait après m'avoir léchée. Cette pensée m'est particulièrement douloureuse.

Je me frotte les yeux. Je me sens jalouse, nerveuse et... *c'est vrai,* tellement impatiente de savoir où nous en sommes. Pourquoi est-ce si facile de parler à Will de tous mes sentiments sauf de ceux qui le concernent ?

Nous nous arrêtons pour faire le plein, je me distrais en parcourant la musique sur son téléphone. Je réfléchis à ce que je pourrais lui dire. Je trouve une chanson qu'il détestera à coup sûr, je souris pendant qu'il fait le tour de la voiture.

Il s'assoit à côté de moi, met le contact.

— Garth Brooks ?

— Si tu ne l'aimes pas, pourquoi l'as-tu sur ton téléphone ?

Il me lance un regard de douleur feinte, comme s'il avait avalé de travers, et commence à faire reculer la voiture. Les mots dansent dans mon esprit : *Je veux t'appartenir. Je veux que tu m'appartiennes. Dis-moi que tu n'as couché avec personne ces dernières semaines, je t'en supplie, ça se passait si bien entre nous. Dis-moi que je ne me suis pas tout imaginé.*

J'ouvre son iTunes pour continuer à l'explorer, cherchant autre chose, un morceau qui me mettrait de bonne humeur, qui me rendrait plus sûre de moi. Un message apparaît sur l'écran.

Désolée d'avoir raté ça hier! Oui! Je suis libre mardi soir et j'ai hâte de te voir. Chez moi? Bisous

Kitty.

Je verrouille l'iPhone et glisse sur mon siège. J'ai l'impression d'avoir été poignardée plusieurs fois. Mes veines sont bouillantes d'adrénaline, de gêne, de colère. Après m'avoir baisée sans capote chez mes parents et m'avoir embrassée dans le cou ce matin, Will a eu le temps d'envoyer un message à Kitty pour la voir mardi.

La route défile par la fenêtre, je laisse tomber son téléphone sur ses genoux.

Quelques minutes plus tard, il jette un coup d'œil à son téléphone avant de le ranger dans sa poche.

Il a vu le message de Kitty, et il n'a rien dit.

Je voudrais rentrer dans un trou.

* * *

Nous arrivons chez moi, mais il ne fait aucune tentative pour monter. Je porte mon sac jusqu'à la porte, nous nous regardons, embarrassés.

Il replace une mèche derrière mon oreille, retire prestement la main en me voyant grimacer.

— Tu es sûre que ça va?

J'acquiesce:

— Fatiguée.

— Je te vois demain, alors ? La course est samedi, donc il faudra courir un peu plus longtemps en début de semaine et se reposer ensuite.

— Très bien.

— Je te vois demain matin ?

Je suis soudain désespérée, je voudrais lui donner une dernière chance de tout me dire et de clarifier un énorme malentendu.

— Ouais et… je me demandais si tu voulais venir mardi soir, je fais en posant la main sur son front. Il faut que nous parlions, tu ne crois pas ? À propos de ce week-end ?

Il contemple ma main et la prend dans la sienne.

— Tu ne veux pas qu'on parle maintenant ? demande-t-il, l'air grave et désorienté. Il n'est que dix-neuf heures, après tout. Hanna, que se passe-t-il ? J'ai loupé quelque chose ?

— La route était longue, je suis fatiguée. Demain je finis tard au labo, mais mardi je suis libre. Et toi ?

Mes yeux sont-ils aussi suppliants que ma voix ? *Dis oui, je t'en prie. Je t'en prie, dis oui.*

Il s'humecte les lèvres, fixe ses pieds, ma main dans la sienne. Je sens les secondes s'étirer en longueur, l'air se solidifie, s'alourdit tellement que j'ai du mal à respirer.

— En fait, commence-t-il et il s'arrête comme s'il réfléchissait. J'ai un… un truc tard, pour le boulot. J'ai une réunion… tard… mardi, bafouille-t-il. *Ment-il.* Mais dans la journée ou…

— Non, ça va. Je te vois demain matin.

— Tu es sûre ?

Mon cœur est glacé dans ma poitrine.

— Ouais.

— OK, très bien, je…

Il fait un signe de la main vers la porte.

— Je vais y aller. Tu es sûre que tout va bien ?

Je reste silencieuse, il regarde ses chaussures, m'embrasse sur la joue avant de partir. Je m'enferme à l'intérieur et me dirige vers ma chambre. Je veux tout oublier jusqu'au matin.

* * *

Je dors comme une morte jusqu'à ce que mon réveil sonne à 5h45. J'appuie sur « répéter » et je reste allongée dans mon lit en fixant les chiffres bleus. Will m'a menti.

Je tente de rationaliser la situation, de prétendre que ça ne fait rien parce que les choses ne sont pas officielles entre nous, peut-être ne sommes-nous pas *encore* ensemble… mais, quelque part, ça ne sonne pas vrai. J'ai beau essayer de me convaincre que Will est un homme à femmes et que je ne peux pas lui faire confiance, au fond… J'ai cru que samedi soir avait tout changé. Je ne ressentirais rien de semblable, sinon.

Les chiffres devant moi se brouillent, les larmes remplissent mes yeux. L'alarme retentit à nouveau. Il est temps de se lever et d'aller courir. Will m'attendra.

Je m'en fiche.

Je débranche le réveil et je me retourne dans le lit. Je me rendors.

Je passe la matinée de lundi au travail, mon téléphone éteint, et ne rentre pas chez moi avant tard le soir.

Mardi, je me réveille avant la sonnerie et je descends à la salle de gym voisine pour courir sur un tapis roulant. Ce n'est pas la même chose que courir dans le parc avec Will mais, au point où j'en suis, ça n'a pas d'importance. L'exercice m'aide à respirer. Il m'aide à penser et à m'éclaircir les idées, me donne un bref moment de paix. Je cesse de penser à Will, à ce qu'il fait et avec qui ce soir. Je n'ai jamais couru avec autant d'acharnement. Plus tard, au labo, je ne sors pas de la journée. Je pars vers dix-sept heures, je n'ai rien mangé à part un yaourt, je suis sur le point de m'évanouir.

J'arrive chez moi, Will m'attend devant la porte.

— Salut, je fais en m'approchant de lui.

Il tourne sur lui-même, met ses mains dans ses poches et me fixe longuement.

— Ton téléphone ne fonctionne plus, Hanna ? demande-t-il finalement.

Je ressens une bouffée de culpabilité avant de répondre, en le regardant dans les yeux :

— Si.

J'ouvre la porte, en maintenant mes distances.

— Que se passe-t-il, bordel ?

Il entre derrière moi. Nous y voilà. Je détaille ses vêtements, il sort tout juste du bureau, est-il passé avant de... *la rejoindre* ? Du genre, pour remettre les compteurs à zéro avant de retrouver une autre femme. Comment peut-il me baiser comme il me baise et voir quelqu'un d'autre ?

Je dépose les clés sur le comptoir.

— Je pensais que tu avais une réunion, tard ?

Il hésite, cligne des yeux plusieurs fois :

— Oui. À dix-huit heures.

Je ricane.

— OK !

— Hanna, que se passe-t-il ? Qu'est-ce que j'ai fait, bordel ?

Je me tourne pour lui faire face... et je perds tout courage. Je détaille la cravate autour de son cou, sa chemise rayée.

— Rien du tout, dis-je en me brisant le cœur. J'aurais dû être honnête avec mes sentiments... ou plutôt, mon absence de sentiment.

Il écarquille les yeux.

— *Pardon ?*

— C'était bizarre chez mes parents. Être si proches. Toujours à deux doigts d'être pris sur le fait. C'est ce que j'aime. Je crois que je me suis un peu emportée dans la nuit de samedi. J'ai vingt-quatre ans, Will. Je veux juste m'amuser.

Il cligne des yeux, se balance sur ses pieds comme si je lui avais lancé quelque chose à la figure.

— Je ne comprends pas.

— Je suis désolée. J'aurais dû t'appeler ou…

Je secoue la tête pour que mes oreilles arrêtent de bourdonner. Ma peau est brûlante, ma poitrine me fait mal.

— Je pensais que je pouvais gérer notre relation, mais c'est impossible. Ce week-end me l'a prouvé. Je suis désolée.

Il fait un pas en arrière, avec l'air de se réveiller à l'instant et de réaliser où il se trouve.

— Je vois.

Il avale sa salive, passe une main dans ses cheveux. Il lève les yeux comme s'il se souvenait de quelque chose :

— Tu ne veux pas faire la course samedi ? Tu t'es entraînée et…

— J'y serai.

Il hoche la tête avant de se retourner et de disparaître dans l'embrasure de la porte, probablement pour toujours.

CHAPITRE 18

Près de la maison de ma mère se trouve une côte, juste avant le virage pour atteindre le parking. Une montée assez raide suivie d'une descente. Nous avons pris l'habitude de klaxonner chaque fois que nous arrivons, mais les gens qui y passent la première fois ne savent pas à quel point le virage est dangereux et se plaignent toujours.

J'imagine qu'on aurait pu penser, ma mère ou moi, à disposer un miroir dans la courbe, mais on ne l'a jamais fait. Ma mère aime klaxonner, elle aime cet instant où elle fait confiance à l'autre, parce qu'elle connaît mon emploi du temps et qu'elle connaît si bien ce virage qu'elle n'a pas besoin de savoir ce qu'il y a devant pour se rassurer. Je n'ai jamais su si j'aimais ou si je détestais ce moment d'incertitude. Je déteste espérer que tout soit clair, je déteste ne pas savoir ce qui vient, mais j'aime sentir la voiture dévaler la descente librement.

Avec Hanna, c'est exactement la même chose. Avec elle, je suis dans le noir. Elle est ma colline mystérieuse, je n'ai jamais réussi à écarter l'idée qu'elle serait capable d'envoyer une voiture de l'autre côté pour entrer en collision avec moi. Quand je suis avec elle, quand je la touche, quand je l'écoute développer ses théories plus folles les unes que les autres à propos de virginité ou d'amour, je ressens un calme, une euphorie, un désir auxquels je ne suis pas accoutumé. Dans ces moments, j'arrête de me préoccuper de la collision.

J'ai envie de croire qu'hier soir il ne s'est rien passé. Qu'il s'agissait d'un bug, d'un remous qui s'aplanirait très vite de lui-même, que ma relation avec elle ne s'est pas arrêtée avant même d'avoir commencé. C'est peut-être sa jeunesse. J'essaie de me rappeler mon état d'esprit à vingt-quatre ans. J'étais un jeune idiot qui travaillait des heures durant dans un labo et passait chaque nuit avec une femme différente. Hanna a l'air tellement plus mature que je ne l'étais. Comme si nous n'appartenions pas à la même espèce. Elle a raison de dire qu'elle a toujours su comment être une adulte et qu'elle a besoin d'apprendre à faire l'enfant. Elle vient d'accomplir avec succès son premier acte d'immaturité en raison d'une absence complète de communication.

Bravo, Prune.

J'ai raccompagné Kitty jusqu'à un taxi et je suis retourné travailler à vingt heures pour me plonger dans des dossiers et faire le vide pendant quelques heures. Je passe devant le bureau de Max, la lumière est toujours allumée, il est à l'intérieur.

— Que fais-tu encore ici ? je lui demande en m'appuyant sur le chambranle de la porte.

Max lève les yeux, j'entre dans son bureau.

— Sara est sortie avec Chloé. C'était l'occasion de travailler tard.

Il me dévisage en souriant.

— Je pensais que tu étais parti il y a une heure. Pourquoi es-tu revenu un mardi soir ?

Nous nous dévisageons en chiens de faïence, en réfléchissant à la question implicite qu'il a soulevée. Cela fait si longtemps que je n'ai pas passé un mardi soir avec Kitty que je ne sais même pas ce que Max cherche à savoir au juste.

— J'ai vu Kitty ce soir. Un peu plus tôt.

Il fronce les sourcils, je lève une main pour m'expliquer :

— Je lui ai demandé de me retrouver pour prendre un verre après le travail...

— Sérieusement, Will, tu es vraiment un...

— Pour *mettre fin* à notre relation, espèce de con, je grogne, irrité. Même si on était d'accord pour ne pas s'attacher, je voulais lui dire que c'était fini. Ça fait un moment que je ne l'avais plus vue, mais elle continuait à me demander le lundi si j'étais libre le lendemain. La possibilité même de la voir me donne l'impression de tromper Hanna.

Rien qu'à prononcer son prénom, mon ventre se serre. Nous nous sommes quittés n'importe comment hier soir. Je ne l'ai jamais vue si distante et si fermée. Je serre la mâchoire en fixant le mur devant moi.

Je sais qu'elle m'a menti. Simplement, je ne sais pas *pourquoi*.

La chaise de Max craque, il se balance en arrière.

— Alors que fais-tu ici ? Où est ton Hanna ?

Je cligne des yeux, ma vision se précise. Max a l'air fatigué, perturbé... Cela ne lui ressemble pas, même après une longue journée.

— Quelque chose ne va pas ? On dirait qu'on t'a passé à l'essoreuse.

Il rit en secouant la tête :

— Tu n'as pas idée, mon pote ! Allons chercher Ben pour boire une bière.

* * *

Nous arrivons au bar un peu avant Bennett. Nous nous asseyons à la table du fond, près des tableaux de fléchettes et du karaoké cassé. Bennett se faufile jusqu'à nous dans son costume noir immaculé, l'air si épuisé que je me demande combien de temps nous allons parvenir à rester éveillés.

— Ces derniers temps, je bois beaucoup en semaine à cause de toi, Will, lâche Bennett en s'asseyant.

— Commande un soda.

Nos regards se tournent vers Max, en nous attendant à sa tirade habituelle à demi intelligible à propos du blasphème que constitue l'idée même de commander un Coca-Cola dans un pub. Mais il reste étrangement calme. Il fixe le menu et commande ce qu'il commande toujours : une pinte de Guinness, un cheeseburger et des frites.

Maddie note tout et disparaît. Comparé à mardi dernier, le bar est désert. Notre table est silencieuse. Comme si aucun de nous n'avait la force de taquiner les autres.

— Sérieusement, que se passe-t-il, Max ?

Il me sourit – son sourire typique – mais secoue la tête.

— Repose-moi la question quand j'aurai bu deux pintes.

Il gratifie Maddie d'un sourire éclatant. Elle place nos verres sur la table, en lui faisant un clin d'œil :

— Merci, beauté.

— Le message de Max me proposait de venir chez Maddie pour une soirée « filles », lance Bennett en sirotant sa bière. De laquelle des filles de Will parlons-nous ce soir ?

— Il n'y en a qu'une. Et Hanna m'a quitté hier, donc officiellement, il n'y en a plus aucune.

Les deux me dévisagent, l'air inquiet.

— Elle m'a dit qu'elle ne voulait pas d'une relation avec moi.

— Merde, murmure Max.

— Je suis sûr qu'elle ment.

— Will… me raisonne Bennett.

— Non, dis-je en lui faisant signe de se taire.

Plus j'y pense et plus je suis sûr de moi. Oui, elle était énervée hier soir chez elle – et je ne sais toujours pas pourquoi –, mais je me souviens de notre nuit ce week-end, de ses mur-

mures : *Je veux que tu m'appartiennes. Même si tu ne m'appartiens que pour de brefs moments.*

— Je sais qu'elle ressent la même chose que moi. Quelque chose est arrivé ce week-end. Le sexe a toujours été génial avec elle, mais ç'a été encore plus intense chez ses parents.

Bennett tousse.

— Pardon. Vous avez baisé *chez ses parents* ?

Je déduis au ton ambigu de sa voix qu'il est *impressionné*, donc je continue :

— C'était comme si elle était finalement sur le point d'admettre que c'était plus que du sexe et de l'amitié.

Je bois un peu d'eau.

— Mais le lendemain matin, elle s'est refermée comme une huître. Elle a dû se convaincre du contraire.

Mes deux amis ont l'air pensif. Finalement, Bennett brise le silence.

— Vous avez fini par décider d'avoir une relation exclusive ? Je suis désolé de ne pas bien comprendre où vous en êtes. Surtout vu ton tableau de chasse.

— Elle sait que je n'ai plus envie d'aller voir ailleurs, mais j'ai accepté l'idée d'une relation libre parce qu'elle le voulait. Pour moi, c'est *elle*.

Qu'ils se moquent de moi n'a plus d'importance. Je le mérite, j'y prendrai presque plaisir.

— Vous aviez raison, les gars. Elle est drôle et belle. Elle est sexy et brillante. Elle est *parfaite* pour moi. J'espère qu'elle changera d'avis ou je me casserai les poignets à force de taper dans des murs.

Bennett rit, trinque avec moi :

— Espérons qu'elle revienne à de meilleurs sentiments !

Max lève aussi son verre, il sait qu'il n'y a rien à ajouter. Il grimace un peu, comme pour s'excuser. Comme si c'était de sa faute, parce qu'il m'avait souhaité de vivre une passion malheureuse il y a quelques mois.

Le silence s'installe après mon petit discours, et l'ambiance embarrassée aussi. Je m'efforce de ne pas me laisser atteindre. Bien sûr, je suis inquiet parce que je crains de ne pas récupérer Hanna. Depuis qu'elle a glissé les doigts sous mon T-shirt à la fête des étudiants, je ne peux plus penser à une autre femme. Même avant ça. Elle m'obsède depuis que je lui ai mis un bonnet de laine sur son adorable petite tête quand nous sommes allés courir pour la première fois.

J'ai beau être certain qu'elle m'a menti sur ses sentiments, être sûr qu'elle ressent quelque chose pour moi, le doute revient. *Pourquoi* a-t-elle menti ? Que s'est-il passé entre le moment où nous avons fait l'amour par terre et celui où nous avons grimpé dans la voiture le lendemain matin ?

Bennett interrompt mes pensées noires en déballant ses propres problèmes :

— Eh bien, puisqu'on en est à exposer nos sentiments, c'est à mon tour. Le mariage nous rend fous tous les deux. Nos deux familles au complet se déplaceront à San Diego pour la cérémonie – je dis bien *tout le monde* – des grand-tantes par alliance aux petits-cousins. Des gens que je n'ai pas vus depuis mes cinq ans. Même chose du côté de Chloé.

— C'est génial, je fais, avant de reconsidérer mes propos en voyant la tête de Bennett. Tu n'es pas content que les gens acceptent l'invitation ?

— Si, mais le problème c'est que la plupart n'étaient pas invités. Sa famille habite dans le Dakota du Nord, la mienne entre le Canada, le Michigan et l'Illinois. Ils trouvent que c'est l'occasion rêvée pour aller faire un tour sur la côte.

Il secoue la tête.

— La nuit dernière, Chloé a décidé de fuir. De tout annuler. Vu l'état de ses nerfs, j'ai peur qu'elle le fasse pour de bon, et qu'on soit baisés.

— Mais non, mec, elle ne ferait jamais ça, commente Max, toujours aussi calme. Si ?

Bennett passe une main dans ses cheveux, avant de la laisser tomber sur la table.

— Honnêtement, je n'en sais rien. L'organisation est tellement prenante, c'en devient hors de contrôle. Nos familles respectives invitent chacune des gens en plus, comme si c'était une grosse fête gratuite. Ce n'est même plus une question d'argent, c'est une question d'espace. Ce mariage ne nous ressemble plus. On imaginait cent cinquante invités maximum. Nous en sommes à près de trois cents.

Il soupire.

— C'est seulement une journée. *Une journée.* Chloé fait tout pour ne pas perdre la tête mais c'est dur pour elle parce que...

Il rit et secoue la tête.

— Je me fiche éperdument de la plupart des détails. Pour la première fois de ma vie, je ne ressens pas le besoin de tout contrôler. La couleur des fleurs m'indiffère. Pareil pour les cadeaux. La seule chose qui m'intéresse, c'est ce qui vient après. J'ai envie de la baiser pendant une semaine à Tahiti et d'être marié avec elle pour toujours. C'est ce qui compte. Je devrais peut-être la laisser tout annuler pour nous marier ce week-end et obtenir ce qui m'importe ? Aller à l'essentiel, quoi.

J'ouvre la bouche pour protester, pour dire à Bennett que je suis sûr que tous les couples passent par ce genre de crise, mais, en réalité, je n'en ai aucune idée. Même au mariage de Jensen – où j'ai été témoin –, la seule chose qui m'intéressait était l'idée de baiser deux des demoiselles d'honneur dans le vestiaire. Je n'ai pas vraiment fait attention aux uns et aux autres ni à l'émotion particulière propre à cette journée.

Je referme la bouche en sentant le malaise m'envahir. *Putain.* Hanna me manque déjà. C'est difficile d'être avec mes deux meilleurs amis dont la vie amoureuse est tellement...

bien ordonnée. Je ne veux pas vivre la même histoire qu'eux, je voudrais seulement savoir que je peux sortir avec mes amis et la retrouver ensuite. Sa compagnie me manque, j'aime la tête qu'elle fait quand elle m'écoute parler, j'aime l'entendre dire tout ce qui lui passe par la tête quand elle est avec moi, ce qui n'est pas le cas avec tout le monde. J'aime qu'elle soit si spéciale – si sûre d'elle et décidée, curieuse et intelligente. Son corps me manque, lui donner du plaisir, encore et encore…

Je voudrais passer la nuit au lit avec elle pour me plaindre de l'organisation du mariage. Je veux tout avec elle.

— Ne vous enfuyez pas, dis-je finalement. Tout ça est totalement nouveau pour moi, je sais que mon avis est le dernier dont tu tiendras compte, mais je suis sûr que tous les mariages engendrent, à un moment donné, une quantité invraisemblable de galères.

— Ce sont tellement d'efforts pour une seule journée… marmonne Bennett. La vie ne se résume pas à un mariage.

Max glousse, lève son verre puis réfléchit et le repose avant d'éclater de rire encore plus fort. Nous nous tournons vers lui pour le regarder.

— Tu avais l'air d'un zombie, Max, et maintenant tu nous la joues clown de l'angoisse. Nous avons tous les deux partagé nos inquiétudes. Hanna m'a brisé le cœur, Bennett doit gérer la crise permanente de l'organisation du mariage. À ton tour !

Il secoue la tête, sourit à sa pinte vide.

— Très bien.

Il fait signe à Maddie de lui apporter une autre pinte.

— Mais Ben, ce soir, tu es mon ami, pas le patron de Sara. Compris ?

Bennett acquiesce, l'air surpris.

— Bien sûr.

Max hausse une dernière fois les épaules et murmure :

— Eh bien, il semblerait que je vais être papa.

À ces mots, le faible bruit dans la pièce nous fait l'effet d'un assourdissant brouhaha, en comparaison avec le silence qui suit ce que vient de nous annoncer Max. Bennett et moi nous immobilisons avant d'échanger un regard bref.

— Max? demande Bennett avec une délicatesse inhabituelle. Sara est enceinte?

— Ouais, mec.

Max lève les yeux, les joues roses, les yeux pleins de bonheur.

— Elle porte notre enfant.

Bennett le dévisage pour essayer d'évaluer toutes les réactions qui passent sur son visage.

— C'est super. N'est-ce pas? C'est une bonne nouvelle?

Max acquiesce en me faisant un clin d'œil.

— C'est merveilleux, bordel! Je suis seulement... terrifié, pour être honnête.

— Combien de mois?

— Trois mois et quelque.

Nous commençons à nous exclamer de surprise, mais il lève la main:

— Elle avait peur de le dire. Elle pensait...

Il secoue la tête et continue.

— Elle a fait un test ce week-end, pour savoir à combien de mois elle en était exactement. Aujourd'hui, pendant que j'étais en réunion... ils ont mesuré le bébé par échographie.

Il se tape sur la joue.

— Mon Dieu, *le bébé.* Je viens d'apprendre que Sara est enceinte, et aujourd'hui, je vois qu'il y a un putain d'enfant là-dedans. L'échographe a dit qu'il pensait que c'était une fille. On en sera sûrs dans un ou deux mois. C'est... hallucinant...

— Max, que fous-tu avec *nous*? je fais en riant. Ne devrais-tu pas être chez toi, à boire du cidre et choisir des prénoms?

Il sourit.

— Elle voulait un peu de temps pour elle. J'ai été insupportable ces derniers jours, j'ai parlé de refaire tout l'appartement, de nous marier, et du reste. Elle voulait le dire à Chloé. On dîne tous les deux demain soir.

Il fronce les sourcils.

— Cette journée m'a épuisé.

— Tu ne t'inquiètes pas outre mesure, n'est-ce pas ? Je veux dire, c'est incroyable. Sara et toi allez avoir un *bébé.*

— Non, les inquiétudes classiques, c'est tout. Serai-je un bon père ? Sara ne boit pas beaucoup, mais les soirées qu'on a passées ces trois derniers mois ont-elles fait du mal au bébé ? La petite Sara survivra-t-elle à la croissance de ma progéniture dans son ventre ?

J'ai du mal à me retenir. Je me lève, tire Max par le bras pour lui donner une grande accolade.

Il est si amoureux de Sara qu'il a du mal à réfléchir quand elle est à côté de lui. Même si je le taquine tout le temps là-dessus, c'est vraiment beau à voir. Je sais, sans même avoir à le lui demander, qu'il est prêt à devenir papa, prêt à s'installer et à être un mari dévoué.

— Tu seras génial, Max. Toutes mes félicitations.

Je m'écarte d'un pas, Bennett se lève et serre la main de Max avant de lui faire un câlin très bref.

Bordel.

Ce que Max vient de dire est énorme. Je m'effondre sur ma chaise. C'est ça, la vie. Une vie qui commence pour nous : des mariages, des familles, des décisions qui font de nous des hommes, des vrais. Ce n'est pas seulement nos jobs, nos petits plaisirs. La vie est faite de connexions, de moments forts comme ceux où vous dites à vos deux meilleurs amis que vous allez avoir un enfant.

Je sors mon téléphone pour envoyer à Hanna :

Je n'arrive pas à cesser de penser à toi.

Chapitre 19

Quand j'étais petite, j'étais incapable de dormir la semaine précédant un grand événement – Noël, mon anniversaire, les vacances… Je rendais tout le monde fou. Personne ne comprenait pourquoi. Ma mère épuisée me veillait en me suppliant de temps à autre: «Ziggy, disait-elle. Ma chérie, si tu dors, le temps passera plus vite et Noël sera là plus tôt.»

Ça n'a jamais fonctionné. «Mais je n'arrive pas à dormir, j'insistais. Il y a trop de choses dans ma tête. Mes pensées ne me laissent pas tranquille.»

J'ai toujours passé des nuits d'insomnie, où l'angoisse et le stress me submergeaient. J'avais pris l'habitude de marcher de long en large alors que j'aurais dû tranquillement dormir à l'étage. C'est une manie dont je n'ai pas su me débarrasser.

Samedi, ce n'est ni Noël ni le premier jour des vacances d'été, mais je compte les jours et les minutes comme si c'était le cas. Je suis pathétique et ridicule, mais la certitude de voir Will m'obsède. Cette seule pensée m'empêche de dormir, je compte et recompte les lampadaires dans la rue en essayant d'imaginer ce qu'il fait de son côté.

* * *

J'ai toujours entendu dire que la première semaine après une rupture est toujours la plus difficile. J'espère que c'est vrai. Recevoir le message de Will mardi – *Je n'arrive pas à cesser de penser à toi* – m'a fait tellement mal.

Est-il possible qu'il se soit trompé de numéro? M'a-t-il dit ça parce qu'il est tout seul? Pense-t-il à moi, même s'il est avec une autre fille? Je n'arrive pas à lui en vouloir, mon irritation s'évanouit après une seconde de réflexion. Je lui ai toujours répondu quand j'étais avec Dylan.

Le pire, c'est que je ne peux en parler à personne. Enfin si, mais je ne veux parler qu'à Will.

Le soleil se couche vendredi soir, je marche dans la rue pour retrouver Chloé et Sara.

Je me suis efforcée de faire bonne figure toute la semaine, mais je suis malheureuse et ça commence à se voir. J'ai l'air fatiguée. J'ai l'air triste. Mes sentiments transparaissent sur mon visage. Will me manque tellement, j'ai un poids en permanence sur le cœur. Depuis la dernière fois que je l'ai vu, chaque minute qui passe me semble durer une éternité.

Le Bathtub Gin est un petit bar sympathique de Chelsea. La vitrine change tous les jours, seuls les mots «STONE STREET COFFEE» peints sur la devanture restent invariablement les mêmes. Quand on ne connaît pas l'adresse et qu'il n'y a pas la queue dehors, il est facile de le rater. Il faut savoir que le bar, signalé par une petite ampoule rouge, se trouve à cet endroit. Il a été ouvert pendant la prohibition, l'ambiance de l'époque est toujours là: lumière tamisée, jazz, large baignoire de cuivre au milieu de la salle.

Chloé et Sara sont assises au bar. Elles ont déjà commandé et sont en grande conversation avec un superbe jeune homme aux cheveux bruns.

— Salut les filles, je fais en m'asseyant sur le tabouret d'à côté. Désolée pour le retard.

Les trois se retournent et me dévisagent. Le garçon lance:

— Oh ! ma chérie, dis-moi qui t'a fait ça.

Je cligne des yeux, désorientée :

— Je... salut... je suis Hanna...

— Ignore-le, me coupe Chloé en me tendant le menu du bar. Nous sommes habituées. Commande un verre avant de parler. Tu as l'air d'en avoir besoin.

L'homme mystérieux prend un air offensé et ils se chamaillent entre eux. Je parcours la carte des cocktails et des vins. Je choisis la première chose qui me passe par l'esprit.

— Un Tomahawk, s'il vous plaît.

Le barman hoche la tête. Sara et Chloé se regardent, mutuellement surprises.

— Eh bien... je vois ! ajoute Chloé.

Elle fait signe au barman de lui redonner la même chose et me prend par le bras pour me diriger vers une table.

En réalité, je compte tenir mon cocktail dans la main toute la soirée, réconfortée par la *possibilité* d'être totalement ivre. Mais je sais que je dois courir demain, ce qui est impossible avec la gueule de bois.

— Au fait, Hanna, dit-elle en faisant un geste vers l'homme qui m'observe, l'air amusé. Voilà George Mercer, l'assistant de Sara. George, voilà l'adorable et future ivrogne, Hanna Bergstrom.

— Et un poids plume, commente George en hochant la tête. Que fais-tu avec cette pochtronne ? On devrait faire de la prévention pour les filles comme toi.

— George, ça te dirait, mon talon dans le cul ?

— Le talon entier ? réplique-t-il, sans ciller.

— Dégoûtant, grogne Chloé.

— Menteuse, réplique George, mort de rire.

Sara s'appuie sur la table :

— Ignore-les. Ils se disputent comme Bennett et Chloé. La seule différence, c'est qu'ils veulent tous les deux coucher avec Bennett.

— Je vois…

Une serveuse place nos verres sur la table. J'aspire un peu du cocktail avec la paille.

— Putain ! je tousse, la gorge en feu.

J'avale mon verre d'eau en entier, Sara me regarde avec insistance :

— Que se passe-t-il ?

— Le cocktail est trop *épicé*…

— Ce n'est pas ce qu'elle voulait dire, m'interrompt Chloé.

Je fixe mon verre, en essayant de me concentrer sur les filaments de paprika qui flottent à la surface plutôt que sur ma gorge, brûlée au troisième degré.

— Vous avez parlé à Will ces derniers jours ?

Elles acquiescent, George s'écrie :

— Will Sumner ? Tu baises *Sumner* ? Jésus Marie Joseph.

Il s'adresse à la serveuse :

— On va avoir besoin d'un autre verre, beauté. Apporte la bouteille entière.

— On ne lui a pas parlé depuis lundi, précise Sara.

— Mardi, rectifie Chloé en se désignant du doigt. Je sais qu'il a passé une semaine de fou.

— Il n'est pas allé chez tes parents pour Pâques ?

George s'étrangle :

— Oh là là !

Et voilà, je suis la fille désespérée par sa rupture, qui ne voudrait pas s'en souvenir et encore moins tout commenter autour d'un verre. Comment expliquer que les choses ont été si parfaites ce week-end ? Comment avouer que j'ai cru tout ce qu'il m'avait dit ? Est-ce même possible ? Et je suis tombée… Je m'interromps, c'est trop douloureux, même en pensée.

— Hanna, ma chérie ? murmure Sara en plaçant une main sur mon front.

— J'ai l'impression d'être une idiote.

— Mon chou… fait Chloé, les yeux pleins d'inquiétude. Tu sais que tu n'es pas obligée d'en parler si tu n'en as pas envie.

— Bien sûr qu'elle y est obligée ! Comment sommes-nous supposés le torturer si nous ne connaissons pas les détails les plus sordides ? On devrait commencer par le début pour mieux évaluer les dégâts. Première question : sa bite est-elle aussi grosse qu'on le raconte ? Et ses doigts… ont-ils des vertus magiques ?

Il se rapproche de nous et murmure :

— La rumeur raconte qu'il pourrait gagner un concours de rapidité à manger des pastèques, si vous voyez ce que je veux dire.

— *George*, grogne Sara.

Chloé lui jette un regard noir, mais je souris.

— Je ne sais pas de quoi tu parles.

— Va voir une vidéo sur YouTube, tu comprendras l'image.

— Revenons à la tristesse d'Hanna, reprend Sara, feignant un air sérieux.

— Je…

Après une grande inspiration, je demande :

— Que savez-vous de Kitty ?

— Oh ! répond Chloé en se penchant sur sa chaise, puis elle jette un coup d'œil à Sara. *Oh.*

Je fronce les sourcils :

— Ça veut dire quoi, *oh* ?

— Est-ce la… je veux dire, Kitty est l'une des…

George s'interrompt, mal à l'aise.

— Ouais, commente Sara. Kitty est l'une des maîtresses de Will.

Je roule des yeux.

— Vous savez s'il la voit toujours ?

Chloé réfléchit à sa réponse :

— Eh bien… je ne l'ai jamais entendu dire qu'il l'avait *officiellement* quittée, continue-t-elle en grimaçant. Mais, Hanna, il t'adore. Tout le monde…

— Mais il continue à la voir.

Elle soupire avec réticence.

— Honnêtement, je n'en sais rien. On lui a tous dit qu'il devait rompre définitivement mais… je ne suis pas sûr qu'il l'ait fait.

— Sara ?

Elle secoue la tête et murmure :

— Je suis désolée, ma chérie. Je ne sais pas non plus.

Je me demande s'il est possible qu'un cœur se délite par morceaux. J'ai entendu le mien craquer quand j'ai lu le message de Kitty. J'ai senti un morceau se détacher quand il m'a menti mardi soir. Toute la semaine, je me suis sentie pleine de bleus, j'avais mal au cœur, je me demandais comment il était possible qu'il continue à battre dans ma poitrine.

— Je l'ai entendu dire à mon frère qu'il voulait passer aux choses sérieuses avec quelqu'un et qu'il avait peur de rompre avec les autres. J'ai pensé qu'il voulait peut-être juste dire « rompre *officiellement* ». Tout allait bien entre nous. Mais Kitty lui a envoyé ce message. Je jouais avec son téléphone, elle lui a répondu qu'elle voulait le voir. Il avait dû lui proposer de la retrouver mardi soir.

— Pourquoi ne pas lui en avoir parlé directement ? demande Chloé.

— C'est ce que je voulais faire. Will a toujours affirmé que l'honnêteté et la communication étaient ses valeurs phares. Donc je l'ai invité à dîner mardi, et j'ai imaginé qu'il me dirait qu'il voyait Kitty.

— Et ? demande Sara.

Je soupire.

— Il m'a expliqué qu'il avait une réunion tard le soir.

— Aïe, lâche George.

— Ouais. Donc je l'ai quitté. Mais j'ai dit n'importe quoi. Je lui ai raconté que j'avais réalisé que c'était devenu trop pesant, que je ne voulais pas de relation sérieuse à mon âge. Que ça ne marchait plus pour moi.

— La vache! commente George. Quand tu veux rompre, tu n'y vas pas avec le dos de la cuillère.

Je maugrée en me cachant les yeux de la main.

— Il doit y avoir une explication, me raisonne Sara. Ce n'est pas le genre de Will de mentir sur ses réunions. Il est toujours très clair, il n'a pas honte de voir des filles. Hanna, je ne l'ai jamais vu comme ça. *Max* ne l'a jamais vu comme ça. Il t'adore.

— Qu'est-ce que ça peut faire?

J'ai oublié mon cocktail.

— Il m'a menti à propos de la réunion, mais c'est moi qui lui ai demandé d'avoir une relation libre. Libre, ce qui signifiait pour moi qu'il était *possible* qu'il y ait quelqu'un d'autre. Ça ne changeait rien à ses habitudes. Et dire que c'est lui qui a insisté pour que les choses changent...

— Parle-lui, Hanna, argumente Chloé. Crois-moi. Tu dois lui donner une chance de s'expliquer.

— Expliquer quoi? Qu'il la voit toujours, selon les règles que j'ai moi-même édictées? Et alors quoi?

Chloé me prend la main:

— Alors tu prends ton courage à deux mains et tu lui dis en face d'aller se faire foutre.

* * *

Je m'habille quand le premier rayon de soleil apparaît par la fenêtre, et je franchis les dix pâtés de maisons qui me séparent du départ de la course dans un état de nervosité insoutenable. Elle se tient à Central Park, le circuit de vingt kilomètres sillonne les promenades du parc. Des rues alentour ont été bloquées pour installer les camions des sponsors, les tentes et la foule des coureurs et des spectateurs.

Nous y sommes. Will apparaîtra d'une minute à l'autre, et je pourrai décider de lui parler ou de laisser les choses là où elles sont. Je ne sais pas si je suis prête à me confronter à lui, quelle que soit ma décision.

Le ciel s'est éclairci, l'air du matin est frais. Mon visage est brûlant, le sang palpite dans mes artères et dans mes veines, dans mon cœur qui bat trop vite. Je dois me concentrer pour alimenter mes poumons en oxygène.

Je ne sais pas où aller ni quoi faire, mais l'événement semble bien organisé. Dès l'entrée, des pancartes me dirigent vers les inscriptions.

— Hanna?

Je lève les yeux. Mon ancien camarade de course et amant se tient devant la table des inscriptions. Il me dévisage avec une expression mystérieuse. J'aimerais qu'il soit moins beau que dans mon souvenir, mais il dépasse de loin mon imagination. Will soutient mon regard, je ne sais pas si je suis prête à rire, à pleurer ou à m'enfuir, tout simplement.

— Salut, dit-il finalement.

Je lui tends la main comme si… quoi? Comme s'il allait me dire bonjour en me serrant la main? *Mon Dieu, Hanna!* J'y suis, j'y reste. Ma main tremblante reste en l'air. Il y jette un coup d'œil.

— Oh… C'est comme ça que tu nous vois, marmonne-t-il en essuyant sa main sur son pantalon avant de prendre la mienne. OK. Salut! Comment ça va?

Je déglutis en retirant la main le plus vite possible.

— Salut. Ça va. Ça va.

C'est vraiment comique, je suis nulle. Voilà le genre de situation dont j'aimerais discuter avec Will et seulement Will. Mille et une questions me viennent soudain à propos du protocole post-rupture. Se serrer la main en fait-il partie?

Je me penche comme un robot, signe à côté de mon nom et attrape un dossier d'information. Une organisatrice me donne des instructions que j'ai du mal à intégrer. Je suis un fantôme.

Will reste à côté de moi, avec la même expression nerveuse et pleine d'espoir.

— Tu as besoin d'aide ? murmure-t-il quand j'ai terminé.

Je secoue la tête.

— Non, tout va bien.

C'est un mensonge, je n'ai aucune idée de ce que je m'apprête à faire.

— Il faut aller sous la tente, là-bas, explique-t-il gentiment.

Il me connaît toujours aussi bien. Il pose une main sur mon avant-bras.

Je m'écarte avec un sourire mal à l'aise.

— J'ai compris. Merci, Will.

Le silence se fait. Une fille que je n'avais pas remarquée à côté de lui s'écrie :

— Salut !

Elle me tend la main en souriant largement.

— Nous n'avons pas encore été présentées. Je suis Kitty.

Il me faut un moment pour faire le lien. Quand j'ai enfin compris, je n'arrive pas à cacher mon émotion. Ma bouche a dû s'ouvrir, mes yeux s'écarquiller. Pense-t-il franchement qu'il soit même seulement envisageable de nous présenter ? Je la dévisage puis je fixe Will qui, étrangement, a l'air aussi surpris que moi de la trouver ici. Il n'a pas dû la voir arriver.

Le visage de Will serait l'illustration parfaite de l'expression *mal à l'aise* dans un dictionnaire. « Oh mon Dieu ! » Ses yeux vont et viennent de l'une à l'autre, il marmonne :

— OK, hum... Kitty, voici...

Il me jette un coup d'œil.

— Hanna, mon amie.

Je cligne des yeux. *Qu'a-t-il dit ?*

— Ravie de faire ta connaissance, Hanna. Will m'a beaucoup parlé de toi.

Ils parlent, mais je n'entends plus rien. La phrase qu'il a prononcée, «*Hanna, mon amie*», tourne en boucle dans ma tête. *Hanna, mon amie.*

C'est une erreur. Il est juste mal à l'aise. Je lâche:

— Il faut que j'y aille.

Je tourne les talons pour me diriger vers la tente des femmes.

— Hanna! s'écrie-t-il, mais je ne me retourne pas.

Je rends les documents à l'organisatrice pour obtenir mon dossard, la tête dans le brouillard. Je prends le temps de m'étirer et de lacer mes chaussures. J'entends des pas se rapprocher de moi. J'ai peur de relever la tête. Kitty est à côté de moi, c'est encore pire que ce que je pensais.

— Quel homme! lance-t-elle en attachant son dossard à son T-shirt.

Je baisse les yeux, ignorant la chaleur qui monte dans mon ventre.

— Ouais.

Elle s'assoit à quelques mètres de moi, arrache l'étiquette de sa bouteille d'eau.

— Tu sais, je pensais que ça n'arriverait jamais.

Elle rit en secouant la tête.

— Et pendant tout ce temps, il m'a répété *ce n'est pas toi, je n'ai envie de ça avec personne.* Et maintenant? Il rompt finalement avec moi parce qu'il veut s'engager. Avec quelqu'un d'autre.

Je lève les yeux.

— Il t'a quittée?

— Ouais… Eh bien, réfléchit-elle. Cette semaine, c'était la rupture *officielle* mais on ne s'est pas vus depuis… février. Il a passé son temps à annuler nos rendez-vous.

Je suis sans voix.

— Au moins, maintenant, je sais pourquoi.

Je dois avoir l'air totalement imbécile parce qu'elle sourit et se penche vers moi pour dire :

— Parce qu'il est amoureux de toi. Et si tu es aussi géniale qu'il le pense, tu ne foutras pas tout en l'air.

* * *

Je ne me rappelle pas avoir traversé le parc où tous les coureurs sont réunis. Mes pensées sont floues et embrouillées.

Février ?

On ne faisait que courir…

Mars, c'est quand Will et moi avons commencé à coucher ensemble…

Mardi soir… pour rompre, face à face.

Comme un être humain décent, comme un homme bien. Je ferme les yeux en réalisant ce qui s'est passé. Il a rompu *alors que* je l'ai quitté.

— Tu es prête ?

Je sursaute, surprise de voir Will à côté de moi. Il pose une main sur mon épaule, le sourire hésitant.

— Ça va ?

Je regarde autour de moi, je cherche une sortie de secours pour seulement… *penser.* Je ne suis pas prête à l'avoir si près de moi, ou à ce qu'il me parle comme si nous étions amis.

Je ne suis pas prête à ce qu'il soit aussi *gentil.* Je dois m'excuser, vraiment. Je suis toujours énervée parce qu'il m'a menti… mais je ne sais pas par où commencer. Je rencontre ses yeux, j'y cherche un signe qui me dise que nous pouvons réparer ça.

— Je crois.

— Hanna, fait-il en s'approchant d'un pas.

— Ouais ?

— Tu… tu vas y arriver.

Il me dévisage, l'air inquiet. Mon ventre se tord sous l'effet de la culpabilité.

— Je sais que les choses n'ont pas exactement été au beau fixe ces derniers temps. Oublie tout le reste. Tu dois être là-dedans, tu dois avoir la tête à la course. Tu t'es entraînée avec sérieux pour ça, tu peux réussir.

Je soupire en sentant le trac monter en moi. Un trac lié à la course, et pas à Will. Il malaxe mon épaule :

— Nerveuse ?

— Un peu.

Je vois le moment où il passe en mode entraînement, ce qui me rassure. Je peux compter sur sa familiarité platonique et sur son soutien.

— Rappelle-toi de garder le rythme. Ne commence pas trop vite. La seconde moitié est la plus difficile, il faut que tu gardes suffisamment d'énergie pour finir, d'accord ?

J'acquiesce.

— Rappelle-toi, c'est ta première course, le but c'est de finir, pas de se classer.

J'humecte mes lèvres :

— D'accord.

— Tu as déjà couru seize kilomètres. Je serai là, donc… on fera ça ensemble.

Je cligne des yeux, surprise.

— Tu peux arriver dans les meilleurs, Will. Ce n'est rien pour toi – tu devrais aller devant.

Il secoue la tête.

— Je ne suis pas entraîné pour cette course-là. Ma course est dans deux semaines. Celle-là, c'est la tienne. Je te l'ai déjà dit.

J'acquiesce, légèrement étourdie, je n'arrive pas à me détacher de son visage : cette bouche que j'ai embrassée tant de fois, qui souhaite seulement m'embrasser, moi ; ces yeux qui me regardent si attentivement chaque fois que j'ouvre la bouche, chaque fois que je le touche. Ces mains qui sont posées sur mes épaules ; les mêmes qui ont touché chaque centimètre carré de ma peau. Il a expliqué à Kitty qu'il voulait n'être qu'avec moi. Mais il ne me l'a jamais avoué directement. De toute façon, je ne l'aurais pas cru.

Peut-être le playboy a-t-il bel et bien disparu.

Will me lâche les épaules après des encouragements silencieux. Il caresse mon dos et m'amène jusqu'à la ligne de départ.

* * *

La course commence au sud-ouest du parc, près de Columbus Circle. Will me fait signe de le suivre et je me remets dans le bain : échauffement des mollets, des quadriceps, des tendons. Il hoche la tête, me surveille d'un œil pendant qu'il se met en condition, sans me quitter à aucun moment.

— Étire-toi encore un peu, dit-il. Inspire profondément.

On annonce qu'il va bientôt être temps de partir, nous nous plaçons sur la ligne de départ. Le coup de feu retentit, des oiseaux s'envolent des arbres juste au-dessus de nos têtes. Une centaine de corps s'activent en même temps, l'atmosphère est pleine de bruits de pas, de respirations, d'exclamations diverses.

Le marathon part de Columbus Circle et emprunte la boucle extérieure de Central Park, par la 72e Rue.

Les trois premiers kilomètres sont les plus durs. Je cours les cinq suivants dans un brouillard de sensations. Seuls les bruits étouffés des foulées sur la piste, le sang qui bat dans mes oreilles, me sortent de ma torpeur. Nous parlons à peine, mais je sens la présence de Will à mes côtés à chaque pas. Parfois, son bras frôle le mien.

— Tu fais ça très bien, lance-t-il au septième kilomètre.

« On arrive à la moitié, et tu es à peine essoufflée », me rappelle-t-il au bout de dix kilomètres.

À partir du dix-neuvième kilomètre, je me sens épuisée, chaque centimètre parcouru me fait souffrir. Mes jambes sont raides, en feu. J'ai peur de m'effondrer à cause d'une crampe. Mon rythme cardiaque est élevé comme jamais, accordé au rythme de mes pas sur le goudron. Mes poumons me hurlent d'arrêter.

Mais dans ma tête, tout va bien. Je suis calme, comme si j'étais totalement immergée dans l'eau et que les voix me parvenaient au loin. La seule voix que j'entends est celle de Will :

— Dernier kilomètre. On y est ! Tu es géniale, Prune.

Je trébuche presque en entendant mon surnom. Sa voix est douce, pleine de désir. Je lui jette un coup d'œil, sa mâchoire est serrée, ses yeux sont fixés devant lui.

— Je suis désolé, murmure-t-il. Je n'aurais pas dû… je suis désolé…

Je secoue la tête et me lèche les lèvres tout en gardant les yeux fixés devant moi. Ce que je viens de réussir m'a coûté plus d'efforts que tous les examens que j'ai passés pendant mes études. Pire que mes nuits blanches au labo. J'ai toujours eu de la facilité pour ce qui est scientifique – je travaillais dur, bien sûr, mais je n'avais jamais dû aller chercher la motivation aussi profondément en moi. Et je sais que me jeter sur l'herbe et m'y rouler sera l'un des meilleurs moments de ma vie. La Hanna que j'étais, celle qui avait retrouvé Will pour courir dans ce petit matin glacé, n'aurait jamais tenu la distance. Elle aurait essayé de courir cinq kilomètres, se serait épuisée et aurait déclaré après réflexion que ce n'était pas à sa portée. Elle serait rentrée au labo, aurait retrouvé ses livres, son appartement vide et ses plats surgelés.

Mais pas *cette* Hanna, celle d'aujourd'hui, de maintenant. Et *il* m'a aidée à devenir qui je suis désormais.

— On y est presque, continue à m'encourager Will. Je sais que c'est dur, mais regarde…

Il montre les arbres du doigt :

— On est presque arrivés.

Je balaie une mèche de cheveux de mon visage et maintiens mon effort, en respirant en rythme. Je ne sais pas si je préfère qu'il parle ou qu'il la boucle. Mon corps vibre, chaque parcelle de mon corps me donne l'impression d'avoir été branchée à une prise électrique et d'avoir pris une décharge de mille volts, qui s'évacue progressivement.

Je n'ai jamais été aussi épuisée de ma vie, je n'ai jamais autant souffert, je ne me suis jamais sentie aussi pleine de vie. C'est fou, mais même si mes membres sont brûlants et tendus, même si j'ai du mal à respirer, je ne pense qu'à une chose : recommencer. Je ne suis pas tombée, je ne me suis pas blessée. J'ai désiré quelque chose et j'ai tout fait pour l'atteindre.

Je prends la main de Will, cette dernière pensée en tête, et nous franchissons ensemble la ligne d'arrivée.

CHAPITRE 20

Hanna fait les cent pas à quelques mètres de la ligne d'arrivée. Elle se penche, s'appuie sur ses genoux.

— Bordel de merde, souffle-t-elle, les yeux fixés sur le sol. Je me sens tellement bien. C'était *génial.*

Les bénévoles nous apportent des barres de céréales Luna et des bouteilles de Gatorade, nous les avalons. Je suis tellement fier d'elle, je ne peux me retenir de lui faire un énorme câlin transpirant et de l'embrasser sur le front.

— Tu as été géniale.

Je ferme les yeux en enfonçant le visage dans ses cheveux.

— Hanna, je suis si fier de toi.

Elle s'immobilise dans mes bras et se blottit contre moi, le visage dans mon cou. Je la sens inspirer et expirer profondément. Ses mains tremblent. S'agit-il seulement de l'adrénaline de la course ?

Elle murmure finalement :

— On devrait récupérer nos affaires.

Toute la semaine, j'ai oscillé entre confiance et désespoir, maintenant que je suis avec elle, je ne la lâcherai pas d'une semelle. Nous revenons vers les tentes. La course fait une boucle dans Central Park, la ligne d'arrivée est proche du départ. Je l'écoute respirer, je regarde ses pieds frapper le sol. Elle est épuisée.

— J'imagine que tu es au courant pour Sara, murmure-t-elle en tripotant son dossard.

Elle retire les épingles à nourrice, l'enlève et l'observe.

— Ouais. C'est fou, n'est-ce pas ?

— Je l'ai vue hier soir, elle est rayonnante.

— J'ai vu Max mardi.

J'avale ma salive, soudain nerveux. Hanna frissonne à côté de moi.

— Je suis sorti avec les garçons. Il était aussi excité que terrifié.

Elle éclate d'un rire spontané, qui m'a manqué, putain.

— Tu comptes faire quoi après ?

Je me plonge enfin dans ses yeux, et j'y trouve le je-ne-sais-quoi du week-end dernier. Je peux encore la sentir glisser contre moi dans la chambre d'amis obscure, je l'entends murmurer : *Ne me brise pas.*

C'est la deuxième fois qu'elle dit ça et, depuis le début, je suis le seul à souffrir.

Elle hausse les épaules, regarde au loin. Une foule se forme au niveau des tentes d'arrivée. Je sens la panique m'envahir, je ne suis pas prêt à lui dire au revoir.

— Je vais prendre une douche chez moi. Déjeuner.

Elle fronce les sourcils.

— Ou m'arrêter pour prendre de quoi déjeuner en rentrant. Je n'ai rien de comestible chez moi.

— Les vieilles habitudes ont la vie dure.

— Ouais, répond-elle avec une grimace pleine de culpabilité.

Les mots s'échappent de ma bouche, j'avale des syllabes, je bafouille :

— J'aimerais vraiment passer du temps avec toi, j'ai de quoi faire des sandwichs ou une salade. Tu pourrais venir chez moi ou…

Je me tais, elle s'arrête de marcher et se tourne pour me dévisager, l'air perplexe et… *plein de tendresse.* Je regarde au loin, ma poitrine se serre. J'essaie de réfréner l'espoir impossible qui monte en moi.

— Quoi ? dis-je, l'air ennuyé. Pourquoi me dévisages-tu comme ça ?

Elle sourit.

— Tu es le seul homme que je connaisse dont le frigo soit toujours aussi bien rempli.

Je fronce les sourcils et l'observe, étonné. Elle s'est arrêtée de marcher, elle a pris cet air dramatique rien que pour ça ? Je me gratte le cou et murmure :

— J'essaie d'avoir toujours de bons produits à portée de main pour éviter l'écueil de la restauration rapide.

Elle fait un pas vers moi – elle est assez proche pour qu'une mèche de ses cheveux frôle mon cou. Je sens l'odeur délicate de sa transpiration et me rappelle à quel point c'est merveilleux de la *faire* transpirer. Je fixe sa bouche, je meurs d'envie de l'embrasser.

— Tu es parfait, Will, dit-elle en se léchant les lèvres. Et arrête de me lancer tes regards de braise. C'est tout ce que je peux faire avec toi aujourd'hui.

Elle s'éloigne vers la tente des femmes pour récupérer ses affaires sans me laisser le temps de mesurer ses propos. Je me dirige dans la direction opposée, hébété, pour récupérer les clés de chez moi, mes chaussettes et les papiers que j'ai rangés dans ma veste de sport. Quand j'en sors, elle m'attend, un sac en toile à la main.

— Donc tu viens ? je lui demande, en luttant pour m'empêcher de la toucher.

— Il faut vraiment que je prenne une douche, ajoute-t-elle en partant dans la direction de sa rue.

— Tu peux prendre une douche chez moi.

Je me fous de savoir ce qu'elle a entendu dans ma voix. Je ne la laisserai pas partir. Elle m'a manqué. J'ai passé des nuits horribles. Étrangement, c'était encore pire le matin. Son bavardage m'a manqué, les rythmes de ses pas accordés aux miens également. Courir avec Hanna est l'une des expériences les plus intimes de ma vie.

— Je pourrai t'emprunter des vêtements propres ?

J'acquiesce sans hésiter :

— Bien sûr.

Elle comprend que je suis sérieux, son sourire s'évanouit.

— Viens chez moi, Hanna. Juste pour déjeuner. Je te le promets.

Elle masque le soleil de sa main et étudie mon visage un moment.

— Tu es sûr ?

Au lieu de répondre, je hoche la tête et je commence à marcher. Elle me suit. Chaque fois que nos doigts s'effleurent par erreur, j'ai envie de lui prendre la main et de l'attirer contre moi, pour la plaquer contre l'arbre le plus proche.

Elle a été naturelle pendant la course, drôle et joueuse, mais la Hanna calme et silencieuse réapparaît sur le chemin qui mène à mon immeuble. Je lui ouvre la porte pour qu'elle entre, j'appuie sur le bouton de l'ascenseur et reste suffisamment près d'elle pour sentir son bras contre le mien. Elle respire bruyamment, ouvre la bouche et fixe ses chaussures, ses ongles ou les portes de l'ascenseur. Tout sauf moi.

À l'étage, ma grande cuisine semble rétrécir sous l'effet de la tension, à cause des restes de l'affreuse conversation de mardi soir, de tous les non-dits, de la force d'attraction que nous ne pouvons pas ignorer. Je lui tends un Powerade bleu, je sais que c'est son préféré, et je me sers un verre d'eau, en observant ses lèvres, sa gorge, ses mains.

Je ne dis pas *tu es tellement belle, putain.*

Je ne dis pas *je t'aime.*

Elle repose la bouteille sur le comptoir, je lis sur son visage tout ce qu'elle garde pour elle. Quand me fera-t-elle part de ses pensées ?

Nous nous réhydratons en silence, je la bois du regard, sans parvenir à être discret. Je la vois sourire. Elle sait que je détaille son visage, son menton, la peau encore luisante de sa poitrine, la forme de ses seins sous sa brassière de sport. *Bordel,* j'avais jusque-là réussi à m'arracher à la contemplation de sa poitrine, et voilà le désir familier qui revient. J'aime ses seins. Je rêve de passer ma vie entre ces deux beautés.

Je maugrée en me frottant les yeux. L'avoir invitée est une très mauvaise idée. J'ai envie de la déshabiller, encore transpirante, de la faire glisser sur moi.

Au moment où je montre la salle de bains du doigt et demande : « Tu veux prendre ta douche la première ? », Hanna secoue la tête et dit en souriant :

— Tu regardais ma poitrine ?

Cette question, si anodine en apparence, est tellement *intime* que je sens tout mon corps se tendre.

— Hanna, *non.* Ne deviens pas le genre de fille qui joue avec les autres. Il y a une semaine, tu m'as dit d'aller me faire voir.

Je ne m'attendais pas à ce que ça sorte comme ça, dans la cuisine silencieuse. Ma colère bouillonne.

Elle pâlit, l'air dévasté.

— Je suis désolée…

— Putain.

Je ferme les yeux.

— Ne sois pas désolée, mais ne…

Je les rouvre.

— Ne joue pas avec moi.

— Ce n'est pas mon intention, répond-elle d'une voix rauque. Je suis désolée d'avoir disparu la semaine dernière. Je suis désolée d'avoir agi comme je l'ai fait. Je croyais…

Je tire un tabouret de sous le bar et m'affale dessus. Courir un demi-marathon ne m'a pas autant épuisé que cette conversation. Mon amour pour elle est vivant. Il me rend fou, angoissé, affamé. Je déteste la voir stressée, effrayée. Je déteste la voir désorientée par mon courroux, ou pire encore, parce qu'elle vient de réaliser qu'elle a le pouvoir de me briser le cœur. Elle n'a aucune expérience. Je suis à sa merci.

— Tu me manques.

Ma poitrine se serre.

— Tu m'as tellement manqué, Hanna. Tu n'as pas idée. Mais j'ai entendu ce que tu m'as expliqué mardi. Nous devons trouver un moyen de restaurer notre amitié. Me demander si je regarde ta poitrine n'est pas la meilleure chose à faire.

— Je suis désolée, répète-t-elle.

J'ai besoin de comprendre ce qui est arrivé, pourquoi tout a viré au vinaigre après avoir fait l'amour de manière si intense la semaine précédente.

— Cette nuit… Non, Hanna, *toutes* les nuits. Ça a toujours été si fort entre nous. Mais cette nuit, le week-end dernier, j'ai cru que tout avait changé entre nous. Et le lendemain ? Le retour vers New York ? Bordel, je ne sais même pas ce qui est arrivé.

Elle se rapproche, je n'ai qu'un geste à faire pour l'attirer contre moi, mais je n'en fais rien. Ses mains tremblent.

— Je t'ai entendu parler à Jensen. Je savais qu'il y avait d'autres filles dans ta vie, mais je pensais que tu avais arrêté de les voir. Je sais que je n'ai jamais voulu en parler, que ce n'était pas juste de ne pas te laisser le temps de t'expliquer mais…

— Je n'avais pas « officiellement » rompu avec elles, Hanna, mais je n'ai couché avec personne depuis que tu m'as demandé de te caresser dans ce couloir. Même avant, maintenant que j'y pense.

— Et comment étais-je supposée le deviner ?

Elle baisse la tête, fixe le sol.

— Ce que tu as dit à Jensen, à la limite, ça pouvait passer. Je savais qu'on devait en discuter, mais ce n'était pas la mer à boire. Et puis j'ai vu le message dans la voiture. Il est apparu pendant que je parcourais ta musique.

Elle s'approche, appuie ses cuisses contre mes genoux.

— Nous avions fait l'amour sans préservatif la veille. J'ai vu son message et j'ai eu l'impression… que tu comptais la voir juste après. Je pensais que Kitty voulait être avec toi et…

Je l'interromps :

— Je n'ai pas couché avec elle mardi, Hanna.

Mon sang bat dans mes tempes sous l'effet de la panique.

— Oui, je lui ai envoyé un message pour lui proposer qu'on se voie. Pour lui dire que c'était fini. Je voulais…

— Je sais, me coupe-t-elle. Elle m'a avoué aujourd'hui que tu ne la voyais plus depuis longtemps.

Je soupire profondément. Je ne suis pas sûr d'avoir envie de savoir ce que Kitty a raconté à Hanna. Ça n'a pas d'importance. Je n'ai rien à cacher. Oui, pour quelqu'un qui vante en permanence les mérites de la vérité, j'aurais dû parler plus tôt à Kitty et dire clairement à Hanna que je voulais m'engager avec elle. Je ne leur ai jamais menti, ni à l'une ni à l'autre. Je n'ai pas menti à Kitty quand je lui ai expliqué il y a quelques mois que je ne voulais pas aller plus loin dans notre relation. Et je n'ai pas menti à Hanna il y a un mois, quand je lui ai affirmé que j'en voulais davantage, seulement avec elle.

— J'essayais de me conformer à *tes* règles. Je n'osais pas te reparler de notre relation parce que tu avais décidé que j'étais incapable d'assumer autre chose qu'un plan-cul.

— Je sais. Je sais.

Nous nous arrêtons là. Elle me scrute, attend que je continue à parler pour dire… quoi ? J'ai tout dit, ou presque. Je me suis mis à nu assez souvent.

Je soupire et me relève :

— Tu veux te doucher la première ?

L'ambiance est très bizarre entre nous. Même la première fois où nous sommes allés courir ensemble, dans le froid, je n'avais jamais ressenti une telle gêne.

Elle s'écarte d'un pas pour me laisser passer :

— Non, vas-y.

* * *

J'ouvre le robinet d'eau chaude à fond. Je n'ai pas encore de courbatures – je n'en aurai probablement pas, de toute façon –, mais j'ai besoin que l'eau brûlante lave mon envie de faire l'amour à Hanna et toutes les incertitudes qui nous entourent.

Elle veut peut-être revenir à la situation précédente : du sexe entre amis. Le confort sans attentes particulières. Je la désire si intensément que je sais à quel point il serait facile de me convaincre : profiter de son corps, de son amitié, ne jamais avoir de besoins ni m'attendre à plus de profondeur.

Mais ce n'est plus ce que je souhaite – avec personne, surtout pas avec elle. Je ferme les yeux en me savonnant pour me débarrasser de la transpiration du matin. J'aimerais nettoyer aussi facilement mon esprit.

J'entends la porte de la douche s'ouvrir, l'air froid glisse sur ma peau. L'adrénaline envahit mes veines et arrive jusqu'à mon cœur. Un fol espoir m'étourdit. Je pose le front contre le mur, j'ai peur de tourner la tête et de la voir, pour que toutes mes résolutions s'envolent. Je suis incapable de lui résister. Elle peut tout avoir de moi.

Elle murmure mon prénom, ferme la porte et colle ses seins dans mon dos. Sa peau est froide, elle caresse mes côtes.

— Will, répète-t-elle en effleurant mon torse et mon ventre, regarde-moi.

J'attrape ses poignets pour l'empêcher d'aller plus bas. Pour éviter qu'elle ne voie à quel point je bande alors qu'elle me touche à peine. Je suis un cheval de course qu'on retient par une petite barrière fragile. Les muscles de mes bras saillent, j'immobilise ses poignets, en résistant à la tentation de la toucher.

Je reste immobile, le front contre le mur, jusqu'à être certain de pouvoir la regarder sans la prendre dans mes bras. Je me retourne et je resserre la pression sur ses poignets.

— Je ne pense pas être capable de faire ce que tu me demandes.

Je la contemple : ses cheveux sont lâchés, des mèches trempées de sueur sont collées à ses joues, à son cou et à ses épaules. Ses sourcils sont froncés, je vois qu'elle ne comprend pas ce que je viens de dire. Pourtant, elle a eu l'air de m'entendre. Elle ferme les yeux, les joues rouges de honte.

— Je suis dés…

— Non. Je veux dire que je ne suis plus capable de continuer comme avant. Je ne veux plus partager. Je ne veux plus être avec toi si tu sors avec d'autres garçons.

Hanna ouvre les yeux, elle halète.

— Je ne peux pas t'en vouloir si tu veux faire tes propres expériences, lui dis-je, les mains sur ses poignets. Mes sentiments s'approfondiront forcément et je n'ai pas envie de jouer la comédie de l'amitié. Pas même avec Jensen. Je te dirai oui dans tous les cas parce que je te désire plus que tout au monde. Mais je serais malheureux s'il n'y avait que du sexe entre nous.

— Ça n'a jamais été que du sexe pour moi.

Je lâche ses poignets, en scrutant son visage. Que propose-t-elle ?

— Quand tu as dit « Hanna, mon amie » tout à l'heure, commence-t-elle en posant les mains sur ma poitrine. Je voudrais que ce soit vrai. Je voudrais t'appartenir.

Ma respiration se coupe. Son pouls s'accélère.

— Je t'*appartiens.* Déjà.

Elle monte sur la pointe des pieds et m'embrasse doucement sur les lèvres. Je comprends alors qu'elle a eu peur comme je n'ai jamais eu peur, je comprends tout à coup ses réticences. Aimer comme ça est terrifiant.

— Je t'en prie, me supplie-t-elle en m'embrassant encore et en posant mes mains sur sa taille. Je veux être avec toi, je le désire tellement que j'en ai du mal à respirer.

Elle enfonce les doigts dans mes cheveux, m'attire encore plus près d'elle. Elle se cambre contre moi.

— Hanna…

Je me penche instinctivement, lui donnant un meilleur accès à mes lèvres, à mon cou. Je caresse ses seins.

— Je t'aime, murmure-t-elle en m'embrassant sur le menton.

Je ferme les yeux, le cœur battant.

Elle prononce ces mots, et mes résolutions s'envolent. J'ouvre la bouche en grognant. Elle m'embrasse avec la langue. Elle halète, s'accroche à mes épaules et colle son ventre à ma queue dure.

Je la retourne et la plaque contre le mur, elle gémit en sentant le carrelage frais dans son dos. Je prends la pointe de son sein dans ma bouche. Je la lèche avec avidité. Ma peur n'a pas disparu, bien au contraire. L'entendre me dire qu'elle m'aime est infiniment plus effrayant. J'ai de l'espoir : nous pouvons y arriver, nous pouvons naviguer tous les deux dans les eaux troubles de la première fois.

Je reviens à sa bouche, je l'embrasse avec violence, en perdant la tête. L'eau qui coule sur ses joues ne provient pas exclusivement de la douche. Je ressens moi aussi ce soulagement absolu, suivi immédiatement du besoin féroce d'être en elle, de bouger en elle, de la sentir.

Je me penche pour l'attraper par les cuisses et la soulever. Elle entoure ma taille de ses jambes. Son sexe est chaud et glissant, je m'y enfonce. Mon amour est décuplé. Elle souffle, gémit, me supplie de continuer.

— Je n'ai jamais fait quelque chose comme ça, je murmure dans son cou. Je n'ai aucune idée de ce que je fais.

Elle rit, me mord dans le cou et s'agrippe à mes épaules. Je me blottis contre elle, en m'immobilisant, nos hanches se rencontrent : je ne tiendrai pas longtemps. Sa tête tombe en arrière contre le carrelage, sa poitrine ondule. Sa respiration est entrecoupée.

— Oh mon Dieu, Will…

Je chuchote :

— Tu ressens la même chose que moi ?

Hanna a un bref hoquet, me supplie de continuer en me serrant contre elle aussi fort qu'elle peut, pour être coincée entre le mur et moi.

— Ce n'est pas seulement du sexe. C'est si bon que ça fait presque mal. J'ai toujours ressenti ça avec toi, Prune. C'est ce qu'on ressent quand on fait l'amour avec quelqu'un dont on est *fou.*

— Quelqu'un qu'on aime ? demande-t-elle, les lèvres pressées contre mon oreille.

— Ouais.

Je vais et viens, un peu plus vite. Mon orgasme est imminent. J'aimerais la porter jusqu'à mon lit, la lécher et la baiser encore jusqu'à ce qu'on s'effondre tous les deux. Je ne m'habituerai jamais à la sentir sans latex entre nous.

Je la pénètre en me concentrant sur ses gémissements et en m'excusant encore et encore. « C'est trop intense… » Je suis bouleversé par la sensation qu'elle soit si proche de moi, par ses paroles, le fait de savoir qu'elle est mienne désormais. « Je suis trop près… Prune, je ne peux pas… »

Elle secoue la tête, me mord l'épaule et murmure dans mon oreille :

— J'aime quand tu ne peux pas te retenir. C'est ce que j'ai toujours aimé avec toi.

Je me laisse aller avec un grognement profond, en sentant mon corps entier s'emballer.

S'emballer.

S'emballer.

Je la pénètre plus fort, plus profondément, mes cuisses frappent les siennes. Son dos est plaqué contre le mur, mon corps se met à bouillonner, je jouis si fort que mes cris résonnent dans la cabine de douche.

Je crois que je n'ai jamais joui aussi vite de toute ma vie. Je me sens à la fois euphorique et légèrement horrifié.

Hanna tire sur mes cheveux pour que je l'embrasse. Après un petit baiser, je m'extirpe d'elle avec un grognement et tombe à genoux. J'écarte ses jambes et je suce son clitoris. Je ferme les yeux, en appréciant ses gémissements, la sensation de son sexe contre ma langue. Ses jambes tremblent – de fatigue, après la course, mais surtout d'excitation –, j'écarte encore plus ses cuisses, je la pose sur mes épaules. J'en profite pour agripper ses fesses.

Elle crie et cherche avidement un endroit pour s'accrocher. Finalement, elle entoure ma tête de ses bras et me scrute, l'air fasciné.

— Je suis tout près.

Sa voix s'affaiblit, ses mains se crispent dans mes cheveux.

Je souris et bouge la tête pour caresser son clitoris du bout du nez. Je n'avais jamais fait ça. Avant Hanna, je n'ai jamais eu l'impression d'*aimer* quelqu'un, de lui faire l'amour de toutes les manières possibles. Nous n'en sommes qu'au début. Nous avons toute une vie à inventer. Ici, maintenant, l'eau de la douche nous lave de nos inquiétudes et de nos doutes.

Elle commence à jouir, sa poitrine rougit, ses joues également. Elle ouvre très grand la bouche.

Je ne m'en lasserai jamais. Je ne me lasserai jamais d'*elle*. Le plaisir de la posséder me submerge, elle jouit intensément.

Je m'arrête quand ses cuisses se détendent, je la prends dans mes bras pour soulager ses jambes tremblantes. Je la tiens contre moi un long moment, elle s'accroche à mon cou.

Elle est si douce et chaude, à cause de la douche. Elle fond contre moi.

C'est tellement différent. Je n'ai jamais ressenti ça même dans nos moments les plus intimes « entre amis ». Désormais, nous sommes complètement connectés.

Désormais, elle m'appartient.

Je murmure dans ses cheveux : « Je t'aime » avant d'attraper le savon. Je nettoie attentivement chaque centimètre carré de sa peau, ses cheveux, la peau délicate entre ses jambes. Je la nettoie de mon sperme, je l'embrasse sur les joues, les paupières, les lèvres. « Je t'aime. »

Nous sortons de la douche, je l'enroule dans une serviette avant d'en nouer une autour de ma taille. Je la porte jusqu'à la chambre, je l'assois sur le bord du lit et je la sèche avant de l'aider à s'allonger sur le matelas.

— Je t'apporte quelque chose à manger.

— Je viens avec toi.

Elle lutte contre mes mains, tente de s'asseoir, mais je secoue la tête. J'embrasse ses seins.

— Reste là, détends-toi. Je vais te tenir éveillée toute la nuit, tu as besoin de prendre des forces.

Des gouttes d'eau tombent de mes cheveux sur son corps nu, elle halète, les yeux écarquillés, les pupilles dilatées – de l'encre noire au milieu de ses iris gris. Elle glisse les mains sur mes épaules pour me faire m'asseoir, et *bordel* je suis prêt à recommencer… mais il faut penser à manger. Je commence à me sentir étourdi.

— Deux minutes.

* * *

Nous mangeons des sandwichs, nus sur le couvre-lit, et nous parlons pendant des heures de la course, du week-end avec sa famille et, finalement, de ce que nous avons ressenti quand nous pensions avoir rompu.

Nous faisons l'amour jusqu'au coucher du soleil, nous nous endormons ensuite, avant de nous réveiller pour recommencer. C'est à la fois intense et authentique. Nous gémissons à l'unisson. Je nous retrouve.

Enfin satisfait, j'attrape un stylo sur ma table de nuit. J'écris sur sa hanche *Tout ce qui est rare aux êtres rares* en souhaitant qu'un playboy réformé, un sauvage domestiqué, puisse être assez rare pour Hanna.

ÉPILOGUE

Le steward marche d'un pas décidé dans la cabine, en refermant les compartiments au-dessus de nos têtes avant de se pencher pour nous demander :

— Jus d'orange ou café ?

Will demande du café. Je secoue la tête.

Il tapote mon genou, la main ouverte :

— Donne-moi ton téléphone.

Je le lui tends en me plaignant quand même.

— Pourquoi aurais-je besoin de wifi ? Je vais dormir pendant tout le vol.

Je ne le laisserai plus jamais réserver un vol New-York-San Diego à six heures du matin.

Will m'ignore, entre un code dans mon téléphone.

— Je ne sais pas si tu as remarqué, mais j'ai sommeil. C'est la faute de *quelqu'un* si je n'ai pas fermé l'œil de la nuit, je murmure dans son oreille.

Il s'arrête et tourne la tête pour me lancer un regard noir.

— Ah oui ? C'est comme ça que ça s'est passé ?

J'éclate de rire.

— Oui.

— Tu n'es pas revenue du labo avec une idée derrière la tête ?

— Non !

Il lève les sourcils et sourit.

— Et tu n'as pas interrompu la préparation du dîner très romantique que je te réservais ?

— Moi ? Non !

— Et tu ne m'as pas attiré sur le canapé en me demandant de « faire ce truc avec ma bouche » ?

Je lève une main devant moi :

— Jamais !

— Ce n'est pas toi qui as ignoré l'odeur délicieuse qui venait du four et qui m'a traîné dans la chambre pour me demander de faire des choses très très cochonnes ?

Je ferme les yeux, il m'embrasse sur la joue en ajoutant :

— Je t'aime tellement, ma petite Prune coquine.

Des souvenirs de la nuit me font revenir à mon état d'excitation habituel quand je me trouve près de Will. Je me rappelle ses mains, sa voix et ses ordres. Ces mains qui tirent sur mes cheveux, son corps qui surmonte le mien, sa voix grave. Il me demande de le mordre, de le griffer. Je me rappelle le poids de son corps quand il jouit, transpirant et épuisé. Et sa rapidité à s'endormir, enfin repu.

— C'était peut-être moi. C'était une longue journée, que veux-tu ! J'avais eu tout le temps de penser à ta bouche magique.

Il m'embrasse et reporte son attention sur mon téléphone. Il sourit et me le rend.

— Voilà.

— Je compte dormir.

— Si Chloé a besoin de toi, ton téléphone marchera.

Je le dévisage, étonnée :

— Pourquoi aurait-elle besoin de moi ? Je ne suis pas demoiselle d'honneur.

— Tu ne connais pas Chloé ! C'est un tyran qui pourrait enrôler le premier malheureux qui ne faisait que passer par là.

Il me caresse le cou, comme toujours quand il est mal à l'aise.

— Ne t'inquiète pas. Dors.

— J'ai un pressentiment bizarre à propos de ce voyage, je murmure en m'appuyant sur son épaule. Comme une prémonition.

— C'est une remarque étrangement spirituelle, te connaissant.

— Je suis sérieuse. Ça va être génial. Mais cet énorme tube d'acier nous amène vers une semaine de surprises, j'en suis persuadée.

— Techniquement, les avions sont faits en alliage!

Will me regarde, m'embrasse le nez et murmure:

— Mais tu le savais déjà.

— Ça t'est déjà arrivé d'avoir un pressentiment?

Il m'embrasse encore.

— Une ou deux fois.

Je détaille ses longs cils noirs qui habillent ses yeux d'un bleu profond, sa barbe mal rasée et le sourire ravi qui ne le quitte plus depuis que je l'ai *encore* réveillé à quatre heures du matin, la bouche sur sa queue.

— Tu te sens d'humeur sentimentale, Dr Sumner?

Il hausse les épaules, cligne des yeux, les essuie du revers de la main.

— Je suis heureux de partir en vacances avec toi, c'est tout. Excité par la perspective du mariage. Et celle du bébé qui égayera notre petit groupe.

— J'ai une question à propos d'une règle.

Il se penche vers moi:

— Je ne suis plus ton coach pour draguer. La seule règle est qu'aucun type ne pose la main sur toi.

— On se comprend.

Il chuchote, en souriant:

— Allez, crache ton venin.

— On n'est ensemble que depuis deux mois et…

— Quatre, me corrige-t-il.

Il insiste pour dire que notre histoire a commencé la première fois que nous sommes allés courir.

— Comme tu veux. Quatre mois. Ça se fait de dire, seulement au bout de quatre mois, que j'ai l'impression que nous serons toujours ensemble ?

Il sourit, ses yeux m'effleurent comme une caresse. Il m'embrasse encore.

— Oui, ça se fait. Dors, Prune.

* * *

Mon téléphone vibre sur mes genoux. Je me réveille en sursaut. Je cligne des yeux, m'écarte de l'épaule de Will. Sur mon écran s'affiche un message de lui. Je le vois sourire à côté de moi.

Je lis le message : Comment es-tu habillée ?

Une jupe et pas de culotte. Ne te fais pas d'idée, c'est seulement parce que j'ai été maltraitée hier soir par mon petit ami.

Il rit à côté de moi. Quelle brute, répond-il.

Pourquoi m'écris-tu ?

Il secoue la tête, soupire, comme s'il était épuisé. Parce que je peux le faire. Parce que la technologie moderne est une merveille. Parce que nous sommes à 9000 mètres dans les airs et que je peux te faire une proposition indécente par texto. Tout ça grâce à un satellite relié à un « tube d'acier » qui vole.

Je le fixe, étonnée :

— Tu m'as réveillée pour me demander ce que je portais ?

Il secoue la tête, continue à taper. Mon téléphone vibre.

Je t'aime.

— Je t'aime aussi, dis-je. Je suis là, espèce d'imbécile. Je ne compte pas taper ma réponse.

Il sourit, continue à taper : C'est pour toujours.

Je fixe mon téléphone, la poitrine si oppressée que j'ai du mal à respirer. J'ajuste le dossier de mon siège.

Et je te demanderai bientôt en mariage. Je fixe mon téléphone, en lisant et relisant le dernier message que j'ai reçu.

— D'accord.

Donc, tiens-moi informé si tu ne comptes pas dire oui, parce que je suis terrifié.

Je me réinstalle sur son épaule, il range son téléphone dans sa poche et me prend la main.

Je murmure :

— Mais non. C'est la prochaine étape.

REMERCIEMENTS

Quand nous avons commencé à travailler sur ce livre, nous ne connaissions notre éditeur, Adam Wilson, que depuis huit mois. Nous avions pourtant déjà publié deux livres (*Bastard* et *Stranger*), et planifié la sortie de quatre romans supplémentaires la même année. Ce genre de calendrier éditorial pour un nouveau couple auteur-éditeur ressemble un peu à un camp de vacances. Les choses se passent à toute allure, les relations n'ont pas le temps de se nouer au rythme normal – se flairer, apprendre à se connaître... Comme tout dans la vie, parfois les expériences intenses fonctionnent, et parfois ce n'est pas le cas. Avec Adam, nous avons eu une chance incroyable. Quand nous nous sommes finalement rencontrés en juillet, nous avons tout de suite su: il était des *nôtres,* il possédait le même brin de folie que nous (ou le feignait de manière très convaincante puisque nous lui avons régulièrement envoyé depuis des cupcakes, métaphoriques et réels). Travailler avec lui fait partie des meilleures expériences que nous ayons jamais vécues, et il nous tarde de savoir quelle sera la suite des événements.

Dans notre phase de recherche, nous avons lu au moins cent billets sur des blogues qui expliquaient à quel point trouver un agent sur la même longueur d'onde que soi était primordial. Holly Root n'est pas seulement le meilleur agent pour nous, elle est aussi l'une des personnes que nous apprécions le plus au monde. Sans elle, ces livres n'auraient pas trouvé leur place idéale chez Gallery, ou avec Adam. Elle nous a raconté qu'elle a immédiatement su qu'il serait l'éditeur parfait pour nous. Nous sommes heureuses de pouvoir les compter à nos côtés.

N'oublions pas nos premières lectrices – Erin, Martha, Tonya, Gretchen, Anne, Kellie, Myra, Katy et Monica – qui nous ont fait réaliser qu'écrire ne signifie pas seulement aligner des mots sur du papier. Il s'agit de trouver les lecteurs qui vous aideront à garder la tête haute les mauvais jours et qui partageront vos réussites les bons jours. Si vous avez déjà envoyé un manuscrit à quelqu'un, vous devez savoir à quel point on se sent vulnérable. Merci à toutes les lectrices qui ont participé à l'aventure *Beautiful*, vous êtes parvenues à contrebalancer vos critiques par vos encouragements. Anne, merci pour la citation de Nietzsche et tes commentaires. Jen, mille mercis pour avoir mené la promotion avec une telle efficacité. Lauren, merci de t'occuper de la présence de *Beautiful* sur les réseaux sociaux. Merci également pour ton enthousiasme à chaque couverture, extrait et mail. Nous vous aimons tous.

Nous travaillons à l'érection (ah ah ! nous avons dit érection !) d'une plaque en l'honneur de notre fabuleuse maison Simon&Schuster/Gallery Books. MERCI, Carolyn Reidy, Louise Burke, Jen Bergstrom, Liz Psaltis, le merveilleux département graphiste ; Kristin Dwyer (nous te kidnappons bientôt), Mary McCue, Jean Anne Rose, Ellen Chan, Natalie Ebel, Lauren Mckenna, Stephanie DeLuca et, bien sûr, Ed Schlesinger pour rire aux plaisanteries d'Hanna. Nous nous sentons comme dans une grande famille avec vous. Vous avez un canapé clic-clac dans vos bureaux, n'est-ce pas ?

Écrire, ce n'est pas un travail de bureau. C'est le genre de travail que vous faites chaque fois que vous avez un instant de liberté, c'est aussi un travail qui n'est rien sans inspiration, donc même si vous n'avez pas le temps (typique), vous laissez tout tomber pour coucher sur le papier vos idées avant qu'elles disparaissent, ces garces. Cela signifie parfois courir jusqu'à son ordinateur alors que le dîner brûle dans le four, ou demander à son mari d'amener les enfants voir un film, visiter un zoo ou se promener pour que maman ait une minute à elle. Écrire est un processus qui requiert beaucoup de patience et d'encouragements de la part de toutes les personnes qui partagent la vie de l'auteur. Merci aux amours de nos vies : Keith et Ryan. Et à nos enfants : Bear, Cutest et Ninja, nous espérons que vous réaliserez un jour à quel point vous avez été patients. Maintenant, votre patience est récompensée parce que nous pouvons passer beaucoup plus de temps avec vous. Un grand merci à nos amis et à nos familles pour nous avoir soutenues : Erin, Jenn, Tawna, Jess, Joie, Veena, Ian et Jamie.

Enfin, écrire ces romans n'aurait aucun sens sans les lecteurs merveilleux qui les lisent. Nous sommes toujours épatées quand vous nous dites que vous avez lu toute la nuit, ou que vous avez raconté que vous étiez malades parce que vous ne pouviez pas lâcher le livre. Vos encouragements jouent un rôle essentiel pour nous, plus que nous ne saurions l'exprimer. Merci. Nous vous remercions de continuer à acheter nos livres, d'aimer nos personnages autant que nous, de partager notre sens de l'humour et notre esprit coquin. Merci pour tous vos tweets, mails, posts, commentaires, articles et câlins. Nous espérons que nous aurons l'occasion de faire des signes amicaux à tous nos lecteurs un de ces jours.

Bennett voudrait vous voir dans son bureau.

Lo, tu es tellement plus qu'un co-auteur, tu es ma meilleure amie, le soleil de ma vie, le chocolat de ma… tu sais ce que je veux dire. Je t'aime plus que tous les boys bands, les paillettes et les gloss à lèvres combinés.

PQ, tu es si jolie aujourd'hui ! Je t'aime même quand je suis à deux doigts de me faire pipi dessus tellement je ris. En fait, je t'aime plus que j'aime Excel, GraphPad et SPSS combinés. La larme à l'œil ?

Déjà parus

Suivez-nous sur le Web

Consultez nos sites Internet et inscrivez-vous à l'infolettre pour rester informé en tout temps de nos publications et de nos concours en ligne. Et croisez aussi vos auteurs préférés et notre équipe sur nos blogues!

EDITIONS-HOMME.COM
EDITIONS-JOUR.COM
EDITIONS-PETITHOMME.COM
EDITIONS-LAGRIFFE.COM

Achevé d'imprimer au Canada